MICHAEL WALZER

Lokale Kritik – globale Standards
Zwei Formen moralischer Auseinandersetzung

Aus dem Amerikanischen von
Christiana Goldmann

Mit einem Nachwort
von Otto Kallscheuer

Rotbuch Verlag

ROTBUCH RATIONEN
Herausgegeben von Otto Kallscheuer

Die Deutsche Bibliothek – CIP-Einheitsaufnahme

Walzer, Michael:
Lokale Kritik – globale Standards : zwei Formen moralischer
Auseinandersetzung / Michael Walzer. Aus dem Amerikan. von
Christiana Goldmann. Mit einem Nachw. von Otto Kallscheuer. –
1. Aufl. – Hamburg : Rotbuch-Verlag, 1996
(Rotbuch Rationen)
Einheitssacht.: Thick and thin <dt.>
ISBN 3-88022-468-4

1. Auflage 1996
© der deutschsprachigen Ausgabe
Rotbuch Verlag, Hamburg 1996
Originaltitel:
Thick and Thin. Moral Argument at Home and Abroad
(Frank M. Covey Jr., Loyola Lectures in Political Analysis)
© 1994 by University of Notre Dame Press
Notre Dame, Indiana
Nation and Universe
(The Tanner Lectures on Human Values)
© 1990 by the Tanner Lectures on Human Values, a Corporation
Lektorat: Otto Kallscheuer
Umschlaggestaltung: Michaela Booth
Herstellung: Das Herstellungsbüro, Hamburg
Satz: Greiner & Reichel Fotosatz, Köln
Druck und Bindung: Druckerei Wagner, Nördlingen
Printed in Germany 1996
ISBN 3-88022-468-4

INHALT

I VON DICHTER UND DÜNNER SOLIDARITÄT. MORALISCHE
STREITFRAGEN DAHEIM UND IN DER FREMDE

Einleitung *9*

1 Moralischer Minimalismus *13*

2 Verteilungsgerechtigkeit als maximalistische Moral *37*

3 Maximalismus für Gesellschaftskritiker *61*

4 Stammespartikularismus als Gerechtigkeitsfrage.
Moralische Mindeststandards in den internationalen
Beziehungen *86*

5 Das geteilte Selbst. Vom Pluralismus der inneren
Beziehungen *111*

II NATION UND WELT: UNIVERSALISMUS UND
PARTIKULARISMUS IN MORAL UND POLITIK

1 Zwei Arten von Universalismus *139*

2 Ein zweiter Blick auf die nationale Frage *169*

Anmerkungen *199*
Nachwort von Otto Kallscheuer *213*

Für Sally H. Walzer

שַׁקַּמְתִּי אֵם בְּיִשְׂרָאֵל

Richter 5:7

I.
VON DICHTER UND
DÜNNER SOLIDARITÄT

Moralische Streitfragen daheim
und in der Fremde

EINLEITUNG

In diesem Buch verfolge ich zwei Ziele. Erstens möchte ich eine Reihe von Thesen, die ich seit etwa zehn Jahren über Gerechtigkeit, Gesellschaftskritik und Nationalismus vertreten habe, rekapitulieren, revidieren und erweitern. Die Revisionen und Erweiterungen stellen ebensoviele Antworten auf meine Kritiker dar. Ich bin ihnen allen dankbar, doch habe ich hier keineswegs vor, mich auf polemische Auseinandersetzungen einzulassen. Statt dessen möchte ich den Charakter der Kontroversen selber klarstellen – was das heißen könnte, wird im dritten Kapitel behandelt –, freilich nicht, um mir Vorteile im Krieg der Kritiker zu verschaffen. Kriege dieser Art sind ohnehin nicht zu gewinnen; denn weder sind die Teilnehmer dazu geneigt, die Waffen zu strecken, noch können sie dazu gezwungen werden. Es gibt keinen letzten Schiedsrichter, wie den Souverän in Thomas Hobbes' *Leviathan*. Daher werde ich meine Argumente so stark wie möglich machen und weiteren Kritiken entgegensehen. Über nichts, was auf den folgenden Seiten steht, ist das letzte Wort gesprochen oder das endgültige Urteil gefällt.

Zweitens möchte ich meine Argumente auch in der neuen politischen Welt zur Anwendung bringen, die entstanden ist, nachdem ich meine Thesen zum ersten Mal vorgestellt hatte. Diese neue Welt ist durch den Zusammenbruch des Totalitarismus gekennzeichnet; sie ist infolgedessen von einem allgegenwärtigen, wenigstens nach außen proklamierten Eintreten für demokratische Regierungsformen geprägt – sowie durch die nicht minder allgegenwärtige Befürwortung von kultureller Autonomie und nationaler Unabhängigkeit. Eine universelle oder doch fast universelle Ideologie und gleichzeitig das ungewöhnlich heftige Eintreten für eine »Politik der Differenz« – welchen Reim sollen wir uns darauf machen. Zwar sind die beiden nicht zwangsläufig unvereinbar, aber ihr gleichzeitiger Erfolg muß zu einer radikalen Pluralisierung der Demokratie führen. Er wird eine Reihe unterschiedlicher »Wege zur Demokratie« hervorbringen, und am Ende des Weges eine Vielfalt von »Demokratien«. Diese Aussicht ist gewiß für all jene nur schwer zu akzeptieren, welche *die* (eine) Demokratie für *die* (einzige) beste Regierungsform halten. Außerdem wird, wenigstens in einigen Fällen, die Differenz zu Lasten der Demokratie obsiegen und politische Regime hervorbringen, die stärker auf die jeweiligen historischen Kulturen zugeschnitten sind: religiöse Republiken, liberale Oligarchien, kriegerische Stammeshäuptlinge usw. Nichtsdestoweniger möchte ich für eine Politik der Differenz eintreten und dabei zugleich auch eine gewisse Art von Universalismus beschreiben und verteidigen. Dabei wird es sich freilich nicht um einen Universalismus handeln können, welcher zu allen Zeiten und an allen Orten eine demokratische Regierungsform verlangt; doch wird er der Demokratie immer dort den Weg ebnen, wo es genügend demokratiefähige und bereitwillige Bürger gibt. Und von größerem Gewicht ist vielleicht, daß ein derartiger Universalismus die brutale Unterdrückung von Minderheiten und Mehrheiten in demokratischen wie in nicht-demokratischen Staaten verbietet. (Ich selbst zähle mich zu den bereitwilligen Bürgern und halte es für das beste, demokratisch regiert zu werden. Allerdings glaube ich nicht, daß meine politischen Ansichten ein für alle Mal von Gott, der Natur, der Geschichte oder der Vernunft abgesegnet sind.)

Auch in diesem Buch ist also die »Politik der Differenz« mein Hauptthema; seit langem gilt ihr mein beständiges

Interesse.[1] Dennoch möchte ich im ersten Kapitel damit beginnen, ein – wie ich meine – universelles Element in der Wahrnehmung von politischen Konflikten zu charakterisieren (jedoch nicht philosophischer, sondern aktuell-politischer Natur) und die von ihm geforderten politischen und moralischen Konsequenzen aufzuzeigen. Dann werde ich im zweiten Kapitel meine eigene, partikularistische Auffassung von Gerechtigkeit und im dritten Kapitel meine Vorstellung von Gesellschaftskritik reformulieren – wobei ich beständig darauf achte, das genannte Moment von Universalismus nicht zu vergessen. Im vierten Kapitel werde ich zu zeigen versuchen, wie der Universalismus der »Selbstbestimmung« (der ja stets eher der »Politik der Differenz« verwandt ist) Differenzen auch einschränken kann: indem er nämlich unseren partikularistischen Zielen Grenzen setzt. Und schließlich werde ich im fünften Kapitel eine differenzierte Auffassung des Selbst vorschlagen, von der ich hoffe, daß sie meine andernorts vorgenommene Verteidigung der (Politik der) Differenz plausibler und überzeugender macht.

Als ich vor zehn Jahren *Sphären der Gerechtigkeit*[2] schrieb, vertrat ich die These (von der ich auch heute noch überzeugt bin), der entscheidende Schritt einer kritischen Konzeption der Verteilungsgerechtigkeit bestehe darin, die zu verteilenden »Güter« oder Gegenstände genau zu untersuchen. Diese Gerechtigkeitsauffassung bedarf also keiner Theorie der menschlichen Natur, noch »beruht« sie auf einer solchen Theorie. Wohl aber gibt es ein Bild des Selbst, nicht so etwas Großartiges wie eine Theorie, das mit der dort beschriebenen »komplexen Gleichheit« und mit den Versionen von Komplexität vereinbar ist, die ich an anderer Stelle vertreten habe.

So werde ich am Schluß an die inneren Teilungen meiner Leser appellieren – in der Annahme, daß sie den meinigen nicht unähnlich sind – und sie einladen, sich selbst in den dichten, partikularistischen Geschichten wiederzuerkennen, die ich über Verteilungsgerechtigkeit, Gesellschaftskritik und nationale Identität erzählen möchte.

In diesen Kapiteln beschreibe ich zwei verschiedene, aber miteinander verwandte Arten von moralischer Auseinandersetzung: Ich zeige, wie wir einerseits unter uns, zu Hause, über die »Dichte« unserer eigenen Geschichte und Kultur (einschließlich unserer demokratischen politischen Kultur) sprechen und wie wir andererseits mit Menschen anderer Länder, über alle kulturellen Unterschiede hinweg, über das uns gemeinsame »dünnere« Leben reden können. George Orwell schrieb einmal: »In jedem dicken Mann steckt ein dünner Mann, so wie … in jedem Steinblock eine Statue verborgen ist.«[3] Ähnlich steckt in jeder dichten und partikularistischen Moral das Material für eine dünne und universalistische Moral – doch die Geschichte dieser beiden gleicht in keiner Weise der Statue und dem Steinblock. Beide sind, wie wir sehen werden, auf eine ganz andere Weise geformt und miteinander verbunden.

1. Kapitel

MORALISCHER MINIMALISMUS

I

Ich möchte meine Argumentation mit der Erinnerung an ein Bild beginnen, das den aktuellen Ausgangspunkt, den Denkanstoß für dieses Kapitel lieferte. Mir steht ein Filmausschnitt aus den Fernsehnachrichten über die letzten Monate des großartigen Jahres 1989 vor Augen. Zu sehen waren dort Menschen, die in einem Protestmarsch durch die Straßen Prags zogen. Auf einigen ihrer Transparente stand nur »Wahrheit«, auf anderen nur »Gerechtigkeit«. Als ich das Bild sah, wußte ich wie jeder andere, der dasselbe Bild sah, sofort, was die Transparente bedeuteten. Und nicht allein das: Ich erkannte und billigte – wie (fast) alle anderen Menschen – auch die von den Demonstranten verteidigten Werte. Verfügen wir über irgendeine neuere Auffassung, irgendeine postmoderne Theorie der politischen Sprache, die dieses Verstehen und Anerkennen zu erklären vermag? Wie war es möglich, daß ich so schnell in das Sprachspiel oder das Machtspiel einer so weit entfernten Demonstration einsteigen und mich mit ihm so rückhaltlos identifizieren konnte? Die Demonstranten gehörten einer mir weitgehend unvertrauten Kultur an, sie reagierten auf eine Erfahrung, die ich nie gemacht habe. Und dennoch hätte ich ohne Schwierigkeiten in ihrer Mitte marschieren, dieselben Transparente hochhalten können.

Die Gründe für diese meine so problemlose Aufgeschlossenheit und Übereinstimmung hängen vermutlich ebensosehr mit dem zusammen, was die Demonstranten nicht meinten, wie mit dem, was sie meinten. Sie gingen nicht auf die Straße, um eine Kohärenz-, Konsens- oder Korrespondenztheorie der Wahrheit zu verteidigen. Vermutlich hegten sie ganz unterschiedliche Ansichten über derartige Theorien, oder, was noch wahrscheinlicher ist, sie scherten sich überhaupt nicht darum. Es ging ihnen nicht um eine bestimmte Wahrheitstheorie. Ihre Demonstration hatte nichts mit Erkenntnistheorie zu tun, oder besser gesagt, die erkenntnistheoretischen Überzeugungen der Demonstranten waren derart elementar, daß sie in allen gängigen Theorien hätten ausgedrückt werden können – ausgenommen jene, die überhaupt bestreiten, daß Aussagen »wahr« sein können. Die Demonstranten wollten von ihren politischen Führern wahre Äußerungen hören; sie wollten glauben können, was sie in den Zeitungen lasen, und sie wollten nicht länger belogen werden.

Ebenso demonstrierten die Bürger Prags nicht für eine utilitaristische Gleichheitsauffassung, für John Rawls' Differenzprinzip oder irgendeine andere philosophische Theorie des Verdienstes, des moralischen oder des Rechtsanspruchs. Auch war ihre Triebfeder nicht eine bestimmte historische Vision von Gerechtigkeit, etwa die, welche im religiösen Radikalismus der Hussiten wurzelte.[4] Hätten wir sie dazu gedrängt, dann wären sie zweifellos für unterschiedliche Verteilungsprogramme eingetreten; sie hätten eine gerechte Gesellschaft auf unterschiedliche Weise charakterisiert; sie hätten verschiedene Begründungsprinzipien für Belohnung und Strafe verlangt und sich auf unterschiedliche Geschichtsauffassungen und Kulturtheorien berufen. Was sie unter der auf ihren Transparenten geschriebenen »Gerechtigkeit« verstanden, war jedoch einfach genug: Schluß mit den willkürlichen Verhaftungen, gleiche und unparteiische Rechtsprechung, Abschaffung aller Privilegien und Vorrechte der Parteielite – kurz gesagt, sie forderten eine ganz gewöhnliche, eine Feld-, Wald- und Wiesengerechtigkeit.

II

Moralische Begriffe haben minimale und maximale Bedeutungen. Normalerweise können wir sie durch dünne und durch dichte Beschreibungen wiedergeben, wobei beide Darstellungen für unterschiedliche Kontexte geeignet sind und verschiedenen Zwecken dienen. Freilich verhält es sich nicht so, daß die Menschen zwei Moralauffassungen in ihren Köpfen mit sich herumtragen, etwa zwei Konzeptionen von Gerechtigkeit, deren eine anläßlich eines Ereignisses wie der Prager Demonstration hervorgeholt wird, während man die andere für anstehende Debatten über Fragen der Besteuerung und der Sozialpolitik bereithält.

Die Demonstration – so ließe sich argumentieren – appelliert an eine Unterstützung im Ausland: Die sozialpolitischen Debatten hingegen berufen sich auf heimische Erkenntnisse und lokale Werte. Daher muß man sich im ersten Fall auf eine Feld-, Wald- und Wiesengerechtigkeit verlassen und im zweiten Fall auf eine höher kultivierte oder tiefer verwurzelte Spezies von Gerechtigkeit. Doch so funktioniert die Unterscheidung nicht. Die minimalistischen Bedeutungen sind vielmehr in die Maximalmoral eingebettet; sie werden in derselben Sprache ausgedrückt und teilen dieselbe (historische/kulturelle/religiöse/politische) Ausrichtung. Der Minimalismus wird gewissermaßen freigesetzt und tritt erst im Laufe persönlicher oder gesellschaftlicher Krisen bzw. politischer Konfrontationen – wie im Fall der Tschechen mit der kommunistischen Tyrannei – in verschiedenen Graden von »Dünnheit« selbständig hervor. Da nun wir übrigen (zumindest die meisten von uns) eine gewisse Vorstellung davon haben, was eine Tyrannei ist und warum sie falsch ist, streifen die von den Demonstranten gebrauchten Wörter alle partikularistischen Bedeutungen ab, die sie möglicherweise im Tschechischen besitzen; sie werden weithin verstärkt, vielleicht sogar universell zugänglich. Hätten wir kein gemeinsames Verständnis von Tyrannei, so gäbe es keinen Zugang. Gleichzeitig haben für die Demonstranten dieselben Wörter noch weitergehende Bedeutungen, über die sie untereinander streiten werden und die uns, die wir von weitem zusehen, sehr wohl entgehen mögen. Sie besitzen in Prag eine andere Resonanz als etwa ihre Übersetzungen in Paris oder New York.

Der gegenwärtige Streit in der Moralphilosophie über Relativismus und Universalismus läßt sich vermutlich am besten als Auseinandersetzung über Ausmaß und Legitimität dieser unterschiedlichen Resonanzen verstehen. Welche Bandbreite von Differenz vermag die Vorstellung von Moral abzudecken? Ausgehend von der Erfahrung der Prager Demonstranten möchte ich einen Vorschlag dazu machen, wie wir an diese Frage herangehen sollten. Fraglos hielten sie sich, während sie ihre Spruchbänder schwangen, nicht für Relativisten: Sie hätten, und wie mir scheint ganz zu Recht, gesagt, *alle* Menschen auf der Welt sollten ihre Sache unterstützen – sich ihrer Verteidigung von »Wahrheit« und »Gerechtigkeit« anschließen (ich zitiere hier lediglich die Aufschriften, jegliche Ironie oder jeglicher Skeptizismus hinsichtlich ihrer Botschaft liegt mir fern). Doch sobald sie sich der Aufgabe zuwenden, ein Gesundheits- oder Bildungssystem für Tschechen und Slowaken zu entwerfen, oder wenn sie darüber nachdenken, wie ihre staatliche Einheit bzw. Trennung aussehen könnte, dann sind sie keine Universalisten mehr: Dann werden sie danach suchen, was das *für sie* Beste ist, was ihrer Geschichte und Kultur entspricht; und sie werden nicht darauf bestehen, daß wir übrigen ihre Entscheidungen gutheißen oder wiederholen. [5]

Meiner Ansicht nach gehört dieser Dualismus zur inneren Natur einer jeden Moral. Gewöhnlich beschreiben Philosophen die Moral so, als würde ein (»dünnes«) Bündel universaler Prinzipien (auf eine »dichte« Weise) diesen oder jenen historischen Umständen angepaßt. Ich selber habe einmal die Vorstellung einer Kernmoral vertreten, welche in den jeweiligen Kulturen eine je andere Ausprägung erfährt.[6] Die Vorstellung einer weiteren Ausprägung scheint mir zutreffender zu sein als die einer bloßen Anpassung, da sie auf einen schöpferischen, weniger von außen bedingten und erzwungenen Prozeß verweist, der gleichermaßen von Prinzipien wie von praktischen Erwägungen angeleitet ist. Auch vermag die Begrifflichkeit der Ausprägung die von der Anthropologie und der vergleichenden Geschichtswissenschaft aufgedeckten tatsächlichen Unterschiede besser zu erklären. *Beide* Beschreibungen lassen jedoch die irrtümliche Vorstellung aufkommen, daß der Ausgangspunkt für die Entwicklung der Moral in allen Fällen derselbe sei.

Überall auf der Welt beginnen nach dieser Auffassung Männer und Frauen mit einer gemeinsamen Idee oder einem gemeinsamen Prinzip beziehungsweise einem Bündel von Ideen oder Grundsätzen, die sie dann in unterschiedlicher Weise weiter ausarbeiten. Der Anfang der Moral wäre gleichsam »dünn«, und sie würde mit der Zeit »dichter«, wie es auch unseren tiefsten Intuitionen über Entwicklungs- und Reifeprozesse entspräche. Doch ist unsere Intuition in diesem Punkt irreführend. Jede Moral ist von Anfang an »dicht«, d. h. kulturell integriert und Teil eines komplizierten Gewebes; nur zu besonderen Anlässen erweist sie sich als »dünn«, nämlich dann, wenn die Sprache der Moral ganz bestimmten Zwecken dienen soll.

Betrachten wir weiter die Idee der Gerechtigkeit. So weit ich weiß, taucht sie in jeder menschlichen Gesellschaft auf – die Idee selbst, irgendein Wort oder eine Reihe von Worten, die ihr einen Namen geben, Einrichtungen und Praktiken, die sie verwirklichen, Gerechtigkeit exemplifizieren, rechtskräftig machen und durchsetzen sollen. Wenn wir daher im Buch

1. Kapitel

Deuteronomium lesen, »ausschließlich der Gerechtigkeit, Gerechtigkeit – ihr sollst du nachjagen«, können wir dem ohne weiteres zustimmen.[7] Wir lassen darin unser eigenes entwickeltes Gerechtigkeitsverständnis eingehen, (dies wird Thema des zweiten Kapitels sein), dasjenige, das uns tatsächlich anleitet oder von dem wir meinen, daß es unsere politischen und rechtlichen Bestrebungen anleiten sollte. Würde uns hingegen jemand eine dichte Beschreibung des tatsächlich vom Verfasser des Buches Deuteronomium Gemeinten vorlegen – eine ganz eng am Text durchgeführte Interpretation, eine Rekonstruktion seines historischen Kontextes – dann könnten wir nicht so leichthin zustimmen. Vermutlich würden wir eine komplexere, differenzierte oder vieldeutige Reaktion einer einfachen Zustimmung vorziehen. Denkbar wäre auch, daß uns die Beschreibung so entfernt und fremd erscheint, daß sie gar nichts in uns auslöst (was uns freilich nicht davon abhielte, sie als Beschreibung von »Gerechtigkeit« anzuerkennen). Und wenn der Prophet Jesaja Praktiken als ungerecht verdammt, welche er als ein »Zermalmen von der Armen Antlitz« bezeichnet[8], dann vermeidet er, zumindest fürs erste, jede Komplexität: *Das* ist einfach ungerecht. Wir wissen, daß dem so ist, auch wenn wir nicht mit derselben Gewißheit und Einhelligkeit zu sagen vermögen, was als gerechte Behandlung der Armen gelten sollte. Eine maximalistische Darstellung der Praktiken und Institutionen, die Jesajas Kritik vermutlich als Maßstab voraussetzt, würde viele von uns zweifeln lassen, ob Gerechtigkeit wirklich derartiges fordere.

Welchen Ursprung die Idee der Gerechtigkeit auch haben mag oder welchen Ausgangspunkt auch in dieser oder jener Gesellschaft der Streit um die Gerechtigkeit nehmen wird: Die Auffassungen und Auseinandersetzungen von Menschen über Gerechtigkeit werden sich über ein allen Beteiligten weitgehend vertrautes Gebiet erstrecken und auf ähnliche Probleme stoßen – etwa politische Tyrannei oder die Unterdrückung der Armen. Was auch immer die Leute zu diesen Fragen sagen werden, es wird ein wesentlicher Bestandteil dessen sein, was sie auch über alles andere sagen. Doch einige Aspekte ihrer Urteile – vermutlich ihre negative Seite, ihre Verurteilung von Grausamkeit (»das Antlitz zermalmen«) – werden auch jenen Menschen unmittelbar verständlich sein, die über die anderen Bestandteile ihrer Lebenswelt nichts wissen. Nahezu jeder, der hinsieht, wird hier etwas wahrnehmen, das er wiedererkennt. Unter minimaler Moral verstehe ich die Summe all dessen, was wir wiedererkennen.

Ich möchte betonen (obwohl es bereits deutlich sein sollte), daß »Minimalismus« nicht eine Moral bezeichnet, die inhaltlich nachgeordnet oder emotional seicht ist. Das Gegenteil ist eher wahr: »Minimalmoral« – das ist Moral pur. Kaum etwas ist von größerer Bedeutung als eine derart minimalistisch verstandene »Wahrheit« und »Gerechtigkeit«. Die minimalen Forderungen, die wir im sozialen Zusammenhang aneinander stellen, werden, sobald irgendwer sich ihnen verweigert, mit leidenschaftlicher Beharrlichkeit wiederholt. Im moralischen Diskurs gehen also »Dünnheit« und Intensität Hand in Hand, während mit der »dichten Beschreibung« auch Einschränkungen, Kompromisse, Komplexität und Meinungsverschiedenheiten ins Spiel kommen.

III

Für viele Philosophen (gleichgültig, ob sie in der angloamerikanischen oder kontinentalen Tradition stehen) ist eine minimale Moral kaum mehr als die Aufforderung, die Arbeit fortzusetzen. Gewöhnlich wird die Moralphilosophie als ein zweistufiges Unterfangen betrachtet, das erstens den Minimalismus fundieren und dann zweitens auf diesem Fundament ein weitläufigeres Gebäude errichten will. Ich unterstelle hier, daß ihr Ziel in einer einzigen, mehr oder weniger vollständigen Theorie all dessen besteht, was wir tun und wie wir leben sollten: in einer Theorie, welche dann als kritischer Maßstab für die stärker umstandsbedingten Moralkonstruktionen der jeweiligen besonderen Gesellschaften und Kulturen verwandt werden kann. Die westliche Philosophie hat der Suche nach dem Einen vermutlich überhaupt eine zu große Bedeutung beigemessen, in diesem Fall ist sie jedoch vor allem von der scheinbaren Einheit der minimalen Moral inspiriert, oder jedenfalls von der Tatsache, daß über derart minimalistische Werte wie »Wahrheit« und »Gerechtigkeit« allgemeine Übereinstimmung herrscht. Wenn wir uns bereits so weit und wie es scheint so mühelos einig sind, warum (so geht die Annahme) sollten wir dann nicht nach einer umfassenderen, wenn auch schwierigeren Übereinstimmung suchen?

Vor etwa dreißig Jahren strebte eine Gruppe amerikanischer Maler, die auch als Kunsttheoretiker hervortraten, einem Kunstverständnis nach, das sie »Minimal Art« nannten.[9] Die Großschreibung geht auf ein Manifest zurück, in dem sie eine Kunstform propagierten, die »objektiv und ausdrucksfrei« sein sollte. Ich bin mir nicht sicher, was diese Worte in der Malerei bedeuten, aber sie beschreiben sehr schön eine Auffassung des Minimalismus in der Moral. Auf eine moralische Regel angewandt bedeuten sie, daß die Regel keinen Sonderinteressen dient, keine bestimmte Kultur ausdrückt und das Verhalten aller auf eine für die Allgemeinheit vorteilhafte oder eindeutig richtige Weise anleitet. Die Regel trägt keine persönliche oder gesellschaftliche Unterschrift. (Ob Minimal Art signiert wurde, entzieht sich meiner Kenntnis.) Zwar mag der eine oder andere Mensch die fragliche moralische Regel mit besonderer Eindringlichkeit gelehrt haben, aber deshalb war sie doch niemals die seinige (oder die ihrige). Obgleich also das moralische Prinzip erstmalig zu einer bestimmten Zeit und an einem bestimmten Ort ausgearbeitet wurde, trägt es deshalb nicht den Stempel seiner Herkunft. Dies ist die normale philosophische Auffassung des moralischen Minimalismus: er ist die Moral aller, weil er niemandes Moral im besonderen ist. Subjektives Interesse und kultureller Ausdruck wurden von Anfang an vermieden oder später ausgelöscht. Und wenn es uns gelingt, diese Moral zu verstehen, dann sollten wir auch in der Lage sein, einen vollständigen objektiven Code ohne jeden spezifischen kulturellen Ausdruck zu entwickeln – eine Art moralisches Esperanto.

Diese Hoffnung trügt indes, denn der Minimalismus ist weder objektiv, noch ist er ohne jeden Ausdruck. Vielmehr ist er in jeder Situation partikular und lokal bedeutsam, also aufs engste mit den maximalen Moralauffassungen verbunden, welche hier oder dort, zu besonderen Zeiten und an (»bestimmten«) Orten geschaffen wurden. Wenn wir daher im Fernsehen die Demonstranten in Prag sehen, dann ergreifen wir nicht in erster Linie für »Wahrheit« und »Gerechtigkeit« als abstrakte Aussagen Partei. Vielmehr erkennen wir den Anlaß wieder, wir schließen uns in der Phantasie der Demonstration an, unsere Zustimmung zu ihren Forderungen ist eher stellvertretend als distanziert oder hypothetisch: Auch wir wollen keine Lügen aufgetischt bekommen, auch wir erinnern uns an Tyrannei und Unterdrückung oder haben Geschichten davon gehört. Wir erkennen die Pointe der tschechischen Spruchbänder sofort. Gleichzeitig aber statten wir die Parolen »Wahrheit« und »Gerechtigkeit« mit unseren eigenen zusätzlichen Bedeutungen aus, wir lassen sie innerhalb unserer Kultur ihre ganze expressive Bandbreite annehmen. Während wir mithin im Geiste in den Reihen der Frauen und Männer Prags mitmarschieren, nehmen wir in Wirklichkeit an unserer eigenen Demonstration teil. (Dies mag im vorliegenden Fall nicht völlig einleuchten, da Prag kulturell gesehen in nächster

Nachbarschaft liegt. Aber denken Sie nur an eine Demonstration für »Wahrheit« und »Gerechtigkeit« in Rangoon oder Beijing.)

Wir ziehen stellvertretend für Menschen durch die Straßen, die in Bedrängnis sind, wer immer sie sein mögen, und wir halten zugleich unsere eigene Protestkundgebung ab. Diese dualistische Metapher erfaßt unsere moralische Wirklichkeit. Wir sollten nicht versuchen, diesem Dualismus zu entkommen, denn er entspricht dem, was ich den notwendigen Charakter jeder menschlichen Gesellschaft nennen möchte: Sie ist universal, weil sie menschlich, und sie ist partikular, weil sie eine Gesellschaft ist. Gewöhnlich versuchen Philosophen, wie ich bereits andeutete, das Adjektiv (menschlich) über das Substantiv (Gesellschaft) zu stellen, aber dieses Bemühen läßt sich in keiner besonderen Gesellschaft verwirklichen – es sei denn zu einem Preis (an Zwang- und Uniformität), den die Menschen allerorten als zu hoch erkennen werden. Diese Erkenntnis bestätigt zugleich den Minimalismus und den Maximalismus, die »dünne« und die »dichte«, die universale und die relativistische Moral. Sie verweist auf die allgemeine Einsicht, daß es einen Wert darstellt, an einem bestimmten Ort, nämlich an seinem eigenen, in seinem Zuhause oder seiner Heimat zu leben. Gesellschaften sind zwangsläufig partikular, weil sie aus Mitgliedern und Erinnerungen bestehen, aus Mitgliedern *mit* Erinnerungen an ihr eigenes und an ihr gemeinschaftliches Leben. Demgegenüber hat die Menschheit zwar Mitglieder, aber keine Erinnerung, und folglich auch keine Geschichte, keine Kultur, keine überlieferten Bräuche, keine vertrauten Lebensweisen, keine Feste, kein gemeinsames Verständnis sozialer Güter. Derartiges zu haben ist menschlich, aber es gibt nicht nur eine einzige menschliche Weise, solche Güter zu haben. Gleichzeitig können die Mitglieder all der verschiedenen Gesellschaften, eben weil sie Menschen sind, die verschiedenen Sitten der jeweils anderen anerkennen, wechselseitig auf Hilferufen der anderen reagieren, voneinander lernen und (manchmal) in den Kundgebungen der anderen mitmarschieren.

Warum sollte dies unzureichend sein? Denken wir an den Auszug Israels aus Ägypten, die *Anabasis,* Mohammeds *Hedschra,* die Fahrt der Pilgerväter über den Atlantik, den Treck der Buren, den langen Marsch der chinesischen Kommunisten, die Prager Demonstrationen: Müssen sie alle zu einem großen Aufzug verschmelzen? Nichts würde dadurch gewonnen, denn der Wert all dieser Märsche liegt hauptsächlich in der besonderen Erfahrung ihrer Teilnehmer. Nur zeitweilig ist es ihnen möglich, miteinander zu marschieren, und die Annahme, sie zögen alle in die gleiche Richtung, ist völlig unbegründet. Die Behauptung, es könne sich gar nicht anders verhalten, als daß alle in die gleiche Richtung drängten, da gutherzige (oder »ideologisch korrekte«) Männer und Frauen nur diese eine Richtung einzuschlagen vermöchten, ist – wie der tschechische Schriftsteller Milan Kundera in *Die unerträglichen Leichtigkeit des Seins* schreibt – ein Beispiel für linken Kitsch.[10] Auch mag diese Auffassung von den hohen Idealen der Philosophen zeugen. Unserer moralischen Erfahrung entspricht sie deshalb noch lange nicht.

IV

Gleichwohl ist es möglich, eine gehaltvolle Auffassung des moralischen Minimums darzulegen. Solange wir uns dessen bewußt sind, daß es sich dabei zwangsläufig auch um einen Ausdruck unserer eigenen dichten Moral handelt, scheint mir daran nichts Falsches zu sein. Vermutlich werden wir kein moralisches Pendant zum Esperanto formulieren können – oder genauer gesagt: Wie das Esperanto den europäischen

Sprachen sehr viel näher steht als anderen, so wird auch der Minimalismus, sobald er als »Minimalmoral« ausgedrückt wird[11], unvermeidlich Sprache und Ausrichtung einer der maximalen Moralauffassungen annehmen. Es gibt keine neutrale (nicht-expressive) moralische Sprache. Gleichwohl haben wir die Möglichkeit, unter unseren Werten und Überzeugungen diejenigen auszuwählen, die es uns erlauben, am Protestzug der Menschen in Prag stellvertretend im Geiste mitzumarschieren. Wir können eine Liste ähnlicher Anlässe (auch zu Hause) anfertigen, unsere Reaktionen festhalten und herauszufinden versuchen, was den Anlässen und Reaktionen gemeinsam ist. Möglicherweise wird als Endergebnis dieser Bemühungen eine Reihe von Maßstäben herausspringen, an denen sich alle Gesellschaften messen lassen – und sehr wahrscheinlich wird es sich dabei um negative Gebote handeln, um Vorschriften gegen Mord, Täuschung, Folter, Unterdrükkung und Tyrannei. Wir, die Amerikaner oder Europäer des 20. Jahrhunderts, werden diese Maßstäbe vermutlich in der Sprache der Rechte formulieren, weil dies die Sprache unseres eigenen moralischen Maximalismus ist. Zudem ist dies keine schlechte Möglichkeit, über solche Verletzungen und solches Unrecht zu reden, denen niemand ausgesetzt sein sollte, und ich gehe davon aus, daß diese Sprache übersetzbar ist.

Jede Moral, die derartige Aussagen nicht zuläßt und deren praktizierende Anhänger nicht auf das Leid und die Unterdrückung anderer Menschen zu reagieren oder (manchmal) an den Protestmärschen anderer Völker teilzunehmen vermögen, wäre eine unzureichende Moral. Eine Gesellschaft oder ein politisches Regime (wie das der tschechischen Kommunisten), das gegen die Mindestmaßstäbe verstieße, wäre eine unzulängliche Gesellschaft. In diesem Sinne verhilft uns der Minimalismus zu einem kritischen Standpunkt. Allerdings möchte ich noch einmal betonen, daß das moralische Minimum keine freischwebende Moral ist. Es bezeichnet lediglich einige immer wieder auftauchende Merkmale bestimmter dichter oder maximaler Moralauffassungen. Deshalb scheint es mir fraglich, ob wir zu Recht sagen können, bei unserer Kritik an anderen Gesellschaften wendeten wir minimale Maßstäbe an. Jedenfalls dürfte dies nicht alles sein, was wir tun, wenn wir fremde Gesellschaften kritisieren. Natürlich liegt es im Minimalismus von »Wahrheit« und »Gerechtigkeit« begründet, daß wir uns den Prager Demonstranten anschließen können. Sobald wir jedoch in unserer Kritik am tschechischen Kommunismus Alternativen vorschlagen, gehen wir rasch über das Minimum hinaus und wissen sehr wohl, daß einiges von dem, was wir sagen, in Prag (oder in diesem oder jenem Teil von Prag) auf ein positives Echo stoßen wird und anderes vermutlich auf Ablehnung. Wenn ich zum Beispiel die Tyrannei kritisiere, dann werde ich dies vermutlich im Namen der Werte sozialer Demokratie tun; doch stellen diese keineswegs die universalen Werte einer jeden Politik wider die Tyrannei dar. Andere Kritiken an der Tyrannei werden einen Teil meines Gedankenganges aufgreifen, andere Teile hingegen übergehen oder verwerfen. Aber ich habe keinen philosophischen Grund, einzelne Bestandteile meiner Kritik auszusortieren (was nicht heißt, daß ich keine politischen Gründe oder Zweckmäßigkeitsmotive dafür haben kann).

Das kritische Unterfangen wird notwendigerweise im Sinne der einen oder anderen dichten Moral durchgeführt werden. Die Hoffnung, ein begründeter und erweiterter Minimalismus könne der Sache der universalen Kritik gute Dienste leisten, trügt. Der Minimalismus sorgt für eine begrenzte, wenn auch wichtige und ermutigende Solidarität. Er beschert uns keine vollblütige universalistische Moral. Deshalb marschieren wir für eine Weile Seite an Seite, bevor wir wieder zu unseren eigenen Aufzügen zurückkehren. Zu allen Zeitpunkten, nicht nur wenn wir gemeinsam demonstrieren, spielt die

Vorstellung eines moralischen Minimums eine Rolle. Sie liefert eine Erklärung dafür, wie wir zueinander finden, und rechtfertigt unser Auseinandergehen. Gerade durch ihre »Dünnheit« berechtigt sie uns, immer wieder zu der für uns eigentümlichen »Dichte« zurückzukehren. Jene Moral, in die das moralische Minimum eingebettet ist und aus der es sich nur zeitweilig herauslösen läßt, ist die einzige vollblütige Moral, die wir je haben können. In gewisser Hinsicht muß das Minimum gegeben sein, doch sobald diese Bedingung erfüllt ist, steht das übrige frei. Wir sollten uns den Demonstranten in Prag anschließen, doch sobald wir es getan haben, steht es uns frei, für all das einzutreten, was unseren weitergehenden moralischen Überzeugungen entspricht. Es gibt den einen Marsch, und es gibt viele Märsche (oder auch: Es gibt viele Märsche, und manchmal gibt es einen).

V

Ich werde nicht umhin können, eine zeitgenössische Version des moralischen Minimalismus zu erörtern, welche beansprucht, das Eine und das Viele zu berücksichtigen, es in Wirklichkeit aber nicht tut. Zur Zeit ist es üblich, das Minimum im Sinne eines Verfahrens zu begreifen – als eine dünne Diskursethik oder als dünne Entscheidungsprozedur, welche dann jede weitergehende, partikulare Erzeugung einer dichten und gehaltvollen Moral anleiten sollen. Nach dieser Auffassung stattet uns der Minimalismus mit jenen generativen Regeln aus, mittels derer sich dann je verschiedene moralische Maxima erzeugen lassen. Eine kleine Menge von Ideen, die wir mit allen anderen Menschen auf der Welt teilen oder teilen sollten, leitet uns bei der Produktion der komplexen moralischen Kulturen, die wir nicht teilen und auch nicht tei-

len müssen – und so erklären und rechtfertigen sie diese weitergehende Produktion. Gemeinhin erfordern diese universell
geteilten Ideen – wie in der kritischen Theorie von Jürgen
Habermas – ein demokratisches Verfahren; ja, sie erheischen
eine radikale Demokratie unter sprachbegabten moralischen
Subjekten, etwa von Männern und Frauen, welche ununter-
brochen über inhaltliche Fragen der Gerechtigkeit debattieren.[12] Die minimale Moral besteht nach dieser Auffassung
aus den für alle Sprecher verbindlichen Teilnahmeregeln,
während der Maximalismus das nie abgeschlossene Ergebnis
ihrer Debatten darstellt.

Diese scharfsinnige Theorie steht freilich zwei ernsthaften
Schwierigkeiten gegenüber. Erstens entpuppt sich das Ver-
fahrensminimum keineswegs als bloß minimal. Schließlich
sollen die Teilnahmeregeln garantieren, daß die Sprecher frei
und gleich sind und nicht von Herrschaftsverhältnissen, Un-
terordnung, Unterwürfigkeit, Furcht und Autoritätshörigkeit
eingeschränkt werden. Anderenfalls, heißt es, könnten wir
ihre Argumente und Entscheidungen nicht respektieren.
Doch sobald derartige Regeln erst einmal aufgestellt sind,
bleiben nur noch sehr wenige inhaltliche Fragen übrig, über
die die Sprecher streiten und entscheiden können. Gesell-
schaftsstruktur, politische Einrichtungen und Verteilungsmaßstäbe sind weitgehend vorgegeben; es bleibt lediglich die
Möglichkeit, sie lokalen Gegebenheiten anzupassen. Was als
»dünne« Moral vorgestellt wurde, ist somit bereits außeror-
dentlich »dicht« – von einer durchaus annehmbaren liberalen
oder sozialdemokratischen Dichte erfüllt. Die Regeln der
Diskursbeteiligung begründen in Wirklichkeit eine Lebensform. Wie könnte dies auch anders sein? Männer und Frauen,
die einander als Gleiche anerkennen, die das Recht auf Rede-
freiheit beanspruchen, sich der Tugenden der Toleranz und
wechselseitigen Achtung befleißigen, entspringen nicht dem
Kopf des Philosophen wie Athene dem Haupte des Zeus. Sie

sind Geschöpfe der Geschichte, an ihnen ist sozusagen seit Generationen gearbeitet worden. Und sie leben in einer Gesellschaft, die ihren Eigenschaften »entspricht« und so Menschen, die ihnen sehr ähnlich sind, unterstützt, bestärkt und reproduziert. Solche Männer und Frauen sind bereits Maximalisten, bevor sie in ihre regelgeleiteten Diskussionen eintreten.

Möglicherweise ergibt sich die zweite Schwierigkeit lediglich aus der Umformulierung der erste. Offenbar setzen die Teilnahmeregeln voraus, daß es zunächst Regeln gibt und erst dann eine Beteiligung am Diskurs zustande kommt. Der Minimalismus geht dem Maximalismus voraus; früher lebten wir unter »dünnen« Bedingungen, doch nun hat unsere Moral an Dichte gewonnen. Diese Ansicht habe ich oben bereits angezweifelt. Mit dem Beispiel der Diskursethik oder der Entscheidungstheorie vor Augen sollten wir nun leichter erkennen können, worin ihre Probleme liegen. Denn die von diesen Theorien vorgeschriebene maximale Moral ist schlicht eine abstrakte Version der zeitgenössischen demokratischen Kultur, und die Abstraktion ist nicht einmal sehr weitgehend. Gäbe es eine solche Kultur nicht, würde uns diese besondere Version der minimalen Moral gar nicht erst einleuchten. Daher geht in Wirklichkeit der Maximalismus dem Minimalismus voraus und nicht umgekehrt. Aber kein bestimmtes Maximum ist die alleinige Quelle des moralischen Minimums, ganz zu schweigen von all den anderen maximalen Moralvorstellungen. Wenn ausgewachsene Demokraten sich vorstellen, die Regeln der Diskursbeteiligung erzeugten die Moral in all ihren Spielarten, dann gleichen sie einer sprachbegabten Eiche, die, zu freier Meinungsäußerung aufgefordert, feierlich erklären würde, die Eichel sei der Keim und Ursprung des ganzen Waldes.

Aber dieses Beispiel läßt noch eine gewisse Großzügigkeit ahnen. Eine bessere Analogie wäre vermutlich eine Eiche, welche zwar die ganze Bandbreite der unterschiedlichen Bäume anerkennen würde, aber dann für das Abholzen all jener, nun illegitim genannten Bäume eintritt, die nicht als Eichel begannen. So meinen (einige) philosophische Vertreter der Verfahrensethik, eine jede Moral, die nicht das Ergebnis ihres Verfahrens ist oder sein könnte, müsse verworfen werden.[13] Der moralische Minimalismus erfüllt ohne Zweifel eine kritische Funktion. Wird jedoch jedes Maximum mit einer einzigen Ausnahme (unserer eigenen) ausgeschlossen, dann können wir dieses doch ohne Umweg zu unserem kritischen Maßstab machen: Aus welchem Grund sollten wir uns dann überhaupt noch mit dem Minimalismus plagen? Solange wir nicht in der Lage sind, einen neutralen Ausgangspunkt anzugeben, von dem ausgehend sich viele verschiedene und möglicherweise ebenso legitime moralische Kulturen entwickeln lassen, dürfte es uns auch nicht gelingen, ein verfahrenstheoretisches Minimum zu formulieren. Ein derartiger Ausgangspunkt existiert indes nicht. Moralvorstellungen haben keinen gemeinsamen Anfang. Die Männer und Frauen, die sie ausarbeiten, lassen sich nicht mit Wettläufern vergleichen, die ebenfalls gemeinsame Regeln und ein gemeinsames Ziel haben. Beides aber spielt in der weitaus weniger organisierten Arbeit der kulturellen Entwicklung keine Rolle.

Eine sehr viel bescheidenere Verfahrenstheorie ist jüngst von Stuart Hampshire in seinem Buch *Innocence and Experience* verfochten worden. Er tritt für einen, wie er sagt,»dünnen Begriff von minimaler Verfahrensgerechtigkeit« ein, »für die Bedingungen des bloßen Anstands«.[14] Hampshire ist geneigt, diese Bedingungen mit der allgemeinen (er spricht von der »gattungsweiten«) Erfahrung gleichzusetzen, die wir bei allen politischen Beratungen machen. Er möchte aus dieser Erfahrung eine Reihe praktischer Regeln oder Einsichten ableiten, die Männer und Frauen vor Grausamkeit und Unterdrückung schützen können. Zweifellos präsentiert er uns ein

1. Kapitel

Argument für »Wahrheit« und »Gerechtigkeit« im Geiste des Minimalismus: Wir bekommen von beiden gerade so viel, wie wir brauchen, um den ausgreifenderen Streit über Wahrheit und Gerechtigkeit endlos weiterführen zu könne. Diese umfassende Auseinandersetzung hat keine notwendige Form: Viele verschiedene Formen (nicht bloß demokratische) erfüllen die Erfordernisse bloßen Anstands. Hampshire ist nicht damit beschäftigt, ideale Verfahren zu erfinden oder herzuleiten, die als Richtschnur für die Auseinandersetzungen dienen und für die Gestalt und Rechtfertigung ihrer Ergebnisse verantwortlich sind. Die Ergebnisse mögen in einem eher lokalen und partikularistischen Sinne richtig oder falsch, gut oder schlecht sein. Wichtig ist vor allem, daß sie ohne tyrannischen Zwang oder ohne Bürgerkrieg zustande gekommen sind. Dies scheint mir ein durchaus sinnvoller Weg zu sein, um den Gehalt des moralischen Minimalismus aufzuspüren. Und was noch wichtiger sein mag, ich glaube, daß dieser Weg eng mit der politischen Erfahrung des 20. Jahrhunderts in Einklang steht. Dennoch möchte ich betonen, daß er nicht der einzige ist.

Die Verfahrenstheorie der Moral ist durchaus attraktiv, ermöglicht sie doch scheinbar (und in Hampshires Falle tatsächlich) abweichende Ergebnisse. Sie weist der Gemeinsamkeit einen Ort auf dem Weg zur Differenz zu. Doch ebensogut ließe sich die Argumentation umkehren, wir könnten die große Vielfalt historischer Prozesse anerkennen und nach ähnlichen oder sich überschneidenden Ergebnissen Ausschau halten; also die Gemeinsamkeit an der Endstation eines Weges ansiedeln, welcher mit der Differenz beginnt. Oftmals bilden wir zweifellos das moralische Minimum dadurch, daß wir von sozialen Verhaltensformen abstrahieren, die sich in vielen Ländern und Kulturen wiederholen. Aber wir abstrahieren dann nicht vom Prozeß der Wiederholung: Aus der Praxis des Regierens schöpfen wir beispielsweise Gedanken über die Verantwortung der Regierenden gegenüber den Regierten. Die Praxis des Krieges veranlaßt uns zu Überlegungen hinsichtlich des Kampfes zwischen Kombattanten, des Ausschlusses von Nicht-Kombattanten und des Schutzes der Zivilbevölkerung. Die Handelspraxis erzeugt Gedanken über Ehrlichkeit, faires Geschäftsgebaren und Betrug. All diese Vorstellungen sind zweifelsohne die meiste Zeit über wirkungslos oder sie greifen nur innerhalb ausgefeilter kultureller Systeme, die jeder einzelnen Praxis eine vollkommen eigenständige Form verleihen. Gleichwohl sind sie dem minimalistischen Gebrauch zugänglich, wenn sich der Anlaß dazu bietet.

VI

Betrachten wir eine mögliche Gelegenheit, auf die wir zur Zeit sehr oft in den Tagesnachrichten stoßen: die Solidarität, die wir für bedrängte Menschen empfinden, für Menschen, die Mord und Unterdrückung ausgesetzt sind, scheint nicht nur zu fordern, daß wir mit ihnen demonstrieren, sondern auch, daß wir an ihrer Seite kämpfen – um ihretwillen eine militärische Intervention betreiben. Zweifellos sollten wir mit einer solchen Maßnahme nie schnell bei der Hand sein; ich selber habe an anderer Stelle die Einwände gegen das militärische Eingreifen in die Konflikte und Länder fremder Völker stark gemacht.[15] Außerdem kann keinesfalls jede moralische Regel, die sich auf minimalistische Weise formulieren läßt, auch die Anwendung von Gewalt rechtfertigen. Wahrscheinlich sind wir eher dazu verpflichtet, für die »Wahrheit« das Wort zu ergreifen als das Schwert. Und dasselbe gilt für »Gerechtigkeit«: Außenstehende vermögen sie durch moralische Unterstützung besser zu verteidigen als durch bewaffnete Intervention. Ja, man könnte sogar behaupten, dieser Vorzug, der gewaltfreien Mitteln eingeräumt wird, sei selbst noch ein Charakteristikum des moralischen Minimums. Nichtsdestoweniger gibt es Zeiten und Situationen, in denen es moralisch gerechtfertigt ist, bewaffnete Männer und Frauen über eine Grenze zu schicken – und einzig und allein der Minimalismus (oder ein Ultra-Minimalismus?) befindet darüber, wann und unter welchen Einschränkungen dies angebracht ist.

Wenn wir also nicht für »Wahrheit« und »Gerechtigkeit« mit Waffengewalt intervenieren sollten, sollten wir dies doch vielleicht für »Leben« und »Freiheit« tun (beispielsweise im Falle von Massenmord oder Versklavung). Dabei müssen wir davon ausgehen, daß die Menschen, denen wir zu helfen versuchen, tatsächlich Hilfe wünschen. Zwar mag es immer noch Gründe für eine Zurückhaltung geben, doch die Meinung, diese Menschen zögen es vor, sich abschlachten oder versklaven zu lassen, zählt sicherlich nicht dazu. Gewiß wird nicht alles, was wir für Unterdrückung halten, überall als solche angesehen. Wenn wir in solchen Fällen von Unterdrückung reden, dann weil diese Bewertung ein Teil unserer eigenen maximalen Moral ist, und das liefert uns keinen Anlaß für eine militärische Intervention. Es geht nicht an, Menschen vorzuschreiben, in unserem eigenen Protestmarsch mitzulaufen. Dennoch bietet auch der moralische Minimalismus, in der Politik ebenso wie im Privatleben, (einige) mutmaßliche Anlässe für Gewaltanwendung. So werden wir etwa Gewalt anwenden, um jemanden am Selbstmord zu hindern, ohne zu wissen, wer er ist oder woher er kommt. Möglicherweise hat er Gründe, sich umzubringen, Gründe, die von seiner eigenen maximalen Moral gebilligt oder von seiner moralischen Gemeinschaft bejaht werden. Doch dessen ungeachtet ist »Leben« ein Wert, der beständig und wiederholt verteidigt werden muß – und ihn zu verteidigen, ist ein Akt der Solidarität. Und auch wenn wir aus Achtung vor den Gründen des

Selbstmörders von einem gewaltsamen Einschreiten Abstand nehmen sollten, dann könnten wir immer noch eine moralische Kultur kritisieren, die derartige Gründe liefert: etwa, weil sie dem Wert des Lebens zu wenig Beachtung schenkt.

VII

Die minimale Moral ist sowohl für die Kritik als auch für die Solidarität von größter Bedeutung. Gleichwohl vermag sie die Rechtfertigung von »dicht« verstandenen Wertvorstellungen weder zu ersetzen noch abzulösen. Sozialdemokratie, freie Marktwirtschaft, moralisches Laissez-faire, republikanische Tugend, die eine oder andere Vorstellung von öffentlichem Anstand oder vom guten Leben – sie alle müssen in ihrer jeweils eigenen moralischen Sprache gerechtfertigt werden. Wahrscheinlich werden die Argumente, die wir zu ihren Gunsten vortragen, das moralische Minimum einschließen, doch sind sie weder dessen Fortsetzung, noch daraus ableitbar oder gar logisch darin enthalten. Wenn wir wollen, daß unsere Argumentation angemessen und aufrichtig ist, dann müssen wir uns über ihren Status im klaren sein: Es sind *unsere* Gründe, und erst, wenn wir alle anderen von ihrer Richtigkeit überzeugt haben, die Begründungen aller. Demgegenüber ist der Minimalismus weniger das Ergebnis einer Überzeugungsarbeit, vielmehr entsteht er dadurch, daß die Vertreter verschiedenster vollentwickelter moralischer Kulturen ihn wechselseitig anerkennen. Er enthält Grundsätze und Regeln, die sich zu verschiedenen Zeiten, an unterschiedlichen Orten wiederholen und die – selbst wenn sie in verschiedenen Sprachen ausgedrückt sind, verschiedene Geschichten und verschiedene Versionen der Welt spiegeln – als ähnlich angesehen werden. Ich möchte hier nicht die Gründe für die

Wiederholungen oder die Differenzen erwägen (eine natura-
listische Erklärung scheint im ersten Fall angemessener zu
sein, während im zweiten eine Kulturtheorie wohl angebrachter wäre). Es mag genügen, die doppelte Wirkung dieser Prinzipien und Regeln zu unterstreichen: In ihren alltäglichen
Zusammenhängen betrachtet, eröffnen sie entgegengesetzte
Perspektiven, in Augenblicken der Krise und der Konfrontation sorgen sie, aus einer gewissen Entfernung betrachtet, für
Gemeinsamkeit.

Ich sollte betonen, daß in einer minimalen moralischen Argumentation ausschließlich diese (teilweise) Gemeinsamkeit
anerkannt wird und keineswegs die ganze moralische Bedeutung der anderen Kulturen. Viele Menschen sehen in den anderen meistens keine Träger von Werten, sie betrachten sie
nicht in deren eigenen Kontexten. Die meisten Menschen
sind keine Pluralisten. Schließlich ist auch der kulturelle Pluralismus eine maximalistische Vorstellung, nämlich das Ergebnis einer dicht entwickelten liberalen politischen Kultur
oder Erfahrung. Der Minimalismus hat weit weniger zur Voraussetzung: Vermutlich hängt er von der einfachen Tatsache
ab, daß wir gewisse moralische Erwartungen an das Verhalten
anderer Menschen haben, und zwar nicht nur in bezug auf
unsere Mitmenschen, sondern auch gegenüber Fremden.
Und die Fremden haben ihrerseits ähnliche Erwartungen an
ihr eigenes Verhalten und an das unsrige. Obgleich unsere
jeweilige Geschichte anders aussieht, haben wir gemeinsame
Erfahrungen und manchmal gemeinsame Reaktionen; und
aus diesen Überschneidungen bilden wir das moralische
Minimum, wenn wir seiner bedürfen. Es ist eine zusammen-
geflickte und wacklige Sache – so hastig angefertigt wie die
Spruchbänder für die Prager Demonstration.

Der Minimalismus gleicht daher keineswegs Orwells Statue, die aus dem gestaltlosen Steinblock befreit wird. Genau
genommen wissen wir überhaupt nichts über den Steinblock.

Womit wir beginnen, das ist bereits die fertige Statue, die ihrem Stil nach maximalistisch ist und ziemlich alt – von vielen Händen gemeißelt. In Krisenzeiten schaffen wir dann eilends eine abstrakte Version, ein Strichmännchen, eine Karikatur, die die Komplexität des Originals nur andeutet. Wir greifen einen einzelnen Aspekt heraus, der für unsere unmittelbaren (oftmals polemischen) Zwecke ausschlaggebend und allgemein wiedererkennbar ist. In solchen Zeiten verbindet uns eher das Bewußtsein eines gemeinsamen Feindes als die Bindung an eine gemeinsame Kultur. Weder besitzen noch bewundern wir alle die gleiche Statue, dennoch verstehen wir die Abstraktion. Allerdings nicht, weil sie einem philosophischen »Am-Anfang-war« entspringt, sondern weil sie sich einer spezifischen historischen Konstellation verdankt.

Der Minimalismus liefert keine Grundlegung der Moral: es ist nicht der Fall, daß verschiedene Gruppen von Menschen entdecken, sie seien alle derselben Menge letzter Werte verpflichtet. Ein einfaches Beispiel sollte dies veranschaulichen: Zu den Unterstützern der Prager Demonstrationen gehörten auch christliche Fundamentalisten, für die eine weltlich verstandene »Wahrheit« und »Gerechtigkeit« nicht zu den wichtigsten Anliegen zählen. Nichtsdestoweniger können auch sie den Sturz eines lügnerischen Regimes feiern. Oftmals sagt das, was für eine Gruppe von größter Bedeutung ist (etwa die persönliche Erlösung oder die Gotteserkenntnis), einer anderen Gruppe sehr wenig – so daß die erste Gruppe nur mit Mühe verstehen kann, wie Mitglieder der zweiten überhaupt als moralische Männer und Frauen gelten können. Das Gute in anderen Kulturen oder Völkern überrascht uns ständig: So wurden die Rabbis des alten Israel durch die »rechtschaffenen Heiden« in Erstaunen versetzt, die Jesuitenmissionare durch die gottlosen Chinesen oder die Kalten Krieger in Amerika durch kommunistische Dissidenten. Mit diesen anderen teilen wir einige Werte, darunter auch sehr wichtige, solche, für die wir manchmal auf die Straße gehen (und mitunter auch kämpfen) müssen. Gleichwohl ist dieses gemeinsame Minimum nicht als das Fundament des Maximums zu betrachten, sondern nur als dessen Teil. Was den Minimalismus wertvoll macht, sind die Begegnungen, die er ermöglicht und deren Ergebnis er zugleich ist. Indes sind die Begegnungen nicht – wenigstens noch nicht zum jetzigen Zeitpunkt – dauerhaft genug, um eine dichte Moral zu erzeugen. Der Minimalismus läßt Raum für das Entstehen von Dichte an anderen Orten, mehr noch, er setzt voraus, daß anderenorts Dichte existiert. Hätten wir nicht unsere eigenen Protestkundgebungen, so würden wir nicht stellvertretend oder im Geiste in Prag mitdemonstrieren können. Ja, wir würden nicht einmal verstehen, was »Wahrheit« und »Gerechtigkeit« bedeuten.

2. Kapitel

VERTEILUNGSGERECHTIGKEIT ALS MAXIMALISTISCHE MORAL

I

Ich möchte die Verteilungsgerechtigkeit als ein Beispiel für eine dichte oder maximalistische Moral betrachten. Zweifellos gibt es auch minimalistische Versionen, von denen später die Rede sein soll. Doch jede entwickelte Vorstellung darüber, wie gesellschaftliche Güter zu verteilen sind, wird die Merkmale des moralischen Maximalismus aufweisen: Sie wird in einer eigentümlichen Sprache abgefaßt sein, in ihren kulturellen Bezügen partikularistisch und von den historischen Umständen abhängig sowie umständlich (i. S. von ausführlich) sein. Die Prinzipien und Verfahren des Maximalismus werden über einen langen Zeitraum in komplexen sozialen Interaktionen erarbeitet. Auseinandersetzungen zwischen Individuen und Gruppen sind ein wesentlicher Teil dieser Interaktionen, allerdings bilden sie nicht das Ganze, denn dazu zählen ebenso soziale Konflikte, politische Verhandlungen, kulturelle Nachahmungen und (manchmal) religiöse Offenbarungen. Es ist nahezu unmöglich, den ganzen Prozeß zu rekonstruieren, doch sicherlich wäre eine jede Beschreibung falsch, die zu einem späteren Zeitpunkt davon ausginge, daß der Prozeß von Anfang an durch ein einziges, umfassendes und universales Prinzip angeleitet wurde. Alle derartigen Prinzipien sind nur Abstraktionen und Vereinfachungen, die sich bei näherer Untersuchung als idiomatisch, partikularistisch und durch Umstände bedingt entpuppen.

Nehmen wir beispielsweise die alte griechische Maxime,

derzufolge wir »jedem das Seinige geben« sollen. Diese Maxime bringt zunächst auf eine gedrängte Weise ein äußerst hierarchisches (und zweifellos auch sexistisches)[16] Verständnis der sozialen und moralischen Welt zum Ausdruck und sodann eine reichlich selbstgefällige Überzeugung, daß beide Welten bis in alle Einzelheiten kognitiv zugänglich sind. Die Griechen hatten keinen einheitlichen Maßstab für das »Seinige« (obgleich gesellschaftlicher Rang und moralische Tugend tendenziell zusammenfielen), dennoch wußte jeder, was ihm selbst und was den anderen zukam. Man setzte voraus, die Zeichen seien eindeutig oder zumindest zugänglich, und nahm zudem an, sie unterschieden die Individuen auf einer herkömmlichen Rangskala dadurch, daß sie sie von oben nach unten, gemäß ihres größeren oder geringeren Werts einstuften.[17] Obgleich die Maxime im *Codex Justinianus* wieder aufgegriffen wurde, ist sie sowohl ihrem Ursprung als auch ihrer Bedeutung nach vor- bzw. nicht-christlich. Hamlets berühmte Frage:

> *Behandelt jeden Menschen nach seinem Verdienst,*
> *und wer ist vor Schlägen sicher?*

spiegelt eine ganz und gar andere Weltsicht wider.[18] Ich bezweifle, daß die Griechen jemals an die radikale Gleichheit der universellen Lasterhaftigkeit dachten, wodurch ihre Maxime in der Tat zu einem angsteinflößenden Verteilungsprinzip geworden wäre. Zu ihrer Zeit und an ihrem Ort scheint der Maxime nichts Erschreckendes angehaftet zu haben, so daß ihre Befürworter, obschon sie durchaus um die Ungewißheiten in der Welt wußten, meistenteils nicht daran zweifelten, daß sie gut damit fahren würden, wenn sie das Ihre erhielten und ihren Verdiensten gemäß behandelt wurden.

Ähnlich läßt sich jene Maxime analysieren, in der (allerdings mit weniger Anspruch auf Vollständigkeit) die liberale oder bürgerliche Gerechtigkeit auf den Punkt gebracht wurde: Chancengleichheit oder, um es im stärker auffordernden

Stil der Französischen Revolution zu sagen, »freie Bahn den Tüchtigen«.[19] Man könnte sagen, hier würde nicht mehr als der Vorrang einer Art des »Seinigen« über eine andere beansprucht: Talent oder Tüchtigkeit sollen den gesellschaftlichen Rang ausstechen oder besser noch bestimmen. In solchen Parolen schlägt sich der lange Kampf gegen erbliche Privilegien nieder. Darüber hinaus spiegeln sie auch ein ganz neues Verständnis des alltäglichen Lebens wider. Karrieren müssen allen *offenstehen*, d. h. sie sollten von allen Hindernissen gesellschaftlicher Schichtzugehörigkeit befreit und damit auch jeder Art von Garantie beraubt sein. Talente werden nicht einfach anerkannt und belohnt, sie müssen im freien Wettbewerb um alle sich bietenden Chancen entfaltet werden und sich bewähren. Eine zwangsläufige Entsprechung von Talenten und Chancen existiert nicht, ganz zu schweigen von Talenten und Belohnung; (moralisch) gefordert ist lediglich die Gleichheit der Chancen, die freilich ebenso eine Gleichheit des Risikos ist. An die Stelle der Hierarchie tritt ein allgemeines Streben und ein Wettstreit, die in romantischer Verklärung als Nährboden der Individualität und Selbstverwirklichung gefeiert werden.

Diese um Selbstverwirklichung ringende Persönlichkeit ist uns sehr vertraut, sie ist das Subjekt der meisten westlichen und neuzeitlichen Theorien über Verteilungsgerechtigkeit. Gewöhnlich betrachten wir sie in der ersten Person Singular – so auch John Rawls, wenn er uns alle, jeden für sich, auffordert, uns in den Urzustand zu versetzen und zu fragen, welche gesellschaftlichen Einrichtungen unseren (möglichen oder denkbaren) Lebensplänen am trefflichsten entgegenkommen.[20] Nicht jedes Leben wird gemäß eines Lebensplanes geführt. Heute sehen wir gemeinhin in unserem Leben ein Projekt, ein Unternehmen, in dem wir selbst Unternehmer, Manager und Organisatoren unserer eigenen Tätigkeiten sind. Und es ist das Ganze unserer Tätigkeiten, das sich über die Zeit erstreckt, im voraus geplant und auf ein Ziel ausgerichtet wurde (auf einen achtbaren Platz im sozialen Gefüge oder eine konventionell anerkannte Leistung), was wir normalerweise unter einer *Laufbahn* verstehen. (Das Wort *career* taucht in dieser Bedeutung zum ersten Mal 1803 in der englischen Sprache auf, nachdem *carrière* anscheinend schon ein wenig früher ins Französische eingegangen ist.)

Damit geht jedoch ein historisch spezifisches und eigentümliches Verständnis des menschlichen Lebens einher. Werfen wir einen Blick auf die Alternativen: (1) ein Leben, das mir durch Geburt zufiel, in dem ich einfach den Platz und die Errungenschaften meiner Eltern übernehme und zu meinen eigenen mache; (2) ein sozial geordnetes Leben, in dem ich genau das erhalte, was mir nach Geburt oder Tugend zusteht; (3) ein spontanes Leben, das dem Zufall gemäß von Umständen und Impulsen gebildet wird; (4) ein göttlich verfügtes oder vorherbestimmtes Leben, in dem der Plan von Gott und nicht von mir stammt, ich jedoch dessen Willen gehorche, soweit ich ihn zu erkennen vermag. »Chancengleichheit« ist nur dann ein denkbares und wertvolles Verteilungsprinzip, wenn eine beträchtliche Anzahl von Männern und Frauen sich von diesen Alternativen abwenden und ihr Leben als Laufbahn zu begreifen beginnen. Denn was nun zur Verteilung kommt, ist die Chance, ein solches Leben zu verfolgen. Oder, wenn wir an den ganzen Umkreis der von dieser Maxime sanktionierten Verteilungsverfahren denken – an Zulassungs- und Ernennungsausschüsse, Gesetze gegen Diskriminierung und Vetternwirtschaft, Eignungsprüfungen für den Staatsdienst usw. –, dann können wir auch direkter sagen: was verteilt wird, das sind die Laufbahnen selbst. All das ist freilich nur dann durchführbar, wenn es Menschen mit den entsprechenden Ambitionen gibt, Menschen, die eine Laufbahn verfolgen möchten.

Wir verteilen mithin eine bestimmte Art von Leben, und was in Verteilungsfragen als Gerechtigkeit gilt, hängt von der

»Art« von Leben oder besser gesagt, von der Bedeutung ab, die ein derartiges Leben für jene Menschen hat, um deren Leben es sich handelt. Darüber hinaus verteilen wir das Leben selbst, das nackte, physische Leben, das uns in den Gerichtshöfen bei Kapitalverbrechen, auf dem Schlachtfeld oder im Krankenhaus gegeben und genommen wird. In diesen Fällen sind die Kriterien von ganz anderer Art, und wir fragen nicht nach den Talenten oder den beruflichen Qualifikationen des Angeklagten, des feindlichen Soldaten oder des Patienten. Was unsere Antworten in solchen Fällen bestimmt, sind Schuld oder Unschuld des Angeklagten, die vom Feind ausgehende Bedrohung und die Krankheit des Patienten. Natürlich sind Tüchtigkeit und Qualifikation nicht die einzigen Kriterien, die bei der Verteilung von Leben und Tod außer acht gelassen werden, dasselbe gilt für sozialen Rang, Reichtum und politische Macht. Doch auf Ausschlüsse dieser Art werde ich noch zu sprechen kommen.

In Fällen von *Triage* liegen die Dinge wiederum anders.[21] Jetzt werden wir wahrscheinlich die Menschen nach ihren Überlebenschancen auswählen. Wir werden nicht die am schwersten Erkrankten oder Verwundeten (und vermutlich auch nicht die Reichsten oder Berühmtesten) zuerst behandeln, sondern uns zunächst um jene kümmern, die noch die größte Aussicht haben, ihre Chancen zu ergreifen: Das Leben wird jenen gegeben, die immer noch eine lebenslange Laufbahn zu verfolgen fähig sind. Denn dies verlangt meiner Ansicht nach die Idee der Chancengleichheit immer dann, wenn wir mit Krisensituationen konfrontiert sind. In Zeiten und an Orten, wo ein anderes Verständnis vom menschlichen Leben herrschte, galten andere Kriterien, beispielsweise in jenen jüdischen Gesetzesvorschriften des Mittelalters, die das Auslösen von Gefangenen regelten. Diese leider sehr häufige Notwendigkeit stand in der Verteilungshierarchie ganz oben, sie hatte das höchste Anrecht auf die Geldmittel der Gemeinde. Was aber war zu tun, wenn es viele Gefangene gab und die Finanzen knapp waren? Die Regeln der Triage legten fest, daß in Konfliktfällen die Frauen vor den Männern und die Gelehrten vor den Ungebildeten freizukaufen waren.[22] Frauen hatten Vorrang, weil in der Gefangenschaft nicht nur ihr Leben, sondern auch ihre Ehre (oder Reinheit) bedroht war. Gelehrte wurden zuerst berücksichtigt, weil ihr Leben für die Gemeinschaft von größerem Wert war (zudem waren sie die Verfasser der Gesetzesbücher, in denen ihnen dieser Wert zugewiesen wurde). Ich kann mir eine ganze Reihe von Möglichkeiten vorstellen, wie jede dieser Rangordnungen zu kritisieren wäre, doch zunächst einmal müssen wir sie verstehen. Der Gedanke, daß das Leben eine selbstgewählte Laufbahn ist, das gerade wegen dieser Wahl seinen Wert hat, war jedenfalls den Menschen, die die genannte Regel ausarbeiteten, vollkommen fremd. Und falls er den Menschen, deren Leben bedroht war, nicht weniger fremd gewesen sein sollte, dann ist *dieses* kritische Prinzip, die Chancengleichheit, die persönliche Autonomie, vermutlich nichts, was wir sinnvollerweise oder rechtens auf den mittelalterlichen Fall anwenden dürfen.

II

Auf den Grundgedanken von *Sphären der Gerechtigkeit* verfiel ich, als ich über Beispiele dieser Art nachdachte, über Fälle, in denen die leitenden Prinzipien keineswegs die allgemeine Reichweite zu haben schienen, nach der Philosophen gewöhnlich suchen. Der Grundgedanke besteht darin, daß Verteilungsgerechtigkeit in irgendeiner Beziehung zu den Gütern stehen muß, welche verteilt werden. Und da diese Güter selbst keine wesenseigene Natur haben, kann das nur heißen, daß Verteilungsgerechtigkeit in irgendeiner Beziehung zu dem Platz stehen muß, den diese Güter im (geistigen und materiellen) Leben derjenigen Menschen einnehmen, unter denen sie verteilt werden. Daher lautet meine eigene Maxime: *Verteilungsgerechtigkeit ist relativ zu sozialen Bedeutungen* (zu verstehen). [23] Angesichts des Sturms von Protesten, den diese Maxime auslöste, möchte ich nun hinzusetzen: *nicht einfach relativ;* denn Gerechtigkeit in Verteilungsfragen ist eine maximalistische Moralvorstellung, die zusammen mit einem stets wiederkehrenden Minimalismus Gestalt annimmt und durch ihn eingeschränkt wird – d. h. durch die Idee der »Gerechtigkeit« selbst, welche uns bereits eine kritische Perspektive und eine negative Lehre liefert. Beispielsweise ist Mord als eine Möglichkeit, Leben und Tod zu verteilen, überall ausgeschlossen, ob es sich dabei nun um die Umtriebe eines Raubmörders oder der Geheimpolizei handelt. Zwar wird auch diese negative Regel in jeweils unterschiedlichen kulturellen Sprachformen ausgedrückt werden, dennoch werden ihr Sinn und auch ihre Gründe Außenstehenden leichter zugänglich sein als der Bedeutungsgehalt der Vorstellung, menschliches Leben sei eine Laufbahn, ein Erbe oder ein Geschenk Gottes. Auch fühlen wir uns leichter, schneller und offensichtlicher mit Menschen solidarisch, die von Mördern bedroht werden, als mit Leuten, die gegen religiöse Propheten, aristokratische Familien oder bürgerliche Karrieristen kämpfen.

In meine »relativistische« Maxime ist eine weitere Einschränkung eingebaut: Wenn wir auf soziale Bedeutungen Bezug nehmen wollen, müssen wir eine gewisse Einsicht darin haben, wie solche Bedeutungen zustandekommen und worauf sich ihre Anerkennung gründet. Meiner Ansicht nach sollten sie gewisse Kriterien erfüllen – die zwar nicht substantieller Art sind, aber doch auch nicht rein formale Kriterien darstellen. Die Bedeutungen müssen tatsächlich von weiten Kreisen einer Gesellschaft geteilt werden, von einer Gruppe von Menschen, die ein gemeinschaftliches Leben führen, und das gemeinsame Verständnis darf zudem nicht auf direktem Zwang beruhen. Da jede Sozialisation auf Zwang beruht, handelt es sich auch hier wiederum nur um ein minimalistisches Prinzip. Es besteht z. B. nicht darauf, daß gesellschaftliche Bedeutungen in der von Habermas anvisierten idealen Sprechsituation (oder nach irgendwie vergleichbaren Verfahren) ausgearbeitet und allgemein gebilligt werden müssen. Gefordert wird lediglich, daß, um noch ein einfaches Beispiel zu nennen, die erpreßte Zustimmung von Sklaven zu ihrer Sklaverei nicht zählt, wenn es gilt, gemeinsame Grundverständnisse einer Gesellschaft festzuhalten.[24] Wir müssen nach wirklichen Übereinstimmungen von der Art suchen, wie sie durch die zeitgenössische Auffassung vom Leben-als-einer-Laufbahn veranschaulicht werden. Zu einer solchen Anschauung gelangen wir am Ende eines verwickelten historischen Prozesses, und fraglos spielt dabei *auch* Zwang eine Rolle – man denke nur an die Französische (oder irgendeine andere) Revolution –, allerdings nicht in einem derartigen Maße, daß dadurch die Übereinstimmung trügerisch und zum bloßen Trick der Machthaber würde.

Soziale Bedeutungen *gibt* es nicht einfach, und sie werden auch nicht ein für allemal festgelegt. Infolge innerer Spannungen und äußerer Vorbilder ändern sich Bedeutungen mit der Zeit; und folglich sind sie stets Gegenstand von Auseinandersetzungen. Die Tatsache, daß wir ständig debattieren, radikal verschiedene Interpretationen gesellschaftlicher Bedeutungen liefern und uns in heftige intellektuelle und politische Gefechte über dieses oder jenes Gut verwickeln, hat nun Kritiker dazu veranlaßt, die These in Frage zu stellen, daß Verteilungen relativ zu Bedeutungen sind. Wenn Bedeutungen immer umstritten und somit, in Ermangelung eines höchsten Richters, unbestimmt bleiben, von welcher Art ist dann diese Relation? Nun, worüber debattieren wir? Worüber streiten wir uns? Jemand besteht etwa darauf, daß wir in

*Triage*fällen nur die Lebenschancen in Betracht ziehen sollten: Seine Interpretation des Lebens-als-einer-Laufbahn ist eindeutig und absolut. Eine andere Person meint, wir sollten auch Schmerzen und Leiden in Betracht ziehen: Ihre Interpretation verlangt nach zusätzlicher Differenzierung. Die beiden mögen tatsächlich erbittert aneinander geraten, dennoch argumentieren sie innerhalb einer gemeinsamen Weltsicht, in der die Bandbreite gesellschaftlicher Bedeutungen recht eng ist. Juden aus dem Mittelalter würde es schwerfallen, an der Auseinandersetzung teilzunehmen, selbst wenn sie (wovon ich überzeugt bin) den Streitpunkt verstehen können. Und sehr oft nehmen Dispute über Verteilungsfragen eine noch sehr viel engere Form an: Wir sind uns über die Bedeutung des umstrittenen Gutes einig und sogar über das daraus folgende Zuteilungsprinzip, und streiten uns lediglich über die Anwendung des Prinzips unter diesen oder jenen Umständen. Tatsächlich besteht hinsichtlich der Bewertung der umkämpftesten sozialen Güter gewöhnlich eine ebenso tiefe wie dauerhafte Einhelligkeit, so daß wir ihren historischen Wandel und die umkämpfte Natur der Bewertungskriterien wahrscheinlich nur dann wiedererkennen und verstehen werden, wenn wir von unseren unmittelbaren und lokalen Auseinandersetzungen absehen und eine langfristige Perspektive einnehmen. Wir werden die Rolle der gesellschaftlichen Bedeutung solange nicht begreifen, wie wir ihre Horizonte nicht richtig abstecken.

III

Betrachten wir mein Lieblingsbeispiel aus *Sphären der Gerechtigkeit*, eines, das ich eines Tages ausführlicher zu behandeln hoffe: die Seelsorge und die Sorge um den Körper im Mittelalter und in der abendländischen Neuzeit.[25] Das herausstechendste Merkmal der mittelalterlichen Sorge um die Seele war, daß sie eine öffentliche, gesellschaftliche Aufgabe darstellte. Die christliche Welt war so organisiert, daß jedermann Buße tun und des Heils teilhaftig werden konnte. Diese Möglichkeit wurde öffentlich finanziert (über den Zehnten) und von Kirchengesetzen geregelt, die in jeder Gemeinde für die Anwesenheit eines Priesters, die Unterweisung der Kinder im Glauben, die Beichte und die Kommunion zu festgelegten Zeiten sorgten. Diese ausgefeilte Verteilungsmaschinerie läßt sich, wie mir scheint, am besten als eine Funktion der gesellschaftlichen Bedeutung desjenigen Gutes verstehen, welches durch sie verteilt wurde: des ewigen Lebens. Ich kann hier nicht näher beschreiben, welche Bedeutung diesem Gut im alltäglichen Leben mittelalterlicher Christen zukam. Die Rolle der ewigen Seligkeit im Alltag ist fraglos eine schwierige Sache, vor allem für jene von uns, die ihren Trost verloren oder aufgegeben haben. Es genügt zu sagen, daß die ewige Seligkeit für Christen des Mittelalters ebenso wirklich wie wichtig war, und vor allem, daß sie sich über ihre Wirklichkeit und Wichtigkeit einig waren. Aus dieser gesamtgesellschaftlichen Übereinstimmung folgte die moralische Notwendigkeit, auch die Verteilung der Seelsorge gesellschaftlich zu organisieren.[26]

Die Sorge um den Körper wurde hingegen allgemein für eine weniger wirkliche, weniger sichere und auch weniger wichtige Sache gehalten, weshalb sie in privaten Händen blieb. Niemand schien ernsthaft durch die Tatsache beunruhigt gewesen zu sein, daß die Reichen und Mächtigen sich eine ärztliche Behandlung leisten konnten, die allen anderen verwehrt blieb. Kleriker, die eine ähnliche Verteilung in der Seelsorge toleriert hätten, wären demgegenüber höchstwahrscheinlich zur Zielscheibe heftiger Anwürfe geworden. Der »Pluralist« im Priesterrock, der von mehreren Gemeinden

den Zehnten bezog und keine wirklich betreute, weil er in der Hauptstadt lebte und den Mächtigen seine Dienste anbot, ist eine bekannte Gestalt in der mittelalterlichen wie frühneuzeitlichen Satire. Höfischen Leibärzten, welche ebenfalls aus dem öffentlichen Säckel bezahlt wurden, mutete man keine ähnlich weitreichenden sozialen Verpflichtungen zu.

Keine dieser Konventionen scheint mir nun per se ungerecht zu sein – allerdings nicht deshalb, weil meine »relativistische« Maxime mir vorschreibt, die Sitten der Zeit (jedes Zeitalters) zu respektieren. Verdankten sich diese Konventionen nämlich allein der Gewalt, wären sie nichts als die Ideologie der herrschenden Klasse, dann ließe sich der Gedanke der gesellschaftlich geteilten Bedeutung kritisch gegen sie wenden. Dem ist aber nicht so: Was wir in der mittelalterlichen Vorstellung und Verteilung der Seelsorge vor uns haben, ist gerade eine maximalistische Moral, ein dichtes Verständnis von Leben und Tod, eine menschliche Kultur. Und dieser Kultur sollten wir zweifellos mit Achtung begegnen, denn es wäre moralisch sinnlos, unseren Zeigefinger gegen mittelalterliche Christen zu erheben und darauf zu bestehen, daß sie unser Verständnis von Leben und Tod *hätten haben sollen*. Allerdings steht es uns frei, die von ihnen durchgesetzten Verteilungsmuster dann zu kritisieren, wenn wir sie uns als Optionen *für uns selbst* vorstellen. Ich bezweifle in der Tat, daß die meisten von uns, so gesehen, anders als ablehnend auf die mittelalterliche Rangordnung von leiblicher Gesundheit und ewigem Leben reagieren könnten; denn schließlich sind wir die Produkte eines tiefgreifenden kulturellen Wandels.

Über einen langen Zeitraum zogen gewöhnliche Männer und Frauen zunehmend die Wirklichkeit des ewigen Lebens, seine zentrale Bedeutung oder die öffentliche Bereitstellung der Vorsorge für die ewige Seligkeit in Zweifel. Wir könnten sagen, sie ließen ein langes Leben an die Stelle der ewigen Seligkeit treten – obwohl ich davon überzeugt bin, daß ein langes Leben schon immer als eine gute Sache galt. Deshalb sollten wir uns nicht vorstellen, daß langes Leben allmählich zu einer besseren Sache wurde, sondern eher, daß es nunmehr mit dem fortschreitenden medizinischen Wissen zugänglicher und damit höher geschätzt wurde. Als Descartes in seinem *Discours de la méthode* schrieb, die »Erhaltung der Gesundheit« sei »ohne Zweifel das erste Gut«, erwies er sich mit Blick auf diesen Fortschritt und seine Auswirkungen nicht weniger als Prophet denn als Philosoph. Er nahm sich vor, sein ganzes restliches Leben nach medizinischer Erkenntnis zu streben, damit »man sich vor einer unendlichen Zahl von Krankheiten sowohl des Körpers wie des Geistes, ja vielleicht sogar auch vor Altersschwäche bewahren könnte« – und war von der Möglichkeit eines Erfolges nicht weniger überzeugt als mittelalterliche Christen, wenn sie nach der Erkenntnis Gottes und der Befreiung der Seele strebten.[27]

Je mehr Gesundheit und langes Leben als äußerst wertvolle Güter anerkannt wurden, um so größer wurde die öffentliche Verpflichtung zur allgemeinen Gesundheitsvorsorge und zur Heilung der einzelnen Kranken. Die Sorge für den Körper wurde nach und nach zu einer gesellschaftlichen Angelegenheit, so wie die Sorge für die Seele zu einer privaten wurde. Nun wurden Steuergelder für das öffentliche Gesundheitssystem, den Bau von Krankenhäusern, die Ausbildung der Ärzte und vieles andere mehr vorgesehen. Außerdem wurden Zwangsmittel des Staates mobilisiert (beispielsweise um Impfungen durchzuführen). Demgegenüber wurde das ewige Leben nicht länger für ein gesellschaftliches Gut gehalten, an dem die Allgemeinheit und die öffentliche Hand ein legitimes Interesse haben könnten.

Es scheint mir aussichtslos, in diesem langen Prozeß des kulturellen Wandels den genauen Zeitpunkt herauszugreifen zu wollen, von dem an soziale Gerechtigkeit erforderte, die Gesundheitsfürsorge in die öffentliche Hand zu legen, und in dem sie aufhörte, Gleiches für die Seelsorge zu verlangen. Man könnte sich einen langen Zeitraum vorstellen, innerhalb dessen starke Argumente für eine öffentliche Verantwortung für Seele und Körper, für eine der beiden oder möglicherweise auch für keine von beiden hätten vorgetragen werden können. Es ist jedoch bemerkenswert, daß sich heutzutage, zumindest im Westen, nicht mehr begründet fordern läßt, der Staat möge seine Zwangsmittel einsetzen, um die Mitgliedschaft in einer Glaubensgemeinschaft oder den Kirchenbesuch durchzusetzen. Und obwohl die Frage der Gesundheitsfürsorge in Amerika nach wie vor die Gemüter erregt, neige ich zu der Ansicht, niemand könne heutzutage noch fordern, der Staat solle von seiner Verpflichtung für die leibliche Gesundheit entbunden werden. Welche Formen die gesellschaftliche Sorgepflicht anzunehmen habe, wie egalitär sie angelegt sein muß, in welchem Umfang die ärztliche Versorgung privat sein und wie stark der Staat seine Zwangsmittel geltend machen darf (etwa im Falle medizinischer Experimente oder bei Sicherheitsbestimmungen): All dies ist weiterhin Gegenstand der Debatte, ebenso wie in der frühen Neuzeit über Ausmaß und Rechtfertigung von Zwang in religiösen Angelegenheiten – z. B. die erzwungene Teilnahme am Gottesdienst – hitzig debattiert wurde. Doch die Grobstruktur der Gerechtigkeit-in-der-Gesundheitsversorgung ist schon festgelegt, bevor wir darüber zu argumentieren anfangen.

Die Argumente sind ihrem Wesen nach zwangsläufig lokal, da sie aus einem tiefen kulturellen Selbstverständnis erwachsen oder darauf aufbauen. So wird sich in Prag niemand aufgerufen fühlen, mit den amerikanischen Befürwortern einer gesetzlichen Krankenversicherung zu demonstrieren; eine solche Kampagne ist ein Beispiel für das, was ich unter »unserer eigenen Parade« verstehe, und überflüssig zu sagen: Ebensowenig würde eine Besteuerung zugunsten der medizinischen Versorgung noch eine Beschränkung der unterneh-

merischen Freiheit in der Gesundheitsfürsorge einen legitimen Anlaß für eine militärische Einmischung in unsere Angelegenheiten (im Namen der »Freiheit«) darstellen.

IV

Mithin können wir keine Entscheidungen über die Verteilung
der medizinischen oder pastoralen Fürsorge fällen, solange
wir nicht verstehen, welche Bedeutung einem langen Leben
und der ewigen Seligkeit im Leben derjenigen Menschen zu-
kommt, für die Sorge getragen wird. Wir müssen *auf die Güter
achten* – nicht auf das Gut (im Singular); denn selbst wenn
Descartes die Gesundheit mit Recht »das erste« Gut nannte,
ist sie nicht das einzige. Auch bestimmt diejenige Eigenschaft,
die das leibliche Wohlergehen zum »ersten Gut« macht, noch
keineswegs über den relativen Wert aller anderen Güter. Deren Wertschätzung wird unabhängig davon und entsprechend
dem Platz vorgenommen, den sie im Leben derer einnehmen,
die sie schätzen. Zudem glaube ich im Gegensatz zu Descartes' klarer Rangordnung nicht, daß es ein *summum bonum* oder
eine umfassende Hierarchie von Gütern gibt. Sobald Konflikte auftreten, streiten wir über die Rangliste und tragen verschiedene Interpretationen über den Platz dieses oder jenes
Gutes in unserem alltäglichen Leben vor. Nicht immer treten
jedoch Konflikte auf. Gesellschaftliche Bedeutungen und die
darin enthaltenen Grundsätze und Prozesse sind normalerweise klar voneinander unterschieden und autonom. In der
Tat ist Autonomie ein grundlegender Verteilungsgrundsatz,
der seinerseits aus der Unterschiedenheit der Güter folgt.
Wenn wir Laufbahnen (oder die entsprechenden Chancen) an
die Tüchtigen verteilen, Pflege an die Kranken und Seelen-
heil an die Gläubigen, dann weisen wir die Ansprüche der

Hochwohlgeborenen, der Begüterten und der Mächtigen zurück. Jedes soziale Gut hat eine gesonderte Gruppe legitimer Anspruchsberechtigter. Und so könnten wir z. B. weiterhin den Anspruch der hohen Geburt auf sozialen Rang, der Begüterten auf die Waren des Marktes oder der Mächtigen auf politischen Einfluß anerkennen.

Selbstverständlich müßten die genannten Ansprüche noch eingehend erörtert und näher bestimmt werden. Es liegt mir fern, sie hier ohne weiteres zu übernehmen. Dennoch – es handelt sich um Ansprüche von der richtigen Art, d. h. sie sind differenziert und spezifisch. Wenn wir darauf bestehen, daß sämtliche Ansprüche differenziert und spezifisch zu sein haben, wird die Summe unserer Ablehnungen, Anerkennungen und näheren Bestimmungen einen Zustand herbeiführen, den ich *komplexe Gleichheit* nennen möchte: m. a. W. eine gesellschaftliche Situation, in der keine Gruppe von Ansprüchen (und Anspruchsinhabern) alle verschiedenen Verteilungsprozesse beherrscht. Kein einzelnes Gut wird über all die anderen Güter bestimmen, so daß sein Besitz alle anderen nach sich zöge. Gerechtigkeit verlangt, daß wir die Verschiedenheit verteidigen – verschiedene Güter werden aus unterschiedlichen Gründen an verschiedene Gruppen von Menschen verteilt –, und aufgrund dieser Anforderung ist Gerechtigkeit eine dichte oder maximalistische Moralvorstellung, spiegelt sie doch die tatsächliche Dichte besonderer Kulturen und Gesellschaften wider.

Einfache und direkte Gleichheit ist eine sehr dünne Idee, die sich in der einen oder anderen Form in (nahezu) jedem Verteilungssystem wiederholt und für die Kritik gewisser krasser Ungerechtigkeiten durchaus hilfreich ist. Aber sie allein ist durch und durch unfähig, das ganze Spektrum der Verteilungen zu steuern. Ihre Aufgabe besteht eher darin, eine Schranke zu setzen, in einer Art von kritischem Minimalismus – beispielsweise wenn wir sagen, jemand würde

nicht »wie ein menschliches Wesen« behandelt, oder wenn wir
Rassendiskriminierung verurteilen. Jede Bemühung aber, einfache Gleichheit auf der ganzen Linie durchzusetzen, führt
unmittelbar zu einer Art praktischem Selbstwiderspruch;
denn zu ihrer Durchsetzung bedürfte es einer radikalen Kon-
zentration von politischer Macht und damit ihrer radikal
ungleichen Verteilung. Eine einfache und direkte Hierarchie –
der Alten über die Jungen, der Gebildeten über die Unwissen-
den, der hohen über die niederen Stände – erzeugt noch
unumwundener Herrschaft: Sie ist schlicht der Triumph eines
sozialen Gutes über alle anderen Güter. Alle Güter, die ihren
Teil zur Herausbildung herkömmlicher Hierarchien beigetra-
gen haben, können in einem komplexen Verteilungssystem
eine Rolle spielen: beispielsweise Dienstalter bei der Leitung
einer Fabrik oder einer Firma, Gelehrsamkeit bei der Organisation einer Schule oder Akademie, guter Name und
Herkunft in den Gesellschaftsnachrichten und den Klatsch-
spalten. Jede Gesellschaft aber, in der eines dieser Güter tatsächlich das soziale Leben dominieren würde, muß eine eindimensionale, erschreckend dünne Gesellschaft sein.[28]

Obgleich das 20. Jahrhundert einige schlagende Beispiele
für den perversen Utopismus einfacher Gleichheit anzubieten hat, entspringt – früher wie heute – die größte Herausfor-
derung für die Verteilungsgerechtigkeit dem Bestreben, ein
einzelnes, das gesamte Spektrum unterschiedlicher Güter
übergreifendes Gut zu entwickeln. Zur Beschreibung dieser
Entwicklung habe ich das räumliche Bild der »Sphären«
benutzt. Stellen wir uns vor, jedes soziale Gut sei von bestimmten Grenzen eingeschlossen, deren Verlauf durch die
Reichweite der in ihm enthaltenen Verteilungsgrundsätze
sowie durch die gerechtfertigte Autorität seiner Verteilungs-
instanzen festgelegt ist. Dann stellt der Aufmarsch eines
Gutes außerhalb seiner Sphäre – das Geld liefert das offen-
sichtliche Beispiel dafür – eine Art illegitime Grenzüber-

schreitung dar, einen Akt distributiver Aggression. Kommen solche Akte nur gelegentlich vor, werden wir darin wahrscheinlich Fälle von Korruption oder – drastischer ausgedrückt – Skandale erblicken. Ein wohlhabender Mann wird erwischt, wie er einen Beamten besticht: Er verläßt damit ungerechtfertigterweise die Sphäre des Marktes, in der Geld zählt, und tritt in die politische Arena ein, wo Geld nicht zählen sollte. Auf frischer Tat ertappt, wird er von der Presse und vielleicht auch von den Gerichten verurteilt werden – denn in dem Bemühen, derartigen Grenzüberschreitungen einen Riegel vorzuschieben, haben wir Bestechung für ungesetzlich erklärt. Doch wenn die Reichen als Klasse die Regierungsbeamten in der Tasche haben, wenn also die Grenze gewissermaßen schon überschritten wurde und die Korruption bereits Teil des Systems ist, dann haben wir es nicht mehr mit einem Skandal zu tun, sondern mit Tyrannei. Gewöhnlich sehen wir in der Tyrannei eine Grenzüberschreitung aus der anderen Richtung, wie in der klassischen Definition des Tyrannen als eines politischen Herrschers, der – indem er seine Macht in den Sphären des privaten Haushaltes und des Marktes entfaltet – sich der Töchter und des Geldes seiner Untertanen bemächtigt.[29] Jede Aggression stellt jedoch eine Tyrannei dar. Plutokraten sind, weil ihre Herrschaft nichtpolitischen Ursprungs ist, deshalb nicht weniger Tyrannen. Tatsächlich ist dies die gewöhnliche Form von Tyrannei in kapitalistischen Gesellschaften.

Wenn wir auf die zu verteilenden Güter achten, auf ihre gesellschaftliche Bedeutung und die daraus folgenden Grundsätze und Verfahren, werden die skandalösen und tyrannischen Grenzüberschreitungen für uns sichtbar. Obwohl sie nicht die einzigen Formen von Ungerechtigkeiten darstellen, sind sie in allen Gesellschaften, die einen bedeutsamen Grad an Differenziertheit aufweisen, am verbreitetsten. Die Theorie der komplexen Gleichheit liefert uns eine Erklärung dafür,

was an einer Plutokratie, Theokratie, Meritokratie, Geronto-
kratie, Technokratie und an jeder anderen Anstrengung,
einem Gut und den mit seinem Besitz verbundenen Eigenschaften einen Vorrang gegenüber allen anderen Gütern und
Eigenschaften einzuräumen, falsch ist. Darin liegt die kritische Kraft der Theorie. Ich möchte betonen, daß diese gegen jede aggressive Grenzüberschreitung gerichtete Kritik
zugleich eine *Verteidigung von Grenzen* ist. Eine alternative
Kritik an den bestehenden Systemen distributiver Gerechtigkeit möchte die Grenzen und Unterschiede zwischen den
Sphären aufheben – in der Meinung, die Gesellschaft sei (tatsächlich) aus einem Guß. Ihre Befürworter meinen, daß die
Theorien der gesellschaftlichen Differenzierung und komplexen Gleichheit im Grunde Ideologien seien, welche die wirkliche Einheit der Gesellschaft verschleierten, und erheben
dann, je nach Provenienz der Kritik, den weiteren Vorwurf,
diese Theorien würden entweder die Gegner der herrschenden Klasse spalten oder eine ungerechtfertigte Opposition
fördern. Sehen wir uns zwei Versionen dieser alternativen
Ansicht näher an.

Die Linke oder einige Teile der Linken meinen, die Gesellschaft sei durch und durch politisch, so daß alle Entscheidungen, im persönlichen und häuslichen Leben, auf dem Markt,
in den Kirchen, in Krankenhäusern und Freundeskreisen und
selbstredend auch im Staat, ein einheitliches Herrschafts-
muster widerspiegeln, dessen Wurzeln im Kapitalismus, im
Patriarchat oder im Rassismus zu finden sind und dem nur
eine entschlossene demokratische (oder von einer Avantgarde
angeführte) Politik entgegentreten kann.[30] Für die Rechte
hingegen oder für einige neoliberale Gruppen der Rechten ist
die Gesellschaft ein umfassendes Tauschsystem, in dem autonomen Individuen die Gelegenheit geboten werden muß,
ihre Chancen auszurechnen und ihre Werte zu maximieren,
ohne einer irgendwie gearteten Einmischung seitens der

Familie, der Gemeinschaft, der Politik oder der Religion ausgesetzt zu sein.[31] Nach dieser Auffassung sind Waren, Chancen, Fähigkeiten, Stellungen oder Ränge aller Art letztlich
Sachen von derselben Sorte; und die einzelnen können sich
legitimerweise in ihren Besitz bringen, wenn sie deren Markt-
preis bezahlen – und auf keine andere Weise. Zweifellos gibt
es noch andere Doktrinen, welche die Einheit des gesellschaftlichen Lebens betonen (oder wiederherstellen wollen),
doch diese beiden sind uns am vertrautesten. Ihre Verteidiger
wie ihre Gegner glauben vermutlich, daß diese beiden die Alternativen, vor denen wir heutzutage stehen, ganz und gar
ausschöpfen. Zum ersten: Wenn wir keinen politischen Widerstand, sagen wir, gegen die kapitalistische Herrschaft organisieren, dann werden die Beherrscher des Marktes in allen
Bereichen herrschen. Zum zweiten: Wenn soziale Güter nicht
mehr auf dem freien Markt gehandelt werden, werden uns
schließlich der Staat oder die Partei unterjochen.

V

Hinter diesen beiden totalisierenden Gesellschaftsauffassun-
gen können wir etwas anderes aufscheinen sehen: zwei Visio-
nen menschlicher Ganzheitlichkeit. Auf der einen Seite ist der
ideale Mensch der Bürger, ein durch und durch politisches
Wesen, aktiv und engagiert, souverän in allen Verteilungsfragen, auch wenn er diese Souveränität mit allen anderen Bürgern teilen und – als Bürgerschaft – kollektiv ausüben muß.
Auf der anderen Seite ist der Mensch ein rationales, seinen
Nutzen maximierendes Subjekt, ein gänzlich selbstbestimm-
tes, berechnendes und Risiken eingehendes Individuum, das
allein über Verteilungsfragen entscheidet, obwohl diese der
unpersönlichen Koordinierung durch den Markt unterworfen

sind. Beiden Anschauungen ist die Vorstellung gemeinsam, das Selbst sei ein einheitliches Selbst oder müsse eines sein: in all seinen Tätigkeiten nur auf ein Ziel ausgerichtet. Sofern dieses Selbst auch verschiedene Sorten von Gütern anerkennt, tut es dies stets auf dieselbe Weise: Es trifft seine Entscheidungen nach Maßgabe einer politischen Ideologie oder einer individualisierten Hierarchie von Werten.

In beiden Fällen handelt es sich jedoch um durch und durch minimalistische Theorien über die menschliche Person. Ihre (reale, doch begrenzte) kritische Stoßkraft entspringt aus der Erfahrung mit Gesellschaften, in denen demokratische Entscheidungsprozesse unterdrückt, wertlos oder auf eine privilegierte Gruppe beschränkt bzw. in denen die Tauschaktionen und Marktentscheidungen von örtlichen Machthabern gewaltsam kontrolliert oder von einem zentralistischen Staat geplant und gelenkt wurden. Unter solchen Bedingungen läßt sich verhältnismäßig leicht erkennen, worin der entscheidende Punkt der Forderung nach politischen oder ökonomischen Rechten liegt. Doch keine dieser Forderungen stellt das ein und alles der menschlichen Befreiung dar. Die fraglichen Rechte beziehen sich auf das Recht, innerhalb einer Sphäre auf eine dieser Sphäre angemessene Weise zu handeln (wobei die Sphäre der Politik gewiß besonders weitgespannt ist, aber dieses Problem möchte ich im Augenblick noch unberücksichtigt lassen). Die beiden Handlungsformen – Politik und Tausch – stützen sich auf einige Interessen und Fähigkeiten des Selbst, wie wir es verstehen, aber sie schöpfen die Interessen und Fähigkeiten des Selbst keineswegs aus. In Wirklichkeit ist das Selbst nicht weniger differenziert als die Gesellschaft, an der es teilhat. Die Erzeugung von Differenz, sowohl im Selbst als auch in der Gesellschaft, ist das beherrschende Merkmal der Geschichte der Moderne – wenngleich gewiß nicht das einzige. Wenn daher heute Theorien der Bürgerschaft (*citizenship*) und Theorien der rationalen Entscheidung die Differenzen ignorieren oder ihren Wert bestreiten, so sollten sie zurückgewiesen werden.

Platons Beobachtung, daß eine tyrannische Gesellschaft ein tyrannisches Selbst erzeugt und von diesem erzeugt wird, reicht weit über die politische Sphäre hinaus.[32] Wie ich schon sagte, sind Plutokraten und Meritokraten ebenso wie Autokraten Tyrannen, und ihr Selbst ist in vergleichbarer Weise gestört. In allen drei Fällen wird das Selbst von einem einzigen Typus von Interessen und Eigenschaften beherrscht. Es mag sein, daß diese Einseitigkeit für bestimmte Formen weltlichen Erfolges unerläßlich ist (obwohl Platon das nicht glaubte). Jedenfalls wäre das eine Erklärung für die krasse Alternative, vor die uns der irische Dichter William Butler Yeats stellt:

Zur Wahl verurteilt ist des Menschen Geist:
Vollkommenheit des Lebens oder des Werkes.

In Yeats Augen erheischt die zweite Vollkommenheit eine schreckliche Einseitigkeit, während die erste – wie im aristokratischen Ideal der Renaissance – eine vielseitige Entwicklung des Selbst ermöglicht. Sollte dies richtig sein, dann müßten wir für komplexe Gleichheit einen Preis zahlen: Die Weigerung, das ganze Spektrum sozialer Güter auf der Grundlage einer einzigen Begabung oder einer einzigen Leistung im Staat, auf dem Markt oder in den Künsten und Wissenschaften zu bewerten und zu verteilen, würde uns zugleich einiger großer und glänzender Leistungen berauben. Aber sie würde uns auch von der Herrschaft eines tyrannischen Selbst befreien.

Ich nehme an, daß für ein tyrannisches Selbst die Planung seiner Laufbahn eine ziemlich einfache Sache darstellt. Ungerechte Gesellschaften vereinfachen das Entwerfen von Lebensplänen, da sie das Versprechen feilhalten, der erfolgreiche Erwerb eines gesellschaftlichen Gutes lasse sich in einen allgemeinen Erfolg – einen triumphalen Siegeszug durch alle Sphären – ummünzen. Ein solcher Triumph ist freilich nur auf Kosten anderer Menschen zu erringen, die nach anderen, ebenfalls wertvollen und geschätzten, aber nicht dominanten Gütern streben. Demgegenüber fördert eine gerechte Gesellschaft verwickelte Lebenspläne, in denen das Selbst sich sozusagen in die Sphären teilt und gleichzeitig als liebevoller Elternteil, ausgebildeter Arbeiter, engagierter Bürger, fähiger Student, scharfsinniger Kritiker, gläubiges Mitglied einer Kirchengemeinde und als hilfsbereiter Nachbar auftritt. Zweifellos können wir uns ohne weiteres vorstellen, daß Menschen sich auf diese Weise aufteilen und weniger schmeichelhafte Adjektive verdienen. Ich möchte lediglich behaupten, daß wir mit größerer Wahrscheinlichkeit nach diesen verschiedenen Eigenschaften streben, wenn wir die Gewißheit haben, daß sie alle die ihnen gemäßen oder zumindest unterschiedliche Belohnungen mit sich bringen – und für keine eine einzige Belohnung bereitsteht, die in jede beliebige andere umsetzbar ist.

VI

Ist die komplexe Gleichheit nun eine bloß deskriptive oder eine präskriptive Moral? Verdankt sie ihre Dichte nur dem Umstand, daß sie ihr kritisches Potential preisgibt? Auf diese Fragen hoffe ich im dritten Kapitel eine Antwort geben zu können, aber es wird hilfreich sein, sie hier vorwegzunehmen. Fraglos ist Komplexität in einem Sinne deskriptiv: Sie spiegelt die konventionellen Werte der Hilfsbereitschaft, der Aufrichtigkeit, der kritischen Urteilskraft usw. Sie stellt auf der theoretischen Ebene den tatsächlichen Pluralismus der gesellschaftlichen Güter, der Verteilungsgrundsätze und -prozesse dar. Sie tritt für die Differenz in einer differenzierten Gesellschaft ein. Da diese »konventionellen« Werte aber gewöhnlich vernachlässigt oder herabgesetzt werden, da dieser »tatsächliche« Pluralismus oftmals außer Kraft gesetzt und da die Differenz häufig despotisch unterdrückt wird, ist die Komplexität zugleich auch ein kritischer Maßstab. Und in diesem zweiten Sinne ist die Theorie ein Spiegel, in dem wir unsere wirklichen Mängel und die unserer Gesellschaft sehen.

Hier haben wir eine weitere Hinsicht, in der wir die richtig verstandene Verteilungsgerechtigkeit als eine maximalistische Moral betrachten dürfen. Jeder Maximalismus steht in einer innigen deskriptiv-kritischen Beziehung zu seiner eigenen Gesellschaft. Denn was er in seinem sprachlich eigentümlichen, partikularistischen und die Einzelheiten berücksichtigenden Stil ausdrückt, ist der gesellschaftlich erzeugte Idealismus *dieser* Menschen. Er beschreibt all jene Dinge, die sie herstellen, schätzen und unter sich verteilen, sowie jene persönlichen Eigenschaften, die sie pflegen und achten wollen, selbst wenn sie – in der Hitze des Verteilungsgeschäfts – es ihnen gegenüber zumeist an Achtung fehlen lassen. Im Gegensatz dazu ist der Minimalismus eine vereinfachte und eindimensionale Moral. Er stützt sich auf ein elementares und undifferenziertes Verständnis der Gesellschaft und des Selbst und abstrahiert von allen realen und entwickelten Verständnissen. Ein minimalistischer Blick ist ein Blick aus der Distanz oder ein Blick in der Krise, so daß wir nur große und krasse Ungerechtigkeit erkennen können. Gewisse Arten von Grenzüberschreitungen lassen sich so erkennen und verurteilen, beispielsweise eine grobe Verletzung der häuslichen Sphäre, wie es das mitternächtliche Auftauchen der Geheimpolizei darstellt. Über die genauen Grenzen des Hauses und der Familie oder über die Natur legitimen Handelns im Rahmen von Verwandtschaftssystemen (oder sonstwo) werden wir auf diese Weise wenig sagen können. Der Minimalismus verschafft uns keinen Zugang zum ganzen Spektrum gesellschaftlicher Bedeutungen oder der Komplexität der Verteilungssphären. Allein auf dem Boden einer maximalistischen Moral können wir uns damit angemessen – sowohl als Verteilungsagenten wie als Detailkritiker der Verteilung von Gütern und Chancen – und gerecht befassen.

3. Kapitel

MAXIMALISMUS FÜR GESELLSCHAFTSKRITIKER

I

Ich habe bereits zwei Bücher zum Thema Gesellschaftskritik geschrieben und weiß daher nicht recht, ob ich noch viel dazu zu sagen habe.[34] Deshalb möchte ich an dieser Stelle ausdrücklicher als bisher beschreiben, wie die Kritik innerhalb einer partikularistischen und mithin maximalistischen Theorie von Verteilungsgerechtigkeit zu Werke geht. Denn meinem Buch *Sphären der Gerechtigkeit* – genauer gesagt meiner These, die Verteilungsmaßstäbe seien der jeweiligen Kultur immanent – wurde gewöhnlich der Vorwurf gemacht, eine solche Auffassung mache jede ernsthafte oder radikale Gesellschaftskritik unmöglich. Ein solches Verdikt ist für mich natürlich äußerst mißlich: war doch meine Absicht, als ich dieses Buch schrieb – um mit Shakespeares *Othello* zu reden –, nichts, wenn nicht kritisch.[35]

Es dürfte das Geschickteste sein, den Anfang mit der natürlichsten, jedenfalls offensichtlichsten Form interner oder »immanenter« Kritik zu machen. Meiner Ansicht nach ist sie auch die verbreitetste Form der Kritik überhaupt, nicht nur der Kritik an Institutionen und Verfahren, sondern auch an individuellem Verhalten. Ich beabsichtigte keineswegs, mich hier mit der Frage der Individuen auseinanderzusetzen, doch mag ein Hinweis darauf, in welchem Ausmaße sich die Gesellschaftskritik an dem orientiert, was wir die private oder persönliche Analogie nennen könnten, durchaus hilfreich sein. Häufig werfen wir Freunden und Kollegen vor, sie wür-

den jenen Maßstäben nicht gerecht, die wir und sie hochzu-
halten vorgeben. Wir messen sie an ihren eigenen erklärten
Idealen und werfen ihnen Heuchelei oder Unaufrichtigkeit
vor. Ein Kritiker, der einer ganzen Gesellschaft den Spiegel
vorhält, tut etwas Ähnliches. Er möchte uns zeigen, *wie wir
wirklich sind:* Was aber dieser Vorführung ihre moralische
Kraft verleiht, was den Spiegel zu einem kritischen, Bestürzung und Schuld einflößenden Werkzeug macht, ist ein all-
gegenwärtiger und tiefgreifender sozialer Idealismus. Individuen müssen eine hohe Meinung von sich haben können, sie
müssen im Bewußtsein ihrer Redlichkeit und Rechtschaffen-
heit leben; und ähnlich müssen auch die Mitglieder einer Gesellschaft (vor allem ihre führenden Mitglieder) die Meinung
hegen können, ihre Verteilungseinrichtungen und Maßnahmen seien gerecht. Deshalb belügen sie nicht nur uns, sondern auch sicher selbst, deshalb bedürfen sie der täglichen
Ausflüchte und des Schleiers, den sie über die abstoßenderen,
von ihnen verschuldeten Züge der Welt werfen. Der Kritiker
reißt den Schleier weg.

Das Bedürfnis nach Selbstrechtfertigung hat zweifelsohne
eine Reihe von Gründen, die wir sowohl zynisch als auch ein-
fühlsam betrachten können. Warum erklärten die Pharaonen
des alten Ägypten, die Könige Babylons oder Assyriens in
den ältesten überlieferten Inschriften, sie würden dafür Sorge
tragen, daß Gerechtigkeit herrscht, daß die Armen unterstützt, Witwen und Waisen geschützt werden.[36] Meinten sie
etwa, ihre Macht sei weniger leicht zu erschüttern, wenn ihre
Untertanen an die Aufrichtigkeit dieser Erklärung glaubten?
Oder war es eine Frage der Selbstachtung, daß sie diese Verpflichtung auf sich nahmen? Verlangten vielleicht die Götter
von ihnen, daß sie sich dem Ritual derartiger feierlicher Verpflichtungen unterzogen (und daraufhin solche Inschriften
anfertigen ließen)? Oder handelt es sich bloß um den simplen
Sachverhalt, daß alle staatlichen Machthaber dies seit jeher

von sich behaupten? (Doch warum tun sie es?) Letztlich ist die Antwort belanglos. Sobald sich nämlich der Pharao zum Schutzherrn der Gerechtigkeit erklärt, eröffnet sich auch einem ägyptischen Schreiber die Möglichkeit, seinen ganzen Mut zusammenzunehmen und all die Ungerechtigkeiten aufzuzeichnen, über die der Pharao in Wirklichkeit hinweggesehen hat.

Diese Art der Kritik bleibt freilich, wie mutig sie auch sein mag, den herrschenden und herkömmlichen Idealen verhaftet. Welche Möglichkeiten bieten sich einem Schreiber, der die Konventionen selbst angreifen möchte? Er wird wohl kaum leugnen wollen, daß Gerechtigkeit walten müsse. Vielleicht hat er eine neue Vorstellung davon, was Gerechtigkeit beinhaltet. Doch wird er seine neue Vorstellung nur überzeugend vertreten können, wenn er sie auf irgendeine Weise mit der alten argumentativ zu verbinden vermag. Beispielsweise könnte der Schreiber behaupten, das Austeilen königlicher Almosen an die Armen schaffe nicht die Armut ab, vielmehr bräuchte man ein Agrargesetz, eine Aufteilung des Bodens. (Natürlich wird dabei ins Gewicht fallen, wie der Boden selbst verstanden wird. Ist er ein Geschenk der Götter? An wen? Und zu welchem Zweck?) Oder vielleicht glaubt der Schreiber, daß dieser Pharao (oder die Pharaonen) überhaupt niemals den konventionellen Verpflichtungen gerecht werden: Was man bräuchte, sei eine Herrschaft der Priester, besser noch eine Regierung der Schreiber. Es entzieht sich meiner Kenntnis, ob irgendein ägyptischer Schreiber tatsächlich Argumente dieser Art vorgebracht hat; betonen möchte ich lediglich, daß sie denkbar sind. Sie gehen aus vom bestehenden gesellschaftlichen Idealismus und behaupten, daß dessen Ideale entweder nur heuchlerisch hochgehalten und von den bestehenden Mächten nur unwirksam durchgesetzt würden, oder aber daß sie ihrer eigenen Formulierung unangemessen sind.

3. Kapitel

Wenden wir uns einem bekannteren, durch eine größere Fülle von Dokumenten belegten Beispiel zu: der Kritik an der Hierarchie im abendländischen Mittelalter und der frühen Neuzeit. Hier stoßen wir auf ein komplexes und im Inneren geteiltes ideologisches System (wie es möglicherweise bereits in der Antike existierte). Ich werde ganz schematisch nur zwei Rechtfertigungsformen hervorheben: die religiöse und die säkulare, die christliche und feudale. Die Hierarchie hatte natürlich stets ihre religiöse Rechtfertigung und ihre kirchlichen Verfechter. Dennoch war das Christentum seit jeher, zumindest potentiell, subversiv, da die biblischen Texte für eine Art primitiven oder ursprünglichen Egalitarismus einzutreten scheinen:

Als Adam grub, und Eva spann,
wo war da der Edelmann?

Allerdings möchte ich mich hier stärker auf die Ideologie des Feudalismus konzentrieren, die zwar von Anfang bis Ende hierarchisch, aber gleichwohl nicht bar eines eigenen kritischen Potentials war. Schließlich beanspruchten der Adel, die Grundherren und Barone, die jeweils einen bestimmten Rang in dieser Hierarchie einnahmen, daß sie den unteren Ständen dienten. Das gesellschaftliche Ideal des Feudalsystems war der Dienstgedanke: sein Gründungsmythos ist die Sage vom Starken, der den Schwachen verteidigt.[37] Die gewöhnliche Masse der Schreiber, ob weltliche oder kirchliche, arbeitete den gängigen Entwurf des Ideals aus, daß Gerechtigkeit gewahrt und Schutz bereitgestellt werde. Wurde jedoch Gerechtigkeit nicht gewahrt und fehlte es an Schutz, dann trat von Zeit zu Zeit ein Kritiker auf, der einen zügellosen und verderbten Adel tadelte.

Dagegen läßt sich natürlich wiederum einwenden, eine solche Kritik käme in Wirklichkeit nur dem System zugute, da sie nur an die Adresse einzelner pflichtvergessener Individuen oder Gruppen gehe. Zwar würden die unbotmäßigen

Adligen getadelt, doch würde der Adel selbst gefeiert und das Ideal des Dienstes erneut bekräftigt. Dem ist nur zuzustimmen, was freilich nichts am subversiven Charakter dieser Art des Lobes ändert, insofern das aristokratische Ideal von den tatsächlichen Beispielen aristokratischen Verhaltens unterschieden wird. Es braucht nun nicht mehr viel, bis ein kühnerer Kritiker fragt, wie es komme, daß die hochwohlgeborenen und die privilegierten Herren so selten ihrer Dienstpflicht obliegen, die doch angeblich ihre Stellung rechtfertigen soll. Die revolutionäre Kritik, die im Adel bloße Parasiten sah, hat hier ihren Ursprung: Der Adelsstand ist mit einer Arbeit betraut, aber erledigt sie nicht![38]

Die Hierarchie ist ein Verteilungssystem, in dem Stellung, Status und Rolle eng miteinander verwoben sind – wenn schon nicht in der Praxis, so doch zumindest diskursiv – in der Selbstdarstellung. Oder vielleicht sollten wir sagen, es sei alles andere als Zufall, daß diese diskursive Verknüpfung in der Praxis versagt, weil der Stolz auf den hohen Rang zugleich die Bereitwilligkeit zur dienenden Rolle untergräbt. Die Aristokraten entdecken andere Rollen für sich – Müßiggang, Prunk, Esprit, Intrigen –, die über weitaus geringere kulturelle Legimität verfügen. So erklären sich die kühnen Zeilen in Beaumarchais' *Figaro:* »Adel, Reichtum, ein hoher Rang, Würden, das macht so stolz! Was haben Sie denn getan, um so viele Vorzüge zu verdienen? Sie machten sich die Mühe, auf die Welt zu kommen, weiter nichts!«[39] Ein helfender oder schützender Grundherr oder Adliger gilt nun als Widerspruch in sich (vergleichbar einem wohlwollenden Despoten – auch hier läßt sich das Adjektiv leicht gegen das Substantiv kehren). Damit entfällt die Möglichkeit, die hierarchische Ordnung zu rechtfertigen, und das gesamte Gebäude bricht in sich zusammen. Ich vermute, die egalitäre Lehre der »Menschenrechte« entsprang diesem Zusammenbruch oder wurde durch ihn möglich. Erst nachdem sie innerlich ausgehöhlt war, konnte die feudale Festung von außen gestürmt werden. Oder, um eine andere Metapher zu wählen: Die Forderung nach Gleichheit erwächst aus der Kritik an einer fehlgeschlagenen Hierarchie.[40]

Vergleichbares läßt sich meiner Ansicht nach über mein oben an den Anfang des ersten Kapitels gestelltes Beispiel sagen. Wie gingen die Tschechen oder andere osteuropäische Dissidenten bei ihrer Kritik am Kommunismus vor? Auch in diesem Falle existierte eine komplexe ideologische Kultur, und sehr wahrscheinlich gab es von Anfang an eine in religiöse und nationalistische Begriffe gekleidete Kritik, und Hand in Hand damit ein entwickeltes Muster, wie sich die Menschen der Diktatur entziehen und ihr Widerstand entgegensetzen konnten. In den meisten Fällen gedieh die Kritik nur im Untergrund oder im Verborgenen und wurde nur hinter verschlossenen Türen im Kreise der Familie oder von Freunden geäußert. Es würde sich lohnen, einmal detailliert zu untersuchen, wie eine solche Kritik unter Bedingungen diktatorischer Unterdrückung tatsächlich funktioniert. Entscheidend aber ist, daß sie funktioniert. Sie wirkt sich sogar auf die Verteilung bestimmter sozialer Güter aus, auf solche nämlich, die sie immer noch (zumindest teilweise) zu kontrollieren vermag – beispielsweise Anerkennung und Ehre. Eine Kritik aber fürchten Tyrannen mehr als jede andere, und diese für sie gefährlichste Kritik geht nicht von altehrwürdigen Loyalitäten und Ideologien aus, sondern von ihrem eigenen vermeintlichen Idealismus. Die ersten Kritiker der kommunistischen Regime, jene, die den Nationalisten und Christen den Weg bereiteten, waren dissidente Kommunisten, die von den Tyrannen forderten, sie mögen endlich die Wertvorstellungen wahr machen, zu denen sie sich bekannten (und denen sich ihre Kritiker tatsächlich verpflichtet fühlten): Freiheit, Gleichheit und eine demokratische Regierungsform.

Zweifellos griff die Kritik an der kommunistischen Tyrannei einen häufig wiederkehrenden Minimalismus auf –
weshalb es ein Leichtes war, uns damit augenblicklich solidarisch zu fühlen. Indes hat diese Solidarität ihre Grenzen,
denn das vollständige Programm der ersten Dissidenten war
kommunistisch, wenn nicht gar leninistisch, und viele ihrer
westlichen Sympathisanten hätten es niemals ohne Abstriche
vertreten können.[41] Nach dem Zusammenbruch der kommunistischen Regimes verlor das vollständige Programm dann
auch für seine östlichen Sympathisanten an Bedeutung, so
sehr war es, wenn nicht ein Ausfluß der Regimes selbst gewesen, so doch ein Produkt der Bewegungen und der Ideologie,
aus der auch die kommunistischen Regime stammten. In der
Zwischenzeit hatten allerdings viele Dissidenten ihre Kritik
revidiert und neue Unterscheidungen in den gesellschaftlichen Idealismus der Linken eingeführt. Sie gelangten nun zu
der Überzeugung, ein Staat, der – wie heuchlerisch auch immer – für einfache Gleichheit und radikale Umverteilung eintrat, müsse zwangsläufig zuviel Macht in Händen halten und
damit eine durch keine bloßen Reformen zu korrigierende
Bedrohung für jeden anderen Aspekt seines (vorgeblichen)
Idealismus darstellen. So griffen die Dissidenten den Leninis-
mus nun ebenso an wie den Stalinismus (und all die kleinen
Nachahmer des Stalinismus) und näherten sich auf diesem
Wege dem, was wir die maximalistische Standardmoral des
Westens nennen können: Liberalismus, Demokratie, »bour-
geoise Bürgerrechte«. Zur Übernahme dieses äußeren Mo-
dells wurden die Kritiker jedoch durch die Erfahrung ihrer
»inneren« Dissidenz sowie durch die Erkenntnis veranlaßt,
daß innere Reformen äußerst unwahrscheinlich waren. Obgleich die Zeitspanne, in der sich dies alles abspielte, entsprechend dem Beschleunigungsrhythmus der Moderne sehr viel
kürzer war, liegt der Fall im heutigen Osten ähnlich wie derjenige im späten Mittelalter und in der frühen Neuzeit des

Westens. Der Liberalismus erwuchs aus der Kritik an einem fehlgeschlagenen Kommunismus.

Mit diesen Beispielen wollte ich das radikale Potential der internen Kritik veranschaulichen: die subversive Kraft der Immanenz. Eine in maximalistischen Termini formulierte Gesellschaftskritik vermag das geltende moralische Maximum selbst in Frage zu stellen, ja sogar umzustürzen, indem sie seine inneren Spannungen und Widersprüche aufdeckt. Und dies scheint mir überhaupt der normale Gang von Gesellschaftspolitik zu sein – auch dann, wenn die Kritiker keineswegs beabsichtigen, diesen Weg bis zum Ende zurückzulegen, und eher auf eine Reform oder Erneuerung als auf Subversion setzen. Gesellschaftskritiker gehen normalerweise von dem Ort aus, an dem sie stehen, sie gewinnen oder verlieren auf heimatlichem Boden.

II

Wie aber – so fährt der Kritiker von *Sphären der Gerechtigkeit* für gewöhnlich fort – gelingt es denn dieser ursprünglichen, normalen und internen Kritik, jemals einen überzeugenden Ausdruck zu finden?[42] Meiner Ansicht nach legt diese Frage den Finger auf einen ganz speziellen Punkt: Gefragt wird danach, wie die interne Kritik jemals einen definitiven, maßgeblichen philosophischen Ausdruck finden könne. Schließlich bleibt alles, was die Dissidenten über die kommunistische Freiheit und Gleichheit behaupten (oder was Kritiker des Feudalismus über den Dienst- und Schutzgedanken sagen) umstritten. Zudem gibt es alternative Erklärungen für die Diktatur der Parteiavantgarde (und für Adelsprivilegien): mehr oder weniger glaubhafte Geschichten, die sich ebenfalls auf eine historische Dimension berufen können und ebenso in alten Schriften verwurzelt sind. Und deshalb greift die interne Kritik, solange sie auf die Interpretation des Kommunismus (oder Feudalismus) als einer maximalistischen Moral beschränkt bleibt, stets zu kurz: Menschen, welche sich innerhalb der moralisch-kulturellen »Dichte« des alten Regimes bewegen, diese Bücher lesen, diesen Gesetzen gehorchen (oder sich ihnen entziehen), dieser Tradition huldigen und so weiter – diese Menschen haben gleichwohl Meinungsverschiedenheiten darüber, was dies alles »bedeutet«. Und am Ende steht nur ein intellektuelles wie politisches Patt. Und so bleibt, wenn alle Möglichkeiten der interpretierenden Kritik erschöpft sind – für die Kritiker der Immanenz –, schließlich nur noch der Ausweg übrig, an einen externen Maßstab zu appellieren: an die beste abstrakte und allgemeine Theorie, die sich mit den strittigen Angelegenheiten befaßt.

Gewiß, wären wir tatsächlich im unerschütterlichen Besitz der besten abstrakten und allgemeinen Theorie, dann würden wir uns wahrscheinlich überhaupt nicht mit der internen Kritik abgeben. All die Kritiker vor Ort könnten durch ein Allgemeines Büro für Gesellschaftskritik abgelöst werden, in dem ein international ausgesuchtes und besonders ausgebildetes Kollegium (von Berufsphilosophen, Politologen, Theologen?) dieselben moralischen Prinzipien auf jedes Land, jede Kultur und jede religiöse Gemeinschaft in der Welt anwenden würde. Es würde mich keineswegs überraschen, wenn die mittelalterliche Kirche und die alte Komintern, unter anderen Firmenschildern versteht sich, derartige Büros gehabt hätten. Auch mag es sehr wohl Organisationen geben, die heutzutage diesen Status anstreben, entweder in Verbindung mit den Vereinten Nationen oder als unabhängige Gründungen. Doch wenn das hier angestrebte Ziel seiner Natur nach maximalistisch ist – wenn also ein detailliertes Urteil über moralische Werte und gesellschaftliche Praktiken überall auf der Welt gefällt werden soll –, dann ist der Besitz einer solchen Theorie wahrscheinlich nicht weniger heftig umstritten als das interpretierende Verstehen partikularer moralischer Traditionen. Durch den Sprung von innen nach außen, vom Besonderen zum Allgemeinen, von der Immanenz zur Transzendenz wird der Streit zwar auf ein anderes Terrain verlagert, aber mir sind keine Belege dafür bekannt, daß die Auseinandersetzung auf dem neuen Boden schneller einem Ende entgegenginge. Selbst diejenigen, die die gleichen Bücher lesen (etwa über Moralphilosophie), werden sich vermutlich nicht darüber einig sein, welche abstrakte und allgemeine Theorie tatsächlich die beste ist.

Damit ist, wie ich im ersten Kapitel gezeigt habe, nicht jede Möglichkeit ausgeschlossen, erfolgreich vom Partikularen zum Allgemeinen überzugehen – beispielsweise ist es denkbar, daß eine Gruppe von Kritikern ihren eigenen Maximalismus fallenläßt und sich zu einem bestimmten Zweck auf ein moralisches Minimum einigt (oder es erfindet). So verstehe ich etwa den Ansatz solcher Gruppen wie Amnesty International, die zweifellos eine nützliche kritische Aufgabe übernehmen können – jedenfalls solange sie die eventuellen Impulse ihrer Mitarbeiter im Zaume halten, ein vollständiges Ensemble moralischer Prinzipien über alle kulturellen Unterschiede hinweg durchsetzen zu wollen. Der Erfolg hängt von dieser Selbstbeschränkung ab; denn andernfalls würde Amnesty International nur – wie die Kirche und die Komintern – einen weiteren missionierenden Maximalismus vertreten. Die Mitglieder von A. I. würden sich zu einer Art weltweiter Avantgarde aufwerfen, vielleicht sogar danach streben, außerhalb ihrer Sphäre zu herrschen und überall politische Autorität auf der Grundlage des ideologisch Richtigen beanspruchen. Sollte es aber (wie ich meine) nicht die *eine* richtige, maximalistische Ideologie geben, dann bleibt uns keine andere Wahl, als die meisten innerhalb einer besonderen Gesellschaft und Kultur entstehenden Streitigkeiten – und erst recht die meisten Auseinandersetzungen über die rechte Verteilung – im Inneren zu klären. Damit ist nicht gesagt, daß wir auf alle von außen kommenden Vorschläge verzichten müssen und uns in keiner Weise auf andere maximale Moralen beziehen dürfen, doch im großen und ganzen haben wir uns jener Art von interpretierenden Argumenten zu bedienen, die ich im letzten Kapitel beschrieben habe, und auf die ihr angepaßten politischen Prozesse zu setzen. Gesellschaftskritiker arbeiten meistens in einem Büro für Innere Angelegenheiten.

Wir sollten nun daraus nicht den Schluß ziehen, der moralische Maximalismus könne überhaupt nicht »theoretisch gefaßt« werden – weder zunächst in einer allgemeinen noch später in einer stärker das Besondere berücksichtigenden Weise. Wir sind durchaus in der Lage, seinen allgemeinen Wert sowie die Achtung zu erklären, die wir all seinen besonderen Versionen schulden (nebst den Grenzen dieser Achtung). Und im nächsten Schritt können wir darangehen, den Gehalt des moralischen Maximalismus in einem besonderen Fall und für einen bestimmten Zweck zu spezifizieren, eine theoretische Erklärung der lokalen Gerechtigkeit zu geben, indem wir etwa die Verbindungen zwischen ihren verschiedenen Teilen aufzeigen und zu ihrer Prioritätenliste eine Ansicht vertreten. Aus einer gegebenen dichten Moral eine Theorie zu konstruieren, ist eher eine Aufgabe der Interpretation (und weniger eine der philosophischen Kreativität). Wenn diese Theorie kritischen Zwecken dienen soll, dann benötigen wir eine *pointierte* Interpretation, eine auf örtliche Verhältnisse zugeschnittene Theorie, die mit einer moralischen Maxime schließt – so etwas wie das philosophische Gegenstück zu einer Äsopschen Fabel. Es ist fraglos eine gute Sache, wenn der Interpret auch auf seiner Suche nach den angemessenen theoretischen Begriffen nicht die Fähigkeit verliert, eine Geschichte zu erzählen, seine kritische Argumentation innerhalb einer Tradition zu entwerfen und die Bedeutung der historischen Ereignisse und Eigennamen anzuerkennen.

III

Aber läßt meine Deutung der Gesellschaftskritik (ich spiele immer noch den Advokaten meiner Kritiker) nicht das Aufregende und den Heroismus des kritischen Unterfangens vermissen?[43] Mein imaginärer ägyptischer Schreiber setzt sich einer Gefahr für Leib und Leben aus; die frühen tschechischen Dissidenten riskieren ihre Karriere sowie ihre eigene Sicherheit und die ihrer Familien. Wie konnten sie dies tun, solange sie nicht die Gewißheit hatten, daß sie die Dinge richtig sahen – und nicht ihre Interpretation der maximalistischen Moral für die einzig richtige Interpretation hielten, sondern auch davon überzeugt waren, diese maximalistische Moral sei die einzig richtige Moral? Ich sprach von einem dünnen Universalismus und einem dichten Partikularismus, aber ist die Kritik nicht dann am mächtigsten, wenn sie beansprucht, sowohl dicht als auch universal zu sein, reich an Einzelheiten und umfassend in der Anwendung – eben eine vollständige philosophische Theorie des Richtigen, des Rechten und des Guten? Man denke nur an Martin Luther als Kritiker der Kirche: Seine Kritik stützte sich fraglos auf eine Interpretation des christlichen Maximalismus, die in seinen Augen über jeden Zweifel erhaben war (er sah darin nicht bloß eine mögliche Interpretation). Und die Argumentation war universal angelegt: *Jeder* sollte ein Christ von der lutherischen Art sein oder dazu werden. Hätte Luther dies nicht geglaubt, wäre er dann so unerschütterlich gewesen, hätte er so zuversichtlich gewußt, wo er steht und was er zu tun und nicht zu tun vermochte?

Ich bezweifle nicht, daß Luther ein standhafter Mann und ein großer Kritiker war, aber er war auch gefühllos und intolerant – und dies war zumindest teilweise seinem christlichen Universalismus geschuldet. Auch ist er nicht das einzige Vorbild eines heldenhaften Kritikers. Es fällt nicht schwer, andere Vorbilder, andere Stile der Kritik zu nennen, die skeptischer und bescheidener sind (wie ich es in der Tat in *Engagement und Enttäuschung* getan habe). Hier möchte ich allerdings eine andere These wagen: Ich möchte nämlich bestreiten, daß wir das Unterfangen der Kritik dann am besten verstehen, wenn wir auf seine heroischen Augenblicke verweisen. Ein sehr schönes, vor kurzem erschienenes Buch von Luc Boltanski und Laurent Thévenot, zwei französischen Wissenschaftlern, liefert das soziologische Fundament für meine Behauptung: Sie haben genau und sehr detailliert gezeigt, welch recht gewöhnliche Tätigkeit die Kritik darstellt und daß sie notwendigerweise immanent vorgeht, aus den verschiedenen Sphären des Alltagslebens heraus operiert.[44] Gesellschaftspolitik spiegelt die ganze Spannbreite der gesellschaftlichen Differenziertheit wieder, ihr vielfältiges Vokabular ist allgemein bekannt; Kritik ist eine Tätigkeit der Vielen, nicht eine besondere Aufgabe der Wenigen, und daher wird sie manchmal mit Witz und Geist, manchmal mit Vulgarität geübt, sie kann findig und grobschlächtig, kühn und ängstlich sein. Zweifellos müssen Kritiker, ebenso wie Liebende, Freunde und politische Parteigänger, manchmal auch kühn handeln und beträchtliche Risiken eingehen. Ihre alltägliche Geschichte ist jedoch eine andere, und sie hat mehr mit dem zu tun, was ich die »gewöhnliche Beschwerde« nannte, als mit hochkarätigen philosophischen oder theologischen Argumenten. Was zur Verhandlung steht, ist nicht das universale Gute oder der Wille Gottes, sondern ein stärker lokales Verständnis von Gerechtigkeit oder Freiheit.

Natürlich sind philosophische und theologische Kritiker

von einem weiterreichenden Ehrgeiz beseelt, der auch erklärt, warum sie so bereitwillig heroische Haltungen einnehmen. In einem gewissen Sinne hofft jeder von ihnen, der letzte Gesellschaftskritiker zu sein. Sollte er die Dinge richtig stellen, dann brauchte man in Zukunft nur noch seine Texte neu auflegen und endlos studieren. Schließlich ändern sich die Gegenstände der kritischen Untersuchung gar nicht so sehr: menschliche Habgier, Grausamkeit, Wollust, Mißbrauch der Macht, Unterdrückung der Schwachen. Sollte es nicht möglich sein, für all das die richtige Antwort zu finden, »die korrekte ideologische Position«, so daß sich nie wieder jemand auf die Suche machen müßte?

Sicher existiert diese Möglichkeit, doch nur in einer minimalistischen, auf die krassesten und empörendsten Ungerechtigkeiten reagierenden Weise. Kritiker ergreifen aber auch angesichts gewöhnlicher Ungerechtigkeit das Wort, und sie tun dies detailliert, dicht und in ihrer eigenen Sprache. Diese Art der Kritik stellt nun eine ganz andere Tätigkeit dar, als ihre philosophischen und theologischen Helden nahelegen. Selbstverständlich ist der Kritiker darum bemüht, die Dinge richtig zu stellen – wie ich das in diesem Augenblick ja auch tue –, aber wir sollten diese Anstrengung weniger in Analogie zum Geschäft der Philosophen denn zu dem der Dichter, Romanschriftsteller, Künstler und Architekten verstehen. Ein Architekt beispielsweise beabsichtigt nie, das letzte Gebäude zu entwerfen (nicht einmal die letzte Kirche oder Schule), um damit die Architektur künftig überflüssig zu machen – dennoch ist er sehr wohl bestrebt, sein besonderes Gebäude richtig zu machen. Die Richtigkeit läßt sich nur hinsichtlich des Anlasses, der zu diesem architektonischen Entwurf führte, beurteilen: d. h. mit Bezug auf die Bedürfnisse, denen das Gebäude zu dienen hat, die zur Verfügung stehenden Materialien und das herrschende ästhetische Ideal (das architektonische Gegenstück zu einer maximalistischen Moral). Architektur ist eine sich ständig wiederholende Tätigkeit, bei der viele Architekten mannigfache Gebäude entwerfen. Im Prinzip könnte es ihnen allen gelingen, richtige Entwürfe vorzulegen – obschon dies nicht heißt, daß sie alle dasselbe vollkommene Gebäude entwerfen. In der Praxis schaffen sie alle natürlich unvollkommene Gebäude, die mehr oder weniger schön, bewohnbar und nützlich sind. Und jedes dieser Gebäude wird sogleich zum Gegenstand der kritischen Reflexion und der Debatte – zum zukünftigen Vorbild, das nachgeahmt, verändert oder verworfen wird. Mehr noch: Die Gebäude werden in stets sich wiederholenden architektonischen Bemühungen mit endlos differenzierten Ergebnissen nachgeahmt *und* verändert *und* verworfen. (Vielleicht entwickelt ein minimalistischer Universalismus auch einen internationalen Stil – etwa im Hotelbau –, obwohl dieser vermutlich kein Ausdruck höchster architektonischer Kunst wäre.)

Kritik ist ebenfalls eine sich wiederholende Tätigkeit, und jeder Kritiker, der die Dinge richtigstellen möchte, zielt auf eine Richtigkeit ab, die relativ zum Anlaß der Kritik ist. Kritiker möchten ein durchschlagendes Argument vorbringen und eine lokale politische Wirkung erzielen. Doch darüber hinaus wollen sie auch einen Gegenstand der Reflexion und der Debatte schaffen, so daß andere Kritiker in die Auseinandersetzung hineingezogen werden (selbst wenn sie sich dessen bewußt sind, daß diese anderen Kritiker nicht fromm ihre eigenen scharfen Ausfälle herbeten werden). Ich will nun zu beschreiben versuchen, wie sie diese Aufgabe erfüllen könnten. Wie sieht das kritische Unterfangen aus? Wie ist seine gewöhnliche, in der Sprache einer besonderen Moral ausgedrückte Form beschaffen?

IV

Betrachten wir die derzeitige politische Kultur des Westens, unsere eigene moralisch maximalistische Auffassung darüber, wie Macht verteilt werden sollte. Ich möchte hier die spezifisch amerikanische Version dieser Auffassung entfalten: eine stärker »föderalistische« als »republikanische« Version, die jedoch – was meine augenblicklichen Zwecke anbelangt – nicht allzu weit von anderen westlichen Versionen abweicht. Das Grundprinzip, das über Verteilungsfragen in der politischen Sphäre bestimmt, lautet: Macht kann nur mit Zustimmung der Regierten rechtmäßig erworben, besessen und ausgeübt werden. Dieses Prinzip ist sehr viel älter als die moderne Demokratie. Es ist bereits in der mittelalterlichen Königsherrschaft anzutreffen, in der selbst die Souveräne für ihre Besteuerungen oder ihre militärischen Aushebungen normalerweise die Zustimmung zumindest eines Teils ihrer Untertanen – etwa der Barone, der Lehnsherren und des Adels – erhalten mußten. Es zählt zu den wichtigsten Errungenschaften der demokratischen Revolutionen, daß »alle« an die Stelle der »wenigen« traten. Es überrascht nicht, daß der ideale Bürger der frühneuzeitlichen politischen Theorie nach dem Vorbild des in Renaissance und Neoklassizismus vertretenen aristokratischen Ideals gedacht wurde. Der Bürger, né Jedermann, erbte vom Adel diejenigen Rechte, die seine und später auch ihre Zustimmung bedeutungsvoll machten. Auch übernahm er den gesellschaftlichen Raum und den Kreis von Tätigkeiten, innerhalb deren Zustimmung ausgedrückt werden konnte. Also das Petitions- und Versammlungsrecht, das der Adel stets besessen hatte; das neue, durch die Schaffung eines Massenpublikums notwendig gewordene Recht der Pressefreiheit; und das Recht auf eine häusliche und religiöse Privatsphäre, das in den Adelspalästen und Hauskapellen, in die selbst Könige nur auf eigene Gefahr einzudringen vermochten, seit jeher gegolten hatte. Die Maxime, daß das Heim eines Mannes seine Burg ist, wurde ursprünglich von Männern verteidigt, deren Burgen ihr Heim waren. In den amerikanischen Kolonien und später in der jungen Republik gab es natürlich keinen einheimischen Adel, dennoch wurde der Bürger immer noch nach diesem Bilde persönlicher »Freiheit« und vielseitiger Betätigungsfelder vorgestellt.

In einem wichtigen Sinne begründet das Prinzip der Zustimmung eine Verfahrensethik. Es erklärt, wie politische Macht auf rechtmäßige Weise ausgeübt wird. Sobald die Verfahren eingeführt sind – regelmäßige Wahlen, freie Parteiengründung, Gesetze gegen den Verkauf und Kauf von Wahlstimmen usw. –, nehmen wir gemeinhin an, daß die gewählten Regenten Legitimität beanspruchen dürfen. Dies Verständnis demokratischer Politik ist jedoch viel zu eng. Was dafür sorgt, daß der Verfahrensgedanke gut *verfährt*[45], was ihm seine legitimierende Kraft verleiht, ist ein bestimmter Geist, der sich in einer Reihe von Praktiken niederschlägt.[46] Es ist der Geist der aktiven Beteiligung, und zu den entscheidenden Praktiken gehört es, ebenso zu debattieren wie sich zu organisieren, sich zu versammeln, zu demonstrieren, Beschwerde zu führen und natürlich zu wählen. Manchmal werden diese Dinge wie in der amerikanischen *Bill of Rights* einfach vorausgesetzt: wenn »das Recht des Volkes, sich friedlich zu versammeln« bekräftigt wird, dann sollten wir ... Versammlungen erwarten. Es wäre ein sehr schlechtes Zeichen, würde das »Volk« sein Recht niemals ausüben. Genau aus diesem Grunde ist es für die Demokratie kennzeichnend, daß sie sich auf vielfältige Weise bemüht, eine aktive Bürgerschaft zu schaffen und am Leben zu erhalten. (Dies ist der zentrale Punkt in Rousseaus politischer Theorie, in der das neoklassische Bild des Bürgers stets im Vordergrund steht.) In den Vereinigten Staaten zählt das öffentliche Bildungswesen zu den wichtigsten Bestandteilen dieser Bemühung. Der lange Streit darüber, wie die Einwanderer zu »amerikanisieren« seien, speiste sich im wesentlichen aus derselben Absicht – obgleich die »Amerikanisierer« häufig ebenso »Nativisten« wie Republikaner waren.[47]

Diese Betonung der Bürgerschaft ist im Falle Amerikas ihrem Charakter nach jedoch weder exklusiv noch auf einen außergewöhnlichen bestimmten Bereich beschränkt. Es ist ein entscheidendes Merkmal unseres politischen Idealismus, daß das Eintreten für demokratische Verfahren wie auch für den Geist und die Praktiken, nach denen sie verlangen, alle Ebenen unserer föderalistischen Regierungsform einschließt und auch die zivile Gesellschaft ergreift. Die politische Erziehung der amerikanischen Bürger findet größtenteils in den kleinsten politischen Einheiten statt, die sie bewohnen – in den lokalen Gemeinden, den »boroughs«, den »townships«, den Schulbezirken – aber auch in den Kirchengemeinden, Gewerkschaften, Wohltätigkeitsorganisationen usw. Dieser Prozeß verläuft in zwei Richtungen: Wenn die Bürger etwas über den Gebrauch und den Mißbrauch der Macht lernen, werden die örtlichen Regierungen und zugleich die Vereinigungen der bürgerlichen Gesellschaft demokratischer gestaltet, zumindest aber werden sie einer demokratischen Prüfung unterworfen. Es mag zwar sein, daß sie nicht immer in strikter Übereinstimmung mit den Grundsätzen der Zustimmung und der Teilhabe verfahren, doch sind sie stets im Namen dieser Prinzipien dazu herausgefordert. Was es heißt, ein Bürger zu sein, erhält so eine Reihe zusätzlicher und besonderer Bedeutungen: in der Nachbarschaft, in den Glaubensgemeinschaften, in der Arbeiterbewegung oder unter Männern und Frauen, die sich diesem karitativen Zweck oder jener guten Sache verschrieben haben.

Rousseau erklärte denjenigen zum tugendhaften Bürger, der »zu den Versammlungen eilt«, und meinte damit die Bürgerversammlungen.[48] Heute würden wir dieser Definition wahrscheinlich eine pluralistische Wendung geben: Es gibt viele verschiedene Versammlungen, die die materiellen und geistigen Interessen unterschiedlicher, wenn auch sich überschneidender Gruppen von Bürgern widerspiegeln. Die politische Tugend zeigt sich meiner Ansicht nach noch stets am besten in den Zusammenkünften; indes muß es sich dabei nicht um jene Art von Tugend handeln, die einen Rousseauschen allgemeinen Willen hervorbringt. Das Tugendhafte liegt hier in der Tätigkeit selbst (und im Geist, der sie beseelt und erfüllt), nicht im Ergebnis – welches oftmals entschieden unbefriedigend bleibt. Wir zielen darauf ab, dieser Tätigkeit einen möglichst weiten Wirkungskreis zu verschaffen. Deshalb meint der italienische politische Theoretiker Norberto Bobbio auch, daß die entscheidende Frage für Demokraten nicht mehr darin besteht, ob die Bürger wählen oder wie viele von ihnen zur Wahl gehen, sondern *wo* sie wählen – und diese Behauptung trifft mit besonderer Eindringlichkeit auf die amerikanische Erfahrung zu.[49] Viele Streitfragen, viele Handlungsräume, viel Zustimmung und viel Ablehnung: So sieht unsere Idealvorstellung einer demokratischen Politik aus.

Doch sollten wir dieses Bild nicht überziehen, es darf nicht all die anderen Vorstellungen in den Schatten stellen, die wir in einer differenzierten, von »vielseitigen« Männern und Frauen bewohnten Gesellschaft über die soziale Tätigkeit hegen. Nicht immer geht es um Macht, und auch Zustimmung ist nicht der einzige Verteilungsgrundsatz. So wird die politische Tugend durch die »apolitische Tugend« gemäßigt (wie wir sie nennen können), welche selbst wieder viele unterschiedliche Formen annehmen kann: familiäre Zuneigung, berufliches Können, ja sogar die »gute Nase«, die den Markt beherrscht. Es gibt eine Reihe von Orten, wo Bürger nicht wählen müssen, und Gesellschaftskritiker sind dazu verpflichtet, ihre demokratischen Argumente einer umfassenderen Anschauung komplexer Verteilungsprozesse anzupassen.

Gleichwohl halten sie eine machtvolle Waffe in Händen: eine dichte, interne Auffassung darüber, wie ein gesellschaftliches Gut von entscheidender Bedeutung verteilt werden sollte; und diese ihre Auffassung ist zugleich kulturell legitimiert und steht im Widerstreit zu jeder tatsächlichen Verteilung.

Ich möchte betonen, daß diese Auffassung zwar mit einfacher Gleichheit beginnt (ein Bürger – eine Stimme), aber letzten Endes Ungleichheit rechtfertigen soll. Ungleiche Macht – etwa die Möglichkeit, ein Regierungsamt innezuhaben oder zu kontrollieren bzw. eine politische Maßnahme durchzuführen – erwirbt man, indem man seine Mitbürger dazu überredet, dieser Ungleichheit zuzustimmen: Wer eine Wahl gewinnen will, muß zunächst in einer Debatte bestehen. Aber diese Liste ist zu kurz. Auch in ihrer idealen Gestalt ist demokratische Politik nur zum Teil argumentativ. Darüber hinaus ist sie auch eine Sache der Organisation, der Verhandlungen, der Strategie, der Demonstration von Stärke und vielem anderen mehr. Bei all dem wird Macht gleichzeitig ausgeübt und angestrebt, und es bleibt stets eine schwierige Frage, wie sich die Machtausübung mit dem Grundsatz der notwendigen Zustimmung unter einen Hut bringen läßt.

Trotz der Schwierigkeit ist ohne weiteres erkennbar, wie sich eine Kritik an der amerikanischen Politik im Ausgang von dieser dichten Auffassung des demokratischen Idealismus entwickeln läßt. Die Kritik müßte zwei Dingen ihre Aufmerksamkeit schenken. Zunächst wäre es ihre Aufgabe, die wichtigste Art distributiver Aggression in der amerikanischen Gesellschaft bloßzustellen: das Eindringen des Geldes in die politische Sphäre, sei es nun in Gestalt wohlhabender Individuen oder von Vorständen großer Konzerne. Diese Art der Aggression ist nicht immer und allerorten die wichtigste (oder auch nur die einflußreichste): Man denke nur daran, wie lange die westeuropäische Bourgeoisie darum kämpfen mußte, die alten Aristokraten aus der politischen Sphäre zu verdrängen, oder mit welcher Leichtigkeit ihre östlichen Gegenstücke von militanten Parteimitgliedern oder Staatsbürokraten abgelöst wurden. Sicherlich aber ist die Macht des Reichtums für das zeitgenössische Amerika kennzeichnend – und weil dem so ist, verfügt sie vor Ort über ihre eigenen ideologischen Rechtfertigungen. Daher sollte der demokratische Gedanke, dessen eingedenk, *gegen sie* formuliert werden, indem wir genau, mit konkreten Beispielen zeigen, wie staatliche Macht ergriffen und ausgeübt wird, auch wenn diejenigen, die ihr unterworfen sind, nie um ihre Zustimmung ersucht wurden. Ein Buch wie Charles Lindbloms *Politics and Markets* liefert ein gutes akademisches Modell für dieses kritische Unternehmen. Daß es keine wirklich guten populären Modelle gibt, wirft ein betrübliches Licht auf das politische Leben im heutigen Amerika.[50]

Zweitens würde die demokratische Kritik auf eine Veränderung der Grenzen innerhalb der amerikanischen Gesellschaft hinwirken – und aufzeigen, wie eine der politischen Macht sehr ähnliche Macht völlig außerhalb der anerkannten politischen Sphäre und unbeeinflußt vom Prinzip der notwendigen Zustimmung ausgeübt wird. Hier bietet sich eine Reihe unterschiedlicher Angriffspunkte an, die jeweils ihre eigenen ideologischen Rechtfertigungen mit sich führen und je für sich zu behandeln wären: das despotische Auftreten von Firmenleitungen und leitenden Angestellten, das autokratische Gehabe von Universitätspräsidenten, der patriarchalische Absolutismus männlicher »Haushaltsvorstände« usw. In all diesen Fällen wird die Argumentation ähnlich verfahren, ohne daß sie freilich völlig identisch wäre.

Je mehr diese Formen von Macht der politischen Macht ähneln, um so stärker sollten sie demokratischen Regeln unterworfen werden. Allerdings müssen diese Regeln in Einklang mit unserem Verständnis der relevanten Güter, um die es in den verschiedenen Wert- und Verteilungssphären geht,

näher bestimmt oder revidiert werden – auf dem Markt wird
Ware verteilt, in den Schulen die Bildung, und in den Familien
die gegenseitige Zuneigung und die Sozialisierung der Kinder. In der letztgenannten Sphäre liefert die feministische Literatur ebenso populäre wie auch akademische Beispiele für
die Form und den Stil, die eine demokratische Kritik annehmen könnte; unter den amerikanischen Veröffentlichungen
kann ich vor allem Susan Moller Okins *Justice, Gender, and the
Family* empfehlen.[51]

V

Es sollte kein Zweifel daran bestehen, daß diese Art der Kritik, die die Verwirklichung des demokratischen Ideals hier
und jetzt verlangt, keine Verteidigung der Demokratie selbst
darstellt. Damit ist freilich nicht gesagt, daß die Demokratie
nicht zu rechtfertigen sei – wir haben durchaus Gründe, sie
anderen Regierungsformen vorzuziehen. Doch ich setze –
zumindest in unserem Falle – voraus, daß diese Frage bereits
einverständlich geklärt wurde, so daß ich dazu übergehen
kann, interpretierende Behauptungen über die Bedeutung unserer demokratischen Grundauffassung vorzubringen. Ja, wir
alle sind Demokraten. Was folgt aus dieser Verpflichtung?
Welche Art von Leben führen Demokraten, wenn sie in echt
demokratischer Weise leben? Diese Fragen aufzuwerfen heißt
nicht, Kompromisse vielfältigster Art mit anderen Werten
auszuschließen. Wohl aber wird damit der (empirisch und
theoretisch zu rechtfertigende) Anspruch erhoben, daß die
Demokratie unter den zeitgenössischen amerikanischen Idealen einen klaren Vorrang genießt oder sich zumindest einer
besonderen Stellung erfreut. Die Adjektive »zeitgenössisch«
und »amerikanisch« sind wichtig – denn es sollte auch hier

außer Frage stehen, daß diese Kritik keine Verteidigung der Demokratie zu allen Zeiten und an jedem Ort beinhaltet oder erheischt. Sie gibt nicht vor, eine Antwort auf die alte Frage der Griechen nach der besten Regierungsform zu sein. Auf diese Frage gibt es nicht *eine* einzige und universale Antwort. Was also tut der Kritiker, wenn er die Welt um sich herum betrachtet, tyrannische Regierungen in anderen Ländern und an entfernten Orten sieht, wenn er erlebt, wie Menschen aus Opposition zu ihren Regierungen auf die Straße gehen und nicht allein nach »Wahrheit« und »Gerechtigkeit«, sondern auch nach »Demokratie« rufen?

Selbstverständlich war ich bereit, mich 1989 mit den chinesischen Studenten auf dem Tienanmen-Platz solidarisch zu erklären. Diese Bereitschaft brachte jedoch eine moralisch und politisch minimalistische Haltung zum Ausdruck: die Solidarität mit allen Studenten, ungeachtet der Meinungsverschiedenheiten unter ihnen, solange es gegen Tyrannen geht. Ohne Zweifel glaubte ich damals nicht, das politische Ideal Amerikas stünde kurz davor, in China verwirklicht zu werden, oder sollte dort verwirklicht werden. Auch war ich nicht im Besitz einer abstrakten und universalen Theorie der »wahren Demokratie«, die ich den Chinesen hätte aufdrängen können. Wer genau auf die Äußerungen achtete, die sie gegenüber westlichen Journalisten machten, hätte vermutlich ebenso wie ich aus den Argumenten der Studenten ein Bewußtsein ihrer Sendung oder ihrer besonderen politischen Rolle herausgehört, das mit dem amerikanischen Ideal (in dem sich stets eine gewisse Abneigung gegenüber den Ansprüchen der gebildeten Schichten bemerkbar machte) und vermutlich auch mit den heute vorherrschenden abstrakten und universalen Theorien unvereinbar war. [52] Man darf annehmen, daß der elitäre Anspruch der Studenten seine Wurzeln in der leninistischen Avantgardepolitik hat oder aber, wofür noch mehr spricht, in den vorkommunistischen, kulturellen Traditionen

Chinas (im Konfuzianismus und im Mandarintum), und dieser Umstand wird sich zweifellos in jeder Version der chinesischen Demokratie bemerkbar machen. Meine Solidarität mit den Studenten verpflichtete mich nicht dazu, ihr Verständnis von einer demokratischen Regierungsform zu unterstützen. Ebensowenig verpflichtete mich mein eigenes (amerikanisches) Ideal dazu, diesem Verständnis entgegenzutreten.

Als außenstehender Beobachter konnte ich es mir leisten, diese wohlwollend distanzierte Haltung einzunehmen – nicht was den politischen Kampf im Ganzen betraf, wohl aber hinsichtlich seiner Einzelheiten. Würde man mich einladen, nach China zu kommen und ein Seminar über Demokratietheorie zu halten, so würde ich mich nach besten Kräften bemühen, meine eigenen Anschauungen über die Bedeutung der Demokratie zu erklären. Doch würde ich mich jedes missionierenden Tonfalls enthalten. Denn zu meinen Ansichten gehört auch der Gedanke, daß die Demokratie in China eine *chinesische* sein muß – und fragte man mich nun, was das genau heißen könnte, so muß ich gestehen, daß ich darauf eine erschöpfende Antwort schuldig bleiben muß. Daß die Menschen vor Ort ein gewisses Vorrecht in der Wahl ihrer Regierungsform genießen, folgt für mich allerdings aus der Vorstellung eines in der internationalen Arena wirksamen moralischen Minimalismus. Das Prinzip der notwendigen Zustimmung verlangt zumindest folgendes: Die chinesische Demokratie muß im Blick auf ihre eigene Geschichte und Kultur von den Chinesen selbst bestimmt werden.

Dagegen ließe sich einwenden, daß ich dem (ausländischen) Gesellschaftskritiker erlaubte, für eine (möglicherweise mythische) Version des kollektiven Chinas, für eine Standardauffassung der kulturellen Tradition, ja möglicherweise auch für die alten Eliten Partei zu ergreifen, nicht aber für das Individuum und seine oder ihre Rechte zu sprechen. Einerseits ist dieser Vorwurf völlig ungerechtfertigt; denn schließ-

lich verteidige ich die minimalen Rechte der chinesischen
oder der tschechischen Demonstranten. Aber diese sind andererseits für mich unbekannte und mithin abstrakte Individuen, weshalb die minimalen Rechte alles sind, was sie besitzen. Detaillierte Rechte, dicht verstandene Rechte, kommen
allein konkreten Männern und Frauen zu, die – wie Marx und
Engels in der *Deutschen Ideologie* meinten – erst in der Gesellschaft zu wirklichen Individuen würden.[53] Da ich sehr wenig
über ihre Gesellschaft weiß, kann ich den Chinesen nicht dieses oder jenes Bündel von Rechten unterschieben – und erst
recht nicht das von mir bevorzugte. So bezeuge ich ihnen als
empirischen und gesellschaftlichen Individuen meine Achtung. Sie müssen ihre eigenen Ansprüche formulieren, ihre
eigenen Rechtskodifizierungen ausarbeiten (eine chinesische
Menschenrechtserklärung?) und ihre eigenen Interpretations-
kämpfe führen.

Gewiß werden sie eines Tages ihre Version einer demokratischen Politik schaffen, und dann wird ein Streit darüber ent-
brennen, ob diese mehr oder weniger »partizipartorisch« sein
sollte – und möglicherweise werde ich, wenn nicht als Gesellschaftskritiker, so doch als interessierter Forscher und
manchmal als politischer Theoretiker an dieser Kontroverse
teilnehmen. Indes habe ich keinen Grund, diese Auseinandersetzung heute schon vorwegzunehmen. Mein demokratischer
Idealismus verlangt *hier und heute* lediglich von mir, daß ich
die protestierenden Studenten unterstütze und sie ermutige,
ihren eigenen Weg zu gehen, ohne sich darum zu kümmern,
ob ihr Weg auch der meinige sein wird. Für einen moralischen
Maximalismus gibt es hier wenig Raum. Sobald der Kritiker
maximalistisch argumentiert, sind seine Argumente ihrem
Wesen nach zugleich lokal und partikularistisch.

4. Kapitel

STAMMESPARTIKULARISMUS ALS GERECHTIGKEITSFRAGE. MORALISCHE MINDESTSTANDARDS IN DEN INTERNATIONALEN BEZIEHUNGEN

I

Heute machen Männer und Frauen in der ganzen Welt, am bemerkenswertesten und erschreckendsten in Osteuropa und der ehemaligen Sowjetunion, ihre lokalen und partikularistischen, ihre ethnischen, religiösen und nationalen Identitäten geltend. Die »Stämme« sind zurückgekehrt, und ihre Rückkehr nimmt dort die dramatischsten Züge an, wo sie am stärksten unterdrückt worden waren. Es ist nun offensichtlich, daß die Kräfte des Volkes, die gegen die totalitäre Herrschaft mobilisiert wurden, ebenso wie die eher passive Unbeugsamkeit und das ausweichende Verhalten, die die stalinistischen Regime von innen aushöhlten, größtenteils durch »Stammes«-Loyalitäten und Leidenschaften angeheizt wurden. Wie diese aufrechterhalten und weitergegeben werden konnten, ist eine Geschichte, die darauf wartet, erzählt zu werden.

Den Stämmen – zumindest den meisten, und allen nationalen Minderheiten wie unterworfenen Völkern – war seit mehreren Generationen der Zugang zu den öffentlichen Einrichtungen der gesellschaftlichen Reproduktion verschlossen geblieben: zu den öffentlichen Schulen und Massenmedien. Ich stelle mir vor, daß Zehntausende von alten Männern und Frauen mit ihren Enkeln heimlich redeten, Volks- und Wiegenlieder sangen und immer wieder die alten Geschichten erzählten. Dies ist in vielen Hinsichten ein ermutigendes Bild, denn es deutet darauf hin, daß der Totalitarismus unvermeidlich scheitern muß. Aber was wollen wir zu den Liedern und

Gesängen sagen, die häufig ebenso vom Haß auf die Nachbarvölker singen wie von der Hoffnung auf nationale Befreiung?

Die Volkslieder und die alten Geschichten sind Ausdrucksformen einer »dichten« moralischen und politischen Kultur, mit deren Vertretern wir vermutlich (wie etwa im tschechischen Beispiel, von dem mein erstes Kapitel ausging) aus »dünnen« oder minimalistischen Gründen sympathisieren: also deshalb, weil wir gegen die Unterdrückung, Täuschung und Folter opponieren, welche die totalitäre Herrschaft begleiteten. Freilich läßt sich aus solchen Gründen allein noch keine vollständige Alternative konstruieren etwa ein Reich der Vernunft. Nun neigte seit der Aufklärung vor allem die Linke der Auffassung zu, es müsse doch eine globale und rationale Alternative geben, und zwar ebenso zum Stammeswesen wie zu seiner Unterdrückung. Doch der moralische Minimalismus – so rational und universal er auch sein mag – hat keine imperialen Tendenzen und strebt keine Weltherrschaft an. Er *bietet Raum* für alle Stämme – und damit auch für die partikularistischen Versionen von Gerechtigkeit und Gesellschaftskritik, die ich bisher beschrieben habe. In diesem Kapitel will ich die Eigenart dieses moralischen Raumes beschreiben und seine Grenzen untersuchen. Denn wir mögen ja den Stammeskulturen unsere Sympathie bezeugen – aber wir müssen deshalb noch nicht alles akzeptieren, was wir in den Liedern und Geschichten alter Frauen und Männer hören.

Die Linke hat die Stämme nie verstanden. [54] Angesichts ihrer gegenwärtigen Auferstehung ist die erste Reaktion, ihrer Einbindung in die bestehenden multinationalen Staaten das Wort zu reden – die selbstverständlich in demokratische Strukturen überführt, aber nicht geteilt werden sollen. Dies sieht sehr nach einer halsstarrigen Wiederholung jener Antwort aus, die die Sozialdemokraten zu Beginn des 20. Jahrhunderts auf die nationalistischen Bewegungen bereithielten, welche die alten Imperien herausforderten. Der »Internationalismus« der Linken ist weitgehend dem Imperialismus der Habsburger und Romanows geschuldet, selbst wenn die Linke immer die Dynastien beseitigen wollte. Die Linke war jedenfalls überzeugt davon, daß größere und mehr Menschen und Völker umfassende politische Einheiten immer besser seien: So viele Nationen lebten friedlich unter der kaiserlichen Herrschaft zusammen: Warum sollten sie das nicht weiterhin unter der Ägide der Sozialdemokraten tun? So viele Völker lebten friedlich unter der kommunistischen Herrschaft zusammen: warum ...? Wenn Westeuropa eine neue Einheit schmiedet, wie kann man dann ernstlich die separatistischen Bewegungen im Osten verteidigen?

Aber die Einheit im Westen ist selbst das Ergebnis oder zumindest der historische Nachfolger separatistischer Bewegungen. Die Unabhängigkeitserklärung Schwedens von Dänemark, und dann, Jahrhunderte später, diejenige Norwegens von Schweden (und Finnlands von Schweden und Rußland) bereiteten der skandinavischen Zusammenarbeit den Weg. Die holländisch-belgische Teilung, das Fehlschlagen des französischen Imperialismus machten das Benelux-Experiment möglich. Jahrhundertelang waren die großen Staaten Westeuropas souverän, bevor sie die Europäische Gemeinschaft errichteten.

Es ist jedoch wichtig zu sehen, daß der Errichtung der Gemeinschaft nicht nur die staatliche Souveränität vorausging, sondern auch die Entstehung demokratischer Regierungen. Die Schweden hätten Norwegen unbegrenzt unter der einen oder anderen Zwangsherrschaft niederhalten können. Aber Massenmobilisierung und die Erfahrung der Demokratie machten schon in den frühesten Stadien deutlich, daß es mehr als einen Demos gab, und daraus folgte, wenn man die Demokratie stärken wollte, notwendigerweise die Loslösung.

Dasselbe gilt für Osteuropa. Der dort existierende Multinationalismus ist das Ergebnis einer vordemokratischen oder antidemokratischen Politik. Aber man führe das »Volk« ins politische Leben ein, und es wird erscheinen, marschierend nach Rang und Ordnung seiner jeweiligen Gemeinschaft, mit der eigenen Sprache, seinen historischen Erinnerungen, Sitten, Überzeugungen und Verbindlichkeiten im Gepäck – mit seinem eigenen moralischen Maximalismus. [55] Nachdem man es einmal zusammengerufen hat, nachdem es einmal erschienen ist, kann man ihm unmöglich innerhalb der alten politischen Ordnung Gerechtigkeit widerfahren lassen.

Vielleicht kann man ihm überhaupt nicht gerecht werden. Im heutigen Osteuropa, in Kaukasien, in großen Teilen des mittleren Ostens scheinen die Aussichten angesichts der schieren Zahl plötzlich feindseliger Gruppen und der Tatsache, daß ihre Mitglieder dichtgedrängt auf denselben Fleckchen Land leben, nicht erfreulich zu sein. Gute Zäune schaffen nur dann gute Nachbarn, wenn man sich irgendwann einmal darüber verständigt hat, wo die Zäune verlaufen sollen.

Im Westen entstanden mächtige Staaten, bevor die nationalistische Ideologie in Erscheinung trat, und es gelang ihnen, viele der kleineren Nationen (die Waliser, Schotten, Normannen, Bretonen usw.) zu unterdrücken und sich einzuverleiben. Die von mir schon erwähnten Loslösungen fanden Seite an Seite mit konstruktiven Prozessen statt, die große Nationalstaaten mit mehr oder weniger klar angebbaren Grenzen und mehr oder weniger loyalen Mitgliedern schufen. Ähnliche Bemühungen in Osteuropa scheinen fehlgeschlagen zu sein: Es gibt nicht viele loyale Jugoslawen oder Sowjetbürger. Es ist bestürzend, wie schnell und mit welch weitreichenden Folgen sich die Abkehr von diesen Identitäten vollzieht. Sie läßt viele Menschen, die bislang unter ihrem Schutz reisten, plötzlich verwundbar zurück: Serben in Kroatien, Albaner in

Serbien, Armenier in Aserbaidschan, Russen in den Baltischen Staaten, Juden in Rußland usw., endlos.

Es scheint keinen humanen und vernünftigen Weg zu geben, um die Gruppen zu entwirren, und gleichzeitig werden die Vermischungen als gefährlich empfunden – nicht nur für das persönliche Leben, was verständlich genug ist –, sondern auch für das gemeinschaftliche Wohl. Demagogen nutzen die Hoffnung auf eine nationale Erneuerung, Sprachenautonomie, freie Entwicklung der Schulen und Medien aus – Dinge, die angeblich von kosmopolitischen oder antinationalen Minderheiten bedroht werden. Andere Demagogen nutzen die Ängste der Minderheiten aus, verteidigen den alten Irredentismus und suchen (wie die Serben in Kroatien) Hilfe von außen. Unter solchen Umständen fällt es schwer zu sagen, was Gerechtigkeit hier bedeutet – selbst in ihrer weitestgehend minimalistischen Form –, ganz davon zu schweigen, welche Maßnahmen sie fordern würde. Daher der Drang der Linken, die sich ohnehin von partikularistischen Leidenschaften unangenehm berührt fühlt, an allen Einheiten, sofern sie existieren, festzuhalten und sie lebensfähig zu machen. Diese Begründung ähnelt sehr derjenigen eines puritanischen Predigers aus dem 17. Jahrhundert, der das Band zwischen Ehemann und Ehefrau gegen die neue Lehre von der Scheidung verteidigte:

> »Wenn man sie wegen Zwietracht scheidet, würden einige aus dem Hader eine nützliche Sache machen, aber nun ergeht es ihnen schlecht, wenn sie zänkisch sind, denn das Gesetz zwingt sie, mit demselben Löffel zu essen, bis sie des Streites überdrüssig sind …«[56]

Das Problem liegt, damals wie heute, darin, daß Gerechtigkeit, was immer sie fordert, nicht die Zwangsmaßnahmen für erlaubt zu halten scheint, die notwendig wären, um »sie mit demselben Löffel essen zu lassen«. Also müssen wir trotz der

Schwierigkeiten über eine Scheidung nachdenken. Es ist hilfreich, daß die Scheidung von Völkern nicht die eigentümlich
rechtliche Form der Scheidung von Eheleuten haben muß.
Selbstbestimmung für Ehemänner und Ehefrauen ist ziemlich
einfach, selbst wenn den getrennten Personen wichtige Einschränkungen auferlegt werden. Selbstbestimmung für die vielen verschiedenen Arten von Stämmen (Nationen, ethnischen
Gruppen, religiösen Gemeinschaften) ist zwangsläufig verwickelter, und die Einschränkungen, die im Gefolge der Unabhängigkeit auftreten, vielfältiger. Es gibt Bewegungsspielraum.

II

Ich bezweifle, daß wir eine einzige Regel oder eine Reihe von
Regeln finden können, die die Form der Loslösung und die
notwendigen Einschränkungen bestimmen. Doch es gibt
einen allgemeinen Grundsatz, den wir für den Ausdruck von
moralischem Minimalismus in der internationalen Politik halten können. Dieser Grundsatz lautet »Selbstbestimmung«.
Wir werden ihn am ehesten als Anspruch auf demokratische
Rechte verstehen – und dies trifft für unsere Zeit und unsere
Länder auch zu. Aber dieses Prinzip ist zu den verschiedensten Zeiten und an den verschiedensten Orten wiederholt
worden, stets in einer lokalen Sprache und mit einer Reihe
von maximalistischen Begleitforderungen. »Selbstbestimmung« ist eine Abstraktion aus all diesen Wiederholungen –
unsere eigene Formulierung eingeschlossen. Als in der Antike
die Juden oder Gallier ihre Freiheit gegen die Römer verteidigten, da waren die von ihnen vorgebrachten Argumente
kaum demokratischer Natur – und ebensowenig waren sie in
der Sprache von Rechtsansprüchen formuliert.[57] Aber wir
können den Grundsatz der Selbstbestimmung auch in einem

fremden sprachlichen oder kulturellen Idiom wiedererkennen. Was für die Juden und Gallier auf dem Spiel stand – und worum es uns auch heute geht –, das ist der Wert einer historischen oder kulturellen oder religiösen Gemeinschaft und die politische Freiheit ihrer Mitglieder.

Dieser Wert wird, wie mir scheint, auch durch die postmoderne Entdeckung nicht beeinträchtigt, daß Gemeinschaften gesellschaftliche Konstruktionen sind – ausgedacht, erfunden, zusammengesetzt. Konstruierte Gemeinschaften sind die einzigen, die wir kennen, sie können nicht weniger wirklich oder weniger authentisch als irgendwelche anderen sein.[58] Ihre Mitglieder haben daher die Rechte, die ihnen aufgrund ihrer Mitgliedschaft zukommen. *Sie sollten sich selbst regieren dürfen* – (ihren eigenen politischen Vorstellungen gemäß) –, soweit sie dazu unter der Voraussetzung, am gleichen Ort dichtgedrängt zusammenzuleben, in der Lage sind. Der moralische Minimalismus schlägt nicht eine einzige bestmögliche politische Einheit vor. Es gibt keinen Idealstamm; Selbstbestimmung hat kein unbedingtes Subjekt. Städte, Nationen, Föderationen, Einwanderungsgesellschaften – sie alle können demokratisch regiert werden und sind faktisch auch so regiert worden. Die gegenwärtigen Stämme sind, obwohl sie an ihrer einzigartigen Identität und Kultur nicht zweifeln (z. B. die Polen und Armenier), in Wirklichkeit historisch entstandene Mischgebilde.

Wenn wir in ihrer Geschichte nur weit genug zurückgehen, werden wir sehen, wie die Menschen irgendwann mit einem Löffel essen mußten (das ist eine der Methoden gesellschaftlicher Konstruktion). Aber wenn die Nachkommen dieser Menschen, weil die früheren Demütigungen in Vergessenheit geraten sind, sich nun als *gleichgestellte* Mitglieder einer »Charaktergemeinschaft«[59] betrachten, in der sie ihre Identität, Selbstachtung und Gefühlsbindungen finden, warum sollten wir ihnen eine demokratische Selbstbestimmung verweigern?

Außer ... es sei denn ... aufgrund der Tatsache, daß die Selbstbestimmung des Stammes A nach der glücklichen Scheidung den Stamm B zu einer verwundbaren und unglücklichen Minderheit in seinem eigenen Heimatland macht. Eingeschlossen in ein unabhängiges Kroatien glauben Serben (was nicht unverständlich ist), daß sie keine Sicherheit genießen werden. Und dann müßte die politische Einheit ohne Zweifel territorial und nicht kulturell bestimmt werden: Alle Gemeinschaften und Teile von Gemeinschaften, die *hier* zusammenleben – gezwungen, mit demselben Löffel zu essen, bis sie des Streites überdrüssig werden –, müssen der Autorität eines neutralen Staates unterstellt werden und eine ethnisch »gesichtslose« Staatsbürgerschaft teilen.

Aber das können nicht unsere einzigen Entscheidungsmöglichkeiten sein: entweder Vorherrschaft des einen Stammes oder Neutralisierung aller Stämme. Denn die zweite wird, wenn sie nicht ein bloßer Deckmantel für die erste ist, Zwangsmaßnahmen erfordern, die – wie ich schon sagte – weder moralisch erlaubt noch politisch wirkungsvoll sind. Schließlich würden wir uns keine Gedanken über Kroatien und seine Serben machen (oder über Bosnien und seine Muslime oder Serbien und seine Albaner), wenn es dem Staat Jugoslawien gelungen wäre, alle ihn bildenden Nationen zu übergreifen; zumindest in der Theorie war Jugoslawien geradezu das Modell für einen ethnisch neutralen Staat.

Neutralität scheint nur in Einwanderungsgesellschaften zu funktionieren, in die jeder unter ähnlichen Umständen und meistens freiwillig umgesiedelt ist, abgeschnitten von seinem Heimatland und seiner Geschichte. In solchen Fällen – Amerika ist das beste Beispiel dafür – sind Zugehörigkeitsgefühle zu einer bestimmten Gemeinschaft ziemlich schwach. Aber wie ließe sich z. B. ein neutraler Staat in Frankreich schaffen, wo die seit altersher ansässigen Franzosen demokratisch über die neuen Einwanderer aus Nordafrika herrschen (selbst wenn viele der Einwanderer die »französische« Staatsbürgerschaft besitzen). Welche imperiale, bürokratische oder internationale Macht könnte die Franzosen als Nation auflösen? Oder die Polen in Polen? Oder die Georgier in einem unabhängigen Georgien? Oder die Kroaten in Kroatien? Unter diesen Umständen läßt sich eine Vorherrschaft nur dadurch vermeiden, daß man die politischen Einheiten sowie die Gerichtshoheiten vervielfältigt und eine Reihe von Abspaltungen ermöglicht. Aber – so sagt man uns – die Reihe wird kein Ende finden, jede Scheidung wird die nächste rechtfertigen, immer kleinere Gruppen werden ihr Recht auf Selbstbestimmung einklagen, und die daraus entspringende Politik wird lautstark, widersprüchlich, instabil und tödlich sein.

Ich möchte die These verteidigen, daß dies ein schlüpfriger Abhang ist, den wir nicht hinunterrutschen müssen (*nicht müssen:* Ich kann nicht prophezeien, daß wir nicht hinabrutschen werden). Tatsächlich können wir uns viele Einrichtungen zwischen den beiden Polen Vorherrschaft und Neutralisierung der Stämme oder Vorherrschaft und Abspaltung vorstellen – auch gibt es moralische und politische Gründe, unter verschiedenen Umständen verschiedene Einrichtungen zu wählen (etwa für Algerien – und dann für Algerier in Frankreich). Der Grundsatz der Selbstbestimmung läßt sich interpretieren und berichtigen. Auf das, was man »die nationale Frage« genannt hat, wird es nie eine einzige, richtige Antwort geben, als könne man nur auf eine Weise Nation »sein«, als könne es nur eine Version der nationalen Geschichte geben, nur ein Modell für die Beziehungen zwischen Nationen. Die Geschichte zeigt uns, daß es viele Weisen, Versionen und Modelle gibt. Sie führt uns so zahlreiche (mehr oder weniger sichere) Haltepunkte auf dem schlüpfrigen Abhang vor Augen. Betrachten wir nun einige der wahrscheinlicheren Möglichkeiten.

III

Der einfachste Fall ist derjenige der »gefangenen«, d. h. erst vor kurzem und unter Zwang einverleibten Nation – die Baltischen Staaten sind dafür ein Paradebeispiel. Denn sie waren echte Nationalstaaten, ihre Nationalität war alt, selbst wenn sie erst in jüngster Zeit und nicht für lange Eigenstaatlichkeit erlangt haben. Ihre Gefangenschaft war aus demselben Grund falsch, aus dem schon die Gefangennahme falsch war. Es geht hier um den bekannten Grundsatz, der eine Aggression zu einem verbrecherischen Akt macht. Nun fordert er die Wiederherstellung der Unabhängigkeit und Souveränität – was nichts anderes heißt als: Der Grundsatz verlangt, was die Praxis in diesem Fall mit der Loslösung der Baltenrepubliken aus der zerfallenen Sowjetunion erreicht hat. Wenn wir diesen Grundsatz in unserer Vorstellung erweitern, räumen wir dieselben Rechte Nationen ein, die unabhängig *hätten sein sollen,* wo die Gruppensolidarität unverkennbar ist und das Verbrechen der herrschenden Macht eher in der Unterdrückung einer Nation als in ihrer Eroberung liegt. Ich sehe keinen Grund, warum wir die staatliche Unabhängigkeit in all diesen Fällen nicht für gerecht halten sollten.

Außer ... es sei denn ... Eroberung und Unterdrückung sind nicht bloß abstrakte Verbrechen, sie zeitigen Folgen in der realen Welt: Völker vermischen sich, es entsteht eine neue und heterogene Bevölkerung. Angenommen, die russischen Einwanderer würden nun die Bevölkerungsmehrheit in Litauen stellen: Bliebe dann noch irgendein Recht auf die Selbstbestimmung Litauens bestehen? Angenommen, die französischen Kolonisten hätten (sagen wir um 1950) die Araber und Berber Algeriens zahlenmäßig übertroffen: Würde dann das Recht auf »algerische« Selbstbestimmung bei der französischen Mehrheit liegen?[60] Dies sind in zweifacher Hinsicht harte Fragen; sie sind schmerzhaft und schwierig. Man kann seiner Recht verlustig gehen, zumindest können sie geschmälert werden, ohne daß der Verlierer daran Schuld trägt. In Fällen, die den gerade beschriebenen gleichen, würde man gerne für eine Teilung argumentieren, welche den »Eingeborenen« weniger läßt, als sie ursprünglich beanspruchten; oder wir würden gerne anstelle der politischen Souveränität, die früher moralisch geboten schien, ein System kultureller Autonomie entwerfen. Wir suchen nach einer Einrichtung, die dem am nächsten kommt, was ex ante gerecht war, wobei wir jetzt mit berücksichtigen müssen, was Gerechtigkeit für die Einwanderer und Kolonisten oder deren Kinder fordert, die nicht selbst Urheber der Eroberung oder der Unterdrückung waren.

Dies gilt auch für Nationen, die schon vor langer Zeit einverleibt wurden – für Ureinwohner wie die Indianer in Amerika oder die Maori in New Zealand. Auch ihre Rechte sind mit der Zeit ausgehöhlt worden, nicht weil das an ihnen begangene Unrecht getilgt worden ist (es könnte mit seinen sich verzweigenden und verderblichen Auswirkungen auf ihr Gemeinschaftsleben sehr wohl größer geworden sein), sondern weil die Möglichkeit nicht länger existiert, irgend etwas wiederherzustellen, was auch nur entfernt ihrer früheren Unabhängigkeit gleichen könnte. Sie stehen irgendwo zwischen einer gefangenen Nation und einer nationalen, ethnischen oder religiösen Minderheit. Es gebührt ihnen etwas mehr als gleichberechtigte Staatsbürgerschaft, irgendein Grad kollektiver Selbstherrschaft; aber was das genau in der Praxis heißt, wird von der noch bestehenden Stärke ihrer eigenen Institutionen abhängen, sowie von der Art und Weise ihrer Beteiligung am Gemeinschaftsleben der übergreifenden Gesellschaft. Sie können keinen uneingeschränkten Schutz vor dem Druck und der Anziehungskraft des Gemeinschaftslebens beanspruchen so – als wären sie eine bedrohte Spezies.[61] Angesichts der Auswirkungen des modernen Lebens gehören alle Stämme der Menschheit zu den bedrohten Spezies; ihre dichten Kulturen sind beständiger Erosion ausgesetzt. Sie alle, ob sie nun souveräne Macht haben oder nicht, sind entscheidend verändert worden. Wir können anerkennen, daß es etwas von der Art gibt, was wir das Recht auf Widerstand gegen Veränderung nennen könnten, das Recht, Mauern zu errichten, um sich von der modernen Kultur abzuschotten, und wir können diesem Recht eine mehr oder weniger große Reichweite einräumen, abhängig von den Verfassungsstrukturen und den Umständen vor Ort; für den Erfolg dieses Widerstands aber können wir nicht garantieren.

IV

Die gerechte Behandlung nationaler Minderheiten hängt von zwei Unterscheidungen ab: erstens von der Unterscheidung zwischen Minderheiten, die nahezu ausschließlich auf einem Territorium leben, und zwischen verstreuten Minderheiten; und zweitens von der zwischen Minderheiten, die radikal von der Bevölkerungsmehrheit verschieden sind, und solchen, die sich nur unwesentlich unterscheiden. In der Praxis bewegen sich beide Unterscheidungen auf einem nicht klar eingeteilten Kontinuum, aber man sollte am besten mit den eindeutigen Fällen beginnen.

Betrachten wir z. B. eine Minderheitengemeinschaft mit einer stark unterschiedenen Geschichte und Kultur sowie einer starken territorialen Basis, wie es z. B. auf die Albaner im Kosovo zutrifft. Sie gehören einer Nationalität an, die mehrheitlich im Nachbarstaat lebt. Infolge irgendeiner Heirat zwischen Dynastien oder als Ergebnis eines vor langer Zeit errungenen militärischen Sieges sitzen sie heute auf der falschen Seite der Grenze in der Falle. Die humane Lösung für ihre Schwierigkeiten bestünde darin, die Grenzen zu verschieben; die brutale Lösung wäre, das Volk »umzusiedeln«; und die beste praktische Lösung wäre, irgendeine starke Form lokaler Autonomie zu verwirklichen, die vor allem die kulturellen Institutionen, das Bildungssystem und die Ressourcen betrifft, die zu ihrer Unterstützung nötig sind.

Der entgegengesetzte Fall liegt bei einer nur unwesentlich unterschiedenen und territorial verstreuten Gemeinschaft vor, wie es etwa die ethnischen und religiösen Gruppen in Nordamerika sind (obwohl es in beiden Kategorien Ausnahmen gibt: die ethnische Gruppe der Franzosen in Quebec und die religiöse Gemeinschaft der Amish in Pennsylvania). Im großen und ganzen führen die Erfahrung, sich nur unwesentlich zu unterschieden, und die territoriale Zerstreutheit nur zu beschränkten Ansprüchen an den Staat – ein guter Grund, um die Gefahren des schlüpfrigen Abhangs in Zweifel zu ziehen. Eine wirklich gleiche Staatsbürgerschaft und die Freiheit, ihre Unterschiede in den freiwilligen Vereinigungen der zivilen Gesellschaft zum Ausdruck zu bringen: Das ist es, was die Mitglieder solcher Minderheiten gewöhnlich und zu Recht fordern. Sie mögen auch um irgendeine Art von staatlicher Unterstützung für ihre Schulen, Kindergärten, Altenheime und so fort nachsuchen. Aber das ist eine Forderung, die eher an unser politisches Urteil als an unsere moralischen Grundsätze ergeht. Wir werden uns eine Meinung über die inneren Stärken und Schwächen der bestehenden zivilen Gesellschaft bilden müssen. (Eine Gruppe, die jedoch ernsthaft diskriminiert worden ist und nur einen beschränkten Zugang zu Ressourcen hat, hat das Recht, moralische Ansprüche gegenüber dem Staat geltend zu machen.)

Um es noch einmal zu sagen, Mehrheiten sind nicht verpflichtet, das Überleben kultureller Minderheiten zu gewährleisten. Sie könnten sehr wohl selbst um ihr Überleben kämpfen müssen, verstrickt in einen gemeinsamen Wettstreit gegen

Kommerzialität und den internationalen Lebensstil. Grenzen bieten in der modernen Welt nur einen sehr geringen Schutz, und Minderheiten innerhalb der Grenzen, die durch ihre Situation zu einer widernatürlichen Nähe gedrängt werden, mag es besser gelingen, ihre spezifische Lebensweise aufrechtzuerhalten als der gelassener lebenden Bevölkerungsmehrheit. Und wenn es ihnen nicht gelingt, gibt es keinen Grund, ihnen Hilfe zu leisten; sie haben tatsächlich einen Anspruch auf physische, aber nicht auf kulturelle Unversehrtheit.

Es ist oft ein langwieriges und hartes Geschäft, Ansprüche den Umständen anzupassen, aber es kann gelingen. Wir sehen dies heutzutage bei den geographisch dicht benachbarten, aber nur unwesentlich verschiedenen Nationen Westeuropas, den Walisern, Schotten, Normannen, Bretonen usw., deren Mitglieder es durchweg abgelehnt haben, die radikal nationalistischen Parteien und ihre Forderungen nach staatlicher Unabhängigkeit und Souveränität zu unterstützen. In Fällen wie diesen scheint eine Art von minimalem Regionalismus sowohl dem betroffenen Volk zuzusagen (eine kleine Anzahl – politische, nicht ethnische oder religiöse Minderheiten – stets ausgenommen) als auch politisch und moralisch angemessen zu sein.

Dasselbe gilt für kleine oder zerstreut lebende, aber einschneidend verschiedene Bevölkerungsgruppen, wie die Amish oder die orthodoxen Juden in den Vereinigten Staaten, die gewöhnlich eine stark lokale und apolitische Abtrennung anstreben: getrennte Wohngebiete und Gemeindeschulen. Auch dies scheint den betroffenen Menschen annehmbar, und es ist politisch wie moralisch angemessen. Aber keine minimalistische Theorie der Gerechtigkeit kann die genaue Form solcher Vereinbarungen angeben. Tatsächlich sind die Formen das historische Ergebnis von Verhandlungen, und sie hängen von einem gemeinsamen Verständnis dessen ab, was solche Verhandlungen bedeuten und wie sie funktionieren. Die Waliser haben die Entwicklung der politischen Kultur Englands beeinflußt, selbst wenn dies nicht ganz der Einfluß war, von dem sie meinten, sie hätten ihn haben sollen. Deshalb passen sie sich bereitwillig der parlamentarischen Politik an. Sowohl die Amish wie die Juden haben vom amerikanischen Pluralismus gelernt und ihn bereichert.

Derartige Arrangements sollten immer erlaubt sein, aber man kann sie niemandem aufzwingen. Der Staat *Groß*britannien ist vielleicht durch den gemeinsamen Protestantismus aller ihn bildenden Völker möglich geworden. Alle Bemühungen, auch die Iren einzuschließen, sind jämmerlich fehlgeschlagen. Jüngst scheint die Integration der Slowenen in das größere Jugoslawien aus ähnlichen Gründen fehlgeschlagen zu sein. Dasselbe läßt sich über das Versagen des kommunistischen Internationalismus in Polen und des Panarabismus im Libanon sagen.

Doch ich will nicht behaupten, daß die religiösen Unterschiede in all diesen Fällen notwendigerweise zu einer Abspaltung führen. Manchmal geschieht dies und manchmal nicht. Die Unterschiede sind in jedem einzelnen Fall verschieden. Sie haben eher mit dem kollektiven Gedächtnis und dem Gemeinschaftsgefühl zu tun und geben kein objektives Maß für die Unähnlichkeit an. Aus diesem Grund können Modelle wie das hier von mir vorgeschlagene, das sich auf solche Faktoren wie territoriale Dichte und kulturelle Unterschiede stützt, nie mehr als grobe Leitlinien bieten. Wir müssen uns langsam, mühevoll und mit Experimenten auf Einrichtungen zubewegen, die die Mitglieder (nicht die politischen Extremisten) dieser oder jener Minderheit zufriedenstellen. Es gibt keine einzig richtige Lösung.

V

Solche Experimente gestalten sich zwangsläufig aufgrund der ungleichen wirtschaftlichen Ressourcen der verschiedenen Stämme sehr kompliziert. Offensichtlich ist es ein Anreiz, sich scheiden zu lassen, wenn einer der Partner – etwa eine industriell entwickelte oder über Bodenschätze verfügende Nation seine Lage verbessern kann, indem er die bestehende Union verläßt. Die anderen Partner werden dann schlechter dastehen, obwohl zumindest einige von ihnen niemals in irgendeiner Weise einer nationalen Unterdrückung ausgesetzt waren. Sie werden also die Scheidung anfechten, aber wozu sie – wie mir scheint – möglicherweise berechtigt sind, ist das internationale Äquivalent zur Unterhaltspflicht und Unterstützung für die Kinder. Eine Zusammenarbeit, die lange Bestand hatte, kann nicht abrupt zum Vorteil des bessergestellten Partners beendet werden. Andererseits sind die Partner nicht verpflichtet, immer zusammenzubleiben – jedenfalls nicht, wenn sie wirklich verschiedenen Stämmen angehören, welche die demokratischen Maßstäbe für Autonomie und Unabhängigkeit erfüllen.

Häufig genug erfüllen separatistische Bewegungen in den wirtschaftlich fortgeschrittenen Provinzen oder Regionen einer bestehenden Union nicht diese Maßstäbe. Das beste Beispiel dafür ist die Unabhängigkeitserklärung Katangas im Jahre 1960, die – wie es scheint – von den Interessen belgischer Unternehmer und Handelsgesellschaften ausgelöst wurde, ohne daß es eine lokal verwurzelte Unterstützung oder zumindest sichtbare Anzeichen eines nationalen Aufbegehrens gegeben hätte.[62] In solchen Fällen ist es völlig gerechtfertigt, wenn die Kräfte, die die Union erhalten wollen, sich der Unabhängigkeitserklärung widersetzen, um internationale Unterstützung bitten (und sie erhalten). Offenbar gibt es so etwas wie ein unechtes Stammeswesen: in diesem Fall

die Beeinflussung potentieller, doch noch nicht politisch an-
erkannter Unterschiede zum Zwecke wirtschaftlichen Ge-
winns.

Daraus folgt jedoch nicht, daß jeder wohlhabende, über
Bodenschätze verfügende Stamm unecht ist. Und deshalb
gibt es auch Fälle, in denen Widerstand gegen eine Unabhängigkeitserklärung nicht gerechtfertigt ist, weshalb er, solange
man auf dem Verhandlungswege zu einer Übereinstimmung
kommen kann, die den Belangen des benachteiligten Volkes
entgegenkommt, keine internationale Unterstützung finden
sollte. Die Furcht der einen vor Verelendung muß gegen die
Furcht vor Unterdrückung oder Ausbeutung auf seiten der
die Unabhängigkeit anstrebenden Gruppe abgewogen werden oder gegen ihren Wunsch nach politischer Freiheit und
nach Ausdrucksmöglichkeiten ihrer kulturellen Identität.

VI

Das beherrschende, zu nationalen Feindschaften führende
Gefühl, die wichtigste (nicht die einzige) Ursache aller kriege-
rischen Konflikte zwischen Gruppen, ist Furcht. Ich will hier
ein altes Argument aufgreifen, das Thomas Hobbes zuerst im
Leviathan vorgebracht hat, wo es einen Teil der Erklärung des
»Krieges aller gegen alle« bildet. Hobbes dachte an die inneren Kriege des späten Mittelalters (an den in Auflösung befindlichen Feudalismus), aber auch – und das ist für unsere
Zwecke sachdienlicher – an die Religionskriege seiner Zeit.
Es gibt immer ein paar Menschen, so schreibt er, »denen es
Vergnügen bereitet, sich an ihrer eigenen Macht zu weiden,
indem sie auf Eroberungen ausgehen«. Aber die weitaus meisten haben andere Beweggründe; sie wären froh, »innerhalb
bescheidener Grenzen ein behagliches Leben (zu) führen«.[63]

Diese gewöhnlichen Männer und Frauen werden nicht von der Gier nach Macht oder Bereicherung in den Krieg getrieben, sondern von ihrer Furcht, erobert und unterdrückt zu werden. Hobbes behauptet, nur ein mit uneingeschränkter Macht ausgestatteter Souverän könne sie von dieser Furchterfülltheit befreien und den Kreislauf von Drohungen und »Vorwegnahmen« (d. h. vor-beugender Gewalt) durchbrechen.[64] Tatsächlich aber wurde dieser Kreislauf, was die Religionskriege betraf, weniger durch den politischen Absolutismus als vielmehr durch religiöse Toleranz durchbrochen. Die beiden entscheidenden Argumente, die im 17. Jahrhundert gegen die Toleranz eingewandt wurden, klingen in unseren Ohren ziemlich vertraut, denn sie weisen eine starke Entsprechung zu den Einwänden gegen nationale Unabhängigkeit und Autonomie auf. Das erste der beiden ist der Anspruch der herrschenden religiösen Machthaber, irgendeinen höheren Wert zu vertreten – eine universelle Wahrheit oder den Willen Gottes –, der zwangsläufig durch den Mißklang religiöser Meinungsverschiedenheit übertönt wird. Und das zweite Argument bezieht sich auf den schlüpfrigen Abhang: Es wird endlose Abspaltungen geben, und das neue Sektierertum wird sich endlos teilen, eine Spaltung wird der nächsten folgen, bis die gesellschaftliche Ordnung ihren Zusammenhang verliert und ins Chaos stürzt. Gewiß ebnete die Tolerierung einer großen Anzahl neuer Sekten den Weg, obgleich die meisten am Rande der mehr oder weniger stabilen religiösen Gemeinschaften blühten. Aber sie verringerte auch, und dies ist weitaus wichtiger, die Gefahr religiöser Streitigkeiten: Toleranz machte die Abspalterei erträglich.[65] Sie löste das Problem der Furcht, indem sie Schutzräume für eine Vielzahl religiöser Praktiken schuf.

Es scheint mir, als sollten wir heute etwas Ähnliches anstreben: Schutzräume allerlei Art, die sich den Bedürfnissen der verschiedenen Gemeinschaften anpassen. Statt bestehende Unionen zu unterstützen, wäre ich geneigt, jede Unabhängigkeitserklärung zu befürworten, wenn sie von einer politischen Bewegung gefordert wird, und diese Bewegung, soweit man es feststellen kann, den Volkswillen repräsentiert. Laßt die Völker gehen, die gehen wollen. Viele von ihnen werden nicht allzuweit fortgehen. Und sollte sich herausstellen, daß ihr Auszug politisch und wirtschaftlich nachteilig ist, werden sie einen Weg finden, die Beziehungen wieder aufzunehmen. Ja, gerade wenn irgendeine Art von Union – Föderation und Konföderation – unser Ziel ist, dann tun wir am besten daran, auf alle Zwangsmaßnahmen zu verzichten und den Stämmen zunächst zu erlauben, sich abzuspalten und dann in Verhandlungen über ihre freiwillige und graduelle, wenn auch nur teilweise, Zugehörigkeit zu irgendeiner neuen Interessengemeinschaft einzutreten. Die heutige Europäische Gemeinschaft ist dafür ein überzeugendes Beispiel, dem sich andere Nationen in dem ihnen eigenen Tempo annähern werden.

Aber – um es noch einmal zu sagen – die Unabhängigkeit der einen Nation mag der Auftakt zur Unterdrückung einer anderen sein. Wenn wir heutzutage Zeitung lesen, scheint es oftmals, als sei der Hauptbeweggrund für nationale Befreiung nicht, sich selbst aus dem Minderheitenstatus in einem anderen Land herauszulösen, sondern selbst Minderheiten zu erwerben (und zu mißhandeln). Es scheint, als gelte in der Beziehung zwischen Stämmen das genaue Gegenteil der goldenen Regel: Füge anderen dasselbe zu, was dir angetan wurde. Als ich für das Recht auf nationale Befreiung argumentierte, habe ich weitgehend die Tatsache außer acht gelassen, daß es die neuen Nationalstaaten immer wieder versäumen, den moralischen Mindest-Test für jeden Nationalismus zu erfüllen: nämlich die Bereitschaft, der nächstfolgenden Nation oder Befreiungsbewegung dieselben Rechte zuzuerkennen, welche soeben durch die eigene Unabhängigkeit gerechtfertigt worden sind.[66] Ich will nicht die Gefährlichkeit der Eiferer aller Stämme unterschätzen. Aber waren die Eiferer der Religionskriege nicht genauso gefährlich? Und ihre heutigen Nachkommen scheinen recht harmlos zu sein – die meisten von ihnen sind zwar nicht besonders anziehend, doch auch nicht sehr gefährlich. Warum sollte nicht ebenso für die heutigen Nationalisten gelten, daß Harmlosigkeit auf Gefährlichkeit folgt? Man stelle sich eine Welt vor, in der sie nicht bedroht sind. Wie lange werden sie meinen, es sei zu ihrem Vorteil, andere zu bedrohen?

So jedenfalls argumentierte Hobbes. Sicherlich gibt es in jeder Gemeinschaft Männer und Frauen – bei den Serben und Kroaten, Letten, Georgiern und Russen, Griechen und Türken, bei den israelischen Juden und palästinensischen Arabern –, die an Eroberungen Gefallen finden und vor allem danach streben, über ihre Nachbarn und Feinde zu triumphieren. Aber diese Menschen werden bei den Ihrigen nicht das Sagen haben, wenn wir es den Angehörigen ihrer Gemeinschaft ermöglichen, »innerhalb bescheidener Grenzen ein behagliches Leben zu führen«. Jeder Stamm innerhalb seiner eigenen bescheidenen Grenzen. Dies ist das politische Gegenstück zur Toleranz gegenüber Kirchen und Sekten. Was dies möglich werden läßt – obwohl in politischer Hinsicht immer schwierig und ungewiß –, ist der Umstand, daß die Grenzen nicht in jedem Fall dieselbe Art von Raum umschließen müssen.

Die religiöse Toleranz wurde jedoch durch den Staat erzwungen, und die göttlichen Eiferer von den politischen Machthabern entwaffnet und entmachtet. Die Eiferer des neuen Stammeswesens streben im Gegensatz dazu, eben in den Besitz der Macht zu gelangen; sie hoffen, selbst zu politischen Machtinhabern zu werden und an die Stelle jener Bürokraten der alten Imperien zu treten, die sie einst zwangen, friedlich mit den Minderheiten im Reich zusammenzuleben. Wer wird sie nach der Unabhängigkeit in die Schranken

weisen? Wer wird die Serben in einem unabhängigen Kroatien oder die Albaner in einem unabhängigen Serbien schützen? Ich kann diese Fragen nicht leicht beantworten. In einer
liberalen Demokratie können nationale Minderheiten bei der
Verfassung Schutz suchen. Aber wahrscheinlich werden nicht
viele der neuen Nationen liberal sein, selbst wenn sie irgendeine Art von Demokratie errichten. Die beste Aussicht, die
Eiferer zu zügeln, bieten meiner Meinung nach föderalistische oder konföderalistische Kontrollen und Gegengewichte,
sowie internationaler Druck. Die Nationalitätenverträge zwischen den beiden Weltkriegen waren denkwürdige Mißerfol-
ge, dennoch sollten einige erfolgreiche Maßnahmen zum
Schutz von Minderheiten möglich sein, wenn Nationalstaaten
hinreichend miteinander verbunden und voneinander abhängig sind. Angenommen, die Europäische Gemeinschaft oder
die Weltbank oder sogar die Vereinten Nationen würden
jeder Nation, die nach Eigenstaatlichkeit trachtet, sagen: Wir
werden eure Unabhängigkeit anerkennen, Handelsbeziehun-
gen zu euch aufnehmen oder Wirtschaftshilfe leisten – aber
nur, wenn ihr einen Weg findet, die nationalen Minderheiten,
die eure souveräne Macht fürchten, zu respektieren. Der
Preis für Anerkennung und Hilfe ist Respektierung.

Wie diese Respektierung aussehen wird, ist keine Sache, die
sich in irgendeiner Weise *a priori* entscheiden ließe. (Ich muß
mich in diesem Punkt ständig wiederholen, denn so viele
Menschen suchen nach einer schnellen, theoretischen Lösung.) Es wird abhängen von der politischen und moralischen
Kultur der neuen Staaten und vom Gang der Verhandlungen.
Hierbei muß den verschiedenen Versionen von maximalisti-
scher Moral ihr angemessener Spielraum eingeräumt werden.
Sezession, Grenzänderung, Föderation, regionale oder funk-
tionale Autonomie, kultureller Pluralismus: Es gibt viele Entwürfe für einen derart »eigenen Raum«, viele politische Möglichkeiten und keinen Grund zur Annahme, wenn man sich in

diesem oder jenem Fall für die eine von ihnen entscheidet, so müsse das notwendigerweise dazu führen, in allen anderen Fällen eine ähnliche Entscheidung zu treffen. Wie die von mir angeführten Beispiele aus der westeuropäischen Geschichte nahelegen, ist es wahrscheinlich, daß Entscheidungen eher durch die Umstände als durch abstrakte Grundsätze bestimmt werden. Allerdings ist ein internationales Einverständnis nötig, das eine Vielzahl möglicher Entscheidungen bekräftigt und jede politische Vereinbarung unterstützt, die den bedrohten Stämmen genehm ist.

VII

Aber es gibt keine Garantie für allseitige Zufriedenheit, und manchmal mögen sich einige von uns angesichts der Kriege zwischen den Stämmen nach der unterschiedslosen Unterdrückung der alten Imperien oder sogar nach einer totalitären Herrschaft sehnen. Denn geschah diese Unterdrückung nicht wenigstens im Namen des Universalismus – und, im Fall der Kommunisten, einer »dichten« Moral, die vom Ehrgeiz beseelt war, jegliche Form von moralischem Partikularismus zu ersetzen? Und hätte sie dies nicht erreichen können? Hätte sie nicht, wenn sie nur lange genug Bestand gehabt hätte, zu einer echten Auflösung der Stämme geführt? Und dann könnten wir zurückblicken und sagen, daß so, wie der Absolutismus der frühen neuzeitlichen Monarchien notwendig war, um die Aristokratie zu unterwerfen und den Feudalismus zu zerstören, der Absolutismus kaiserlicher und kommunistischer Bürokraten notwendig war, um den Partikularismus zu überwinden? Vielleicht sind die Bürokratien zu früh zusammengebrochen, bevor sie ihre »historische Aufgabe« erfüllen konnten.

Doch diese Argumentationsrichtung wiederholt noch einmal das alte Unvermögen der Linken, das Stammeswesen zu verstehen. Es ist ohne Zweifel wahr, daß einzelne Stämme durch Unterdrückung zerstört werden können, sofern sie nur hinreichend grausam ist und lange genug dauert. Die Zerstörung der Stämme überhaupt liegt jedoch außerhalb des Zugriffs jeder unterdrückenden Macht. Es ist niemandes »historische Aufgabe«. Feudalismus ist der Name für ein Regierungssystem, und Regierungssysteme können ersetzt werden. Der Partikularismus der Stämme bezeichnet die Verbundenheit von Individuen und Gruppen mit ihrer eigenen Geschichte, Kultur und Identität. Diese Verbundenheit (obwohl nicht jede ihrer besonderen Spielarten) ist ein beständiges Merkmal des sozialen Lebens der Menschen. Der dadurch hervorgebrachte Parochialismus – in seiner moralischen »Dichte« – ist von ähnlicher Dauer. Er kann also nicht überwunden, sondern er muß respektiert werden. Darum ist es ein entscheidender Grundsatz der Minimalmoral, daß er beständig respektiert werden sollte: nicht nur mein Parochialismus, sondern auch deiner, und seiner und ihrer ebenso.

Wenn mein Parochialismus bedroht ist, dann fühle ich nur noch, und zwar radikal parochial: als Serbe, als Pole, als Jude, (als Schwarzer, als Frau, als Homosexuelle(r) …) – und als nichts anderes. Aber dies ist in der heutigen Welt eine künstliche Situation (und vielleicht war sie es auch in der Vergangenheit). Dem Selbst widerstrebt unter normalen Bedingungen eine Teilung nicht. Es kann sich zumindest aufteilen, und es gedeiht sogar dabei. Zu Hause, innerhalb unserer Gesellschaft, wird diese innere Teilung des Selbst durch soziale Differenzierung hervorgebracht – in der Fremde, in der internationalen Gesellschaft und in multinationalen Staatswesen, ist sie das Ergebnis kultureller Differenzen. Keine dieser Teilungen ist auf irgendeine Weise einfach (die Teilungen des Selbst sind der Gegenstand des nächsten Kapitels) – und eine Schei-

delinie auf der sozialen oder politischen Landkarte läßt auf
keiner ihrer beiden Seiten selbständige Einzel-»Selbste«
zurück; denn es gibt stets Überschneidungen. Wenn ich mich
also sicher fühlen kann, dann werde ich eine weitaus komplexere Identität erwerben, als es die Vorstellung vom Stammeswesen nahelegt. Ich werde mich mit mehr als nur mit einem
Stamm identifizieren, ich werde der sozialen Konstruktion
von Identität meine eigene persönliche Konstruktion hinzufügen. In der Tat läßt die Erfahrung der Differenz – wenn es
sich um eine friedliche Erfahrung handelt – die Gestaltungs-
macht des einzelnen Subjekts wachsen, da es nun über eine
ganze Reihe von alternativen Identitäten verfügen kann, ohne
jemals in einer einzigen eingeschlossen zu werden. So kann
ich mich dafür entscheiden, Amerikaner, Jude, Ostküstenbewohner, Intellektueller oder Professor zu sein. Man stelle
sich eine ähnliche Vervielfältigung der Identitäten überall auf
der Erde vor, und die Erde beginnt, wie ein weniger gefähr-
licher Ort auszusehen. Wenn sich die Identitäten vervielfäl-
tigen, teilen sich die Leidenschaften.

Wir müssen darüber nachdenken, welche politischen Strukturen dieser Vervielfältigung und Teilung am angemessensten
sind. Es wird sich nicht um einheitliche Strukturen handeln,
noch werden sie identisch sein. Einige Staaten werden strikte
Neutralität wahren, mit einer Vielfalt von Kulturen und gemeinsamer Staatsbürgerschaft; andere werden Föderationen
bilden; und wieder andere werden Nationalstaaten mit einem
Autonomiestatus für die Minderheiten sein. Manchmal wird
sich der kulturelle Pluralismus nur im Privatleben ausdrükken, manchmal in der Öffentlichkeit. Manchmal werden verschiedene Gemeinschaften auf einem Gebiet zusammenleben; manchmal werden sie territorial getrennt sein. Weil das
Wesen und die Anzahl unserer Identitäten verschieden sein
wird – mit bedeutsamen Unterschieden für ganze Bevölkerungsgruppen –, sollte man eine Vielzahl von Regelungen

einfach erwarten und gutheißen. Jede von ihnen wird in bestimmter Hinsicht nützlich sein und Ärgernis erregen, keine von ihnen dauerhaft; das Aushandeln unserer Differenzen wird niemals zu einer endgültigen Lösung führen.

Dies bedeutet auch, daß unser gemeinsames Menschsein uns niemals zu Mitgliedern eines einzigen, allumfassenden »Stammes« machen wird. Die entscheidende Gemeinsamkeit der menschlichen Rasse ist der Partikularismus: Wir alle nehmen Anteil an unseren eigenen »dichten« Kulturen. Mit dem Ende der alten Imperien und der totalitären Herrschaft können wir wenigstens diese Gemeinsamkeit anerkennen und in die dadurch erforderlichen, schwierigen Verhandlungen eintreten.

Rotbuch Rationen

Herausgegeben von Otto Kallscheuer
Lektorat: Peter Hammans
Gestaltung: Michaela Booth

Nicht Leitlinien sind in Epochen des Umbruchs gefragt,
sondern produktive Neugier: Rationen liefern Proviant und
Orientierungswissen für unübersichtliche Zeiten.

Perry Anderson

Zum Ende der Geschichte

Aus dem Englischen von Christiana Goldmann
176 Seiten · DM/sFr 34,–/öS 252,–
ISBN 3-88022-792-6

Der Krieg der Systeme scheint entschieden zu sein. Gesiegt
hat der westliche Liberalismus. Seine globale Ausweitung
schlägt das letzte Kapitel der Weltgeschichte auf. Diese
These vom Ende der Geschichte, wie sie Francis Fukuyama
noch unlängst formuliert hat, greift der Historiker Perry
Anderson auf, um die wichtigsten Geschichtstheorien der
Moderne kritisch zu durchmustern. Die Untersuchung gip-
felt in der behutsamen Verteidigung eines dank seiner
Niederlagen belehrten Sozialismus.

Benjamin Barber

Starke Demokratie

Aus dem Amerikanischen von Christiana Goldmann
und Christel Erbacher-von Grumbkow. Mit einem
Vorwort des Autors zur deutschen Ausgabe und
einem Nachwort von Hubertus Buchstein und Rainer
Schmalz-Bruns.
324 Seiten · DM/sFr 42,–/öS 311,–
ISBN 3-88022-804-3

Wie kann aus einer politikverdrossenen, »mageren«
Demokratie wieder eine Republik werden, deren Eckpfeiler
Partizipation, Gemeinschaft und bürgerschaftliches
Selbstvertrauen sind? Dieser Leitfrage geht Benjamin
Barber in seinem Manifest für die Überwindung der politi-
schen Apathie nach. In pragmatischer Absicht entwirft er
eine Reformagenda, die konsequent bei der politischen
Willensbildung ansetzt, um mit der Urteilskraft der Bürger
zugleich die Demokratie zu stärken.

Adriana Cavarero

Platon zum Trotz

Aus dem Italienischen von Gertraude Grassi
208 Seiten · DM/sFr 34,–/öS 252,–
ISBN 3-88022-774-8

Platon zum Trotz entwirft das Bild eines anderen Anfangs
der Philosophie. Denn auch die Abstraktion hat ein
Geschlecht. Der Ort reinen Denkens kennt keine Rücksicht
auf jene Schwelle des Lebens, über die noch ein jeder
Mensch zur Welt kam. Vier antike Frauengestalten,
Penelope, die thrakische Magd, Demeter und Diotima, leisten Geburtshilfe für ein Denken des Unterschieds. Platon
zum Trotz.

Stephen Holmes

Die Anatomie des Antiliberalismus

Aus dem Amerikanischen von Anne Vonderstein
400 Seiten · DM/sFr 58,–/öS 452,–
ISBN 3-88022-466-8

Ein unentbehrlicher Führer durch das Labyrinth des anti-
liberalen Denkens, das seit dem Kollaps des Kasernen-
sozialismus wieder Konjunktur hat. Stephen Holmes zeigt,
wie seine Feinde den Liberalismus seit 200 Jahren in eine
Karikatur seiner selbst verwandelt haben.

Ted Honderich

Das Elend des Konservativismus

Aus dem Englischen von Anne Vonderstein
400 Seiten · DM/sFr 58,–/öS 429,–
ISBN 3-88022-807-8

Das Elend des Konservativismus besteht darin, daß seine
Argumente niemals konsistent sind. Mit einem gehörigen
Schuß Polemik, britischer Ironie und einem untrüglichen
Gespür für jene Teufel, die bekanntlich im Detail stecken,
schlachtet Ted Honderich die heiligen Kühe der Konserva-
tiven. Punkt für Punkt demontiert er die konservative
Vernunft, indem er sie scharfsinnig mit den Paradoxien
konfrontiert, die ihr innewohnen.

Michael Ignatieff

Wovon lebt der Mensch?

Aus dem Englischen von Hans Jörg Friedrich
176 Seiten · DM/sFr 36,–/öS 266,–
ISBN 3-88022-799-3

Was brauchen wir, um zu überleben? Wessen bedürfen wir,
um auf menschliche Weise zu existieren? Michael Ignatieff
wirft die alte Frage nach der Natur menschlicher Bedürfnisse auf, um den Zusammenhang von Moralität und
Vergesellschaftung in den Blick zu bekommen. Er diskutiert
Möglichkeiten wie Grenzen gesellschaftlicher Bedürfnis-
befriedigung und klärt damit jene Voraussetzungen, die es
einer liberalen Gesellschaft erlauben, sich auch als moralische Gemeinschaft zu verstehen.

Hans Leo Krämer/Claus Leggewie (Hrsg.)

Wege ins Reich der Freiheit

André Gorz zum 65. Geburtstag
200 Seiten · DM/sFr 46,–/öS 340,–
ISBN 3-88022-741-1

Wege ins Reich der Freiheit hat André Gorz als einer der
wichtigsten Theoretiker einer undogmatischen europäischen Linken für die politische Phantasie eröffnet und
praktisch vorgedacht. In diesem Buch wird die Diskussion
über und mit André Gorz weitergeführt: über die Zukunft
der Arbeit und die ökosoziale Frage, über Strategien der
Linken, Bedingungen der Gerechtigkeit und eine Ethik der
Freiheit.

Bernard Lewis

Die politische Sprache des Islam

Aus dem Amerikanischen von Susanne Enderwitz
264 Seiten · DM/sFr 39,30/öS 295,–
ISBN 3-88022-769-1

Politische Macht, Recht und Gesetz, Herrscher und Untertan,
Krieg und Frieden haben im muslimischen Kulturkreis eine
eigene Semantik. Ihrer Geschichte und Gegenwart ist
Bernard Lewis nachgegangen, um den neuen Radikalismus
dieser Weltreligion verständlich zu machen. Die politische
Sprache des Islam ist eine als begriffsgeschichtliches Lexikon
getarnte Einführung in die explosive Dramatik des Orients.

5. Kapitel

DAS GETEILTE SELBST.
VOM PLURALISMUS DER INNEREN
BEZIEHUNGEN

I

Jedes Selbst ist auf drei verschiedene Weisen in sich geteilt (oder innerlich differenziert). Zwei davon habe ich bereits im Laufe meiner Bemühung, eine dichte Darstellung des gesellschaftlichen Lebens und der moralischen Kultur zu geben, erörtert: Erstens teilt sich das Selbst in seine verschiedenen Interessen und Rollen auf. Es spielt im Verhältnis zu den verschiedenen ihm zugänglichen sozialen Gütern und bezogen auf die von ihm in den unterschiedlichen Sphären der Gerechtigkeit erwarteten Leistungen eine Vielfalt von Rollen (und zwar nicht allein, wie in Shakespeares berühmten Zeilen, im Laufe eines Lebens, sondern auch während eines Tages oder innerhalb einer Woche). Das Selbst ist ein Bürger, ein Elternteil, ein Arbeiter, Akademiker oder Kaufmann, es ist Lehrer oder Schüler, Arzt oder Patient usw. und definiert sich über den Bezug auf seine Verantwortlichkeiten, seine Qualifikationen, seine Fähigkeiten und Rechtsansprüche.

Und zweitens teilt sich das Selbst in seine verschiedenen Identitäten auf: Es hört auf viele Namen, bestimmt sich nun in bezug auf seine Familie, Nation, Religion, sein Geschlecht, seine politische Überzeugung usw., identifiziert sich mit verschiedenen geschichtlichen Hintergründen, Traditionen, Ritualen, Feiertagen und vor allem mit verschiedenen Gruppen anderer Menschen, die gewissermaßen in ein umfassenderes Selbstsein eingebunden sind.

Drittens möchte ich dem nun hinzufügen, daß sich das

111

Selbst auch in seine Ideale, Grundsätze und Werte aufteilt; es spricht mit mehr als nur einer moralischen Stimme – und gerade deshalb ist es zur Selbstkritik befähigt und Zweifeln, Sorgen und Unsicherheit ausgesetzt. Selbstverständlich umgreift diese letzte Teilung auch die beiden anderen: Alle drei überschneiden einander beständig und machen das Selbst zu eben dem komplexen Wesen, welches zur Komplexität der sozialen Welt paßt, diese widerspiegelt und von ihr widergespiegelt wird. Ich will jedoch an dieser Stelle noch keine weitreichenden Schlußfolgerungen über diese zweiseitige Komplexität ziehen. Zuvor nämlich, und bevor ich zeige, daß diese Komplexität auch die von mir – ebenso für die heimische wie für die internationale Gesellschaft – verteidigten Versionen des Pluralismus stützt, muß ich mich näher mit der dritten Teilung befassen. Und mit der Tätigkeit, die sie möglich macht: der Selbstkritik.

Das Selbst ist zugleich Subjekt und Objekt der Selbstkritik, unserer ungewöhnlichsten und vielleicht wichtigsten moralischen Unternehmung. Denn der Pluralismus unserer Rollen und Identitäten hängt ebenso wie die praktische Möglichkeit komplexer Gleichheit und (kollektiver) Selbstbestimmung von dieser inneren Reflexion und Debatte ab. Wir müssen kritisch über die von uns gespielten Rollen und gutgeheißenen Identitäten nachdenken. Wie aber sollen wir dies anstellen, wenn doch eben diese Rollen und Identitäten für jenes Selbst konstitutiv sind, das über sie nachdenkt?

II

Man selbst sein, bedeutet laut Wörterbuch, »in normaler körperlicher und geistiger Verfassung zu sein«, oder besser gesagt, so zu handeln, wie »es dem eigenen wahren Charakter, frei von Heuchelei oder Zwang« entspricht.[67] Andererseits bedeutet »außer« sich zu sein (altmodischer Ausdruck) oder nicht »bei« sich zu sein (zeitgenössische Redeweise) soviel wie gestört, »nicht bei Sinnen« zu sein. Doch wenn ich mich selbst kritisiere, so heißt es gemeinhin, dann trete ich bewußt neben mich und betrachte mich objektiv, leidenschaftslos und mit Abstand. Ich werde zu einem strengen Prüfer meiner »normalen Verfassung« oder meines »wahren Charakters«, die stets zu wünschen übrig lassen. Bin ich folglich nicht bei Sinnen, wenn ich hart mit mir ins Gericht gehe?

Es ist nicht ganz leicht zu sagen, was ich eigentlich tue, wenn ich mich selbst kritisiere. Wer ist dieses »Ich«, das kritisiert? Wer ist dieses »Selbst«, das kritisiert wird? Was ist es, das ich teile, und wer führt diese Teilung durch, wenn ich einen Teil meiner selbst beauftrage, den (die) anderen Teil(e) zu beobachten und zu beurteilen? Was tue ich jetzt, während ich dies schreibe und den Beobachter in mir selbst beobachte? Welche Rollen, Identitäten und Werte machen mich oder einen Teil von mir zum Kritiker? Welche anderen Rollen, Identitäten und Werte, welche anderen Teile meiner selbst sind Gegenstände der Kritik? Und wenn ich erst einmal die Trennungslinien gezogen habe, woher weiß ich dann, welches meine besseren Teile sind?

Gesellschaftskritik ist im Gegensatz dazu leichter zu beschreiben. Ein Mitglied der Gesellschaft kritisiert die anderen, oder es kritisiert die gesellschaftlichen Einrichtungen, für welche die anderen verantwortlich zeichnen. Der Unterschied zwischen ihm (dem Kritiker) und ihnen (den Kritisierten) liegt auf der Hand. Und dies gilt, zumindest in den Augen des Kritikers, auch für ihre entsprechende moralische Stellung. Ob der Kritiker nun das Format eines Helden hat oder nicht, jedenfalls glaubt er, daß die gegen andere erhobene Kritik ihn selbst nicht trifft. Er gibt sein Bestes, und sobald er die Wahrheit freimütig ausgesprochen hat, ist er für die Weigerung anderer, ihm zuzuhören, nicht mehr verantwortlich. (Ich werde hier nicht auf die Frage eingehen, ob die Verpflichtung des Kritikers weiter reicht, als nur das Wort ergriffen zu haben – ob sie sich etwa auch auf die mühseligeren politischen Handlungen wie Organisieren, Demonstrieren usw. erstreckt. An irgendeinem Punkt ist er jedenfalls nicht mehr verantwortlich.)

Selbstkritik scheint keine ähnlich gelagerte Ausnahme zuzulassen. Es wäre seltsam, wollte ich behaupten, weil ich mich schon kritisiere, hätte ich es nicht nötig, von anderen kritisiert zu werden. Wenn meine Freunde und Nachbarn auf mich einreden und alle nur darauf warten, auch ihre kritischen Bemerkungen zu machen, kann ich zwar zu ihnen sagen:»Geht bitte und kritisiert mich nicht, das tue ich schon selbst«. Dennoch mögen sie sehr wohl den Eindruck haben, daß dieses »Ich« zwar ein angenehmer Zeitgenosse ist, dem »Selbst« allerdings ein zusätzlicher Tadel nicht schaden könne. Gleichwohl sehen wir die Selbstkritik für gewöhnlich als eine vorbildhafte Tätigkeit an. In den meisten Fällen loben wir das selbstkritische Selbst, auch wenn wir meinen, daß es die Kritik nur allzu sehr verdient hat. Auch ich stimme ihm zu: Ich betrachte mich selbst mit kritischem Blick, und dann betrachte ich mit Wohlgefallen, wie ich mich selbst kritisch betrachte. Vielleicht macht mich meine Kritik kleiner, aber andererseits macht mich das Schauspiel meiner selbst als Kritiker wieder größer.

Wenn das stimmt, dann fragt sich, warum Selbstkritik so oft schmerzhaft ist. Ich vermute, ein gewisses Maß an Schmerz ist notwendig, um das Lob zu rechtfertigen: Schmerzte die Kritik nicht, wäre sich nicht vorbildhaft. Manchmal erzeugt die Kritik indes etwas, was wir einen überschießenden Schmerz nennen könnten – sie löst nicht nur Bestürzung, Kummer, Bedauern oder Gewissensbisse aus, sondern darüber hinaus ein lähmendes Bewußtsein unserer Unzulänglichkeit, ein Gefühl von grenzenloser Schuld und Selbstekel, das die Forderungen des kritischen Unterfangens weit übersteigt. Wir alle können uns Menschen vorstellen, für die Selbstekel ein durchaus angemessenes Gefühl wäre, doch sie sind wahrscheinlich nicht die Menschen, die als erste das Unterfangen der Selbstkritik beginnen. Vermutlich »benötigt« das durchschnittliche Selbst nur eine eingeschränkte Kritik, einen begrenzten Schmerz. Es ist jedoch denkbar, daß das einmal in Gang gesetzte Unterfangen seinen eigenen Impuls hat. Je angestrengter ich hinschaue, desto schlechter stehe ich am Ende vor mir selbst da. Gesellschaftskritiker werden müde, brennen aus, ersticken an ihrem eigenen Zorn, während Selbstkritiker mit zunehmender Übung einfach besser werden. Möglich ist auch, daß der Selbstkritiker unbemerkt in den Strudel hineingerissen wird. Langsam legt er seine Schutzkleidung ab, während er die ganze Zeit über glaubt, was darunter liege, könne so schlimm nicht sein, um dann zu entdecken, daß er mit Entsetzen seine eigene häßliche Nacktheit anstarrt. Der Schmerz entspringt der Überraschung.

Die letzte Version klingt ganz nach einer christlichen Auffassung: das kritische »Ich« sieht sich – als religiös identifiziertes Subjekt – mit dem Wissen um die Erbsünde konfrontiert; es ist selbst verderbtes Fleisch, der gefallene Adam. Aber der religiöse Kritiker weiß wahrscheinlich schon im vorhinein, was ihn erwartet, er ist schließlich vorgewarnt worden. Verständlicher wird seine Überraschung hingegen, wenn wir eine (herkömmliche Fassung der) Freudschen Geschichte erzählen. Denn ist die »Triebstärke des Es« nicht immer eine schmerzhafte Überraschung für das kultivierte Über-Ich? Anscheinend gibt es keine andere Möglichkeit, um zu erklären, warum das Über-Ich einen derart verurteilenden Zorn an den Tag legt, wenn es das Ich für ein Verhalten (für Gedanken und Wünsche) bestraft, denen es sich als »Naturnotwendigkeit« beugt. [68] Dergestalt werde ich dem überstellt, was sich als bester Teil von mir ausgibt. Das ist natürlich noch nicht das

Ende der Geschichte, denn der Schmerz der Entdeckung und der Unterdrückung ist durch die Psychoanalyse heilbar, oder läßt sich zumindest lindern (obgleich nicht ohne zusätzlichen Schmerz im Verlauf der Analyse). Ich bin mir nicht sicher, wie die Heilung vor sich geht, da ich auf diesem Gebiet keine Erfahrung habe. Doch schlage ich vor, die Analyse als eine Art Metakritik zu betrachten. Sie erfordert eine weitergehende Kritik des kritischen »Ich« und eine partielle Verteidigung des getadelten Selbst. Eine solche Verteidigung kann nie anders als partiell sein. Das Über-Ich bleibt, selbst wenn wir seine weiterreichenden Ansprüche zurückweisen, immer noch der interne Vertreter der moralischen Werte (sowie der sozialen Rollenerwartungen und Identitätsbedürfnisse). Ohne die Leistungen des Über-Ichs könnte ich in einer zivilisierten Gesellschaft, in Gemeinschaft mit anderen, überhaupt nicht leben. Das Selbst kann ohne seinen Kritiker nicht auskommen, auch wenn es danach seinen Analytiker braucht. Das Unbehagen in der Kultur ist ein beständiges Leiden. Soweit ich jedoch (mit Hilfe des Analytikers) ein zweites, (meta-) kritisches »Ich« hervorbringen und am Leben erhalten kann, welches nun am ersten kritischen »Ich« Kritik übt, muß dieses Unbehagen nicht lähmend sein. Hierin liegt Sigmund Freuds große Einsicht: Das Über-Ich läßt sich mindestens ebenso beobachten wie jedes meiner anderen Bestandteile.

Wenn die Psychoanalyse den Schmerz von Selbstkritik zu erklären vermag, dann leistet die Philosophie Vergleichbares für ihren Stolz. In der psychoanalytischen Tradition sind die Triebe das allgemeine, während die kritischen Maßstäbe, nach denen sie beurteilt werden, immer diejenigen einer bestimmten Kultur sind. Das Es ist der alte Adam, und »mit Adams Fall/stürzten wir all'«. Das Über-Ich hingegen ist ein menschliches Kunstprodukt, eine gesellschaftliche Schöpfung, die zu verschiedenen Zeiten und an verschiedenen Orten ein anderes Gesicht hat, unterschiedliche Regeln und Bestimmungen mit unterschiedlicher Strenge und unterschiedlichem Eifer durchsetzt. Diese Unterschiede schlagen sich allerdings nur am Rande nieder, da die Aufgabe des Über-Ichs nicht durch dessen partikularistischen Inhalt, sondern durch das universale Es festgelegt werden muß, das stets anwesend und immer zu unterdrücken ist.

Die philosophische Sicht von Selbstkritik kehrt die beiden Glieder dieser Auseinandersetzung um. Jetzt gilt eher das getadelte Selbst als Produkt einer partikularen oder lokalen Geschichte – der Form nach vielfältig, dem Inhalt nach provinziell –, während statt dessen das kritische »Ich« mit den universellen Werten auf Tuchfühlung steht oder diese Verbindung zumindest anstrebt. Die Selbstkritik, wie der Philosoph sie sieht, ähnelt somit der Gesellschaftskritik (wie der Philosoph sie sieht)[69]: Es ist eine Art ruhigen Nachdenkens, eine Prüfung des Selbst sub specie aeternitatis. Ich trete einen Schritt von mir zurück, nehme Abstand von meinem Selbst, schaffe ein neues Subjekt (nennen wir es Super-Subjekt), welches auf mich (das alte Subjekt) herabschaut, als wäre ich ein Wildfremder.[70] Super-Subjekt untersucht mich als ein Subjekt unter anderen, ohne Unterschied zu den anderen, und wendet dann auf »sie« alle (mich eingeschlossen) dieselben objektiven und universalistischen Moralprinzipien an.

Selbstverständlich ergibt sich bei dieser philosophischen Untersuchung, daß mein moralischer Zustand ausgesprochen mangelhaft ist. Super-Subjekt wird nicht als mangelhaft befunden – aber wer könnte diese Entdeckung schon machen? Ich könnte natürlich noch einen weiteren Schritt von mir zurücktreten, noch mehr Abstand von mir selbst nehmen und ein neues (sagen wir) Ultra-Subjekt schaffen. Aber was könnte Ultra-Subjekt schon sagen, was Super-Subjekt nicht bereits gesagt hat? Die Psychoanalyse macht die Sache einfacher: Der Analytiker kann das Über-Ich kritisieren, weil es eine bloß partikularistische Moral verkörpert (wenn »verkörpern« hier das richtige Wort ist). Aber das kritische »Ich«, wie es sich der Philosoph vorstellt, spricht für die Moral als solche. Es ist das in das besondere Selbst hineinprojizierte (wenngleich dort selten assimilierte oder eingebürgerte) Alter ego des Philosophen.

Das Ziel des Analytikers besteht darin, innerhalb des Selbst ein neues Kräftegleichgewicht herbeizuführen, die Rolle der Kulturwerte zu verändern und das herrische Über-Ich unter Kontrolle zu bringen (nicht zu zerstören). Das Ziel des Philosophen besteht darin, den inneren Krieg zu gewinnen und die Oberherrschaft von Super-Subjekt innerhalb des Selbst zu sichern. Man denke nur daran, wie Jean-Paul Sartre die Selbst-Erschaffung des Intellektuellen als »Hüter der grundlegenden Zwecke«, also der universellen Werte, beschrieben hat.[71] Der Intellektuelle erwirbt sein Hüteramt durch »permanente Selbstkritik« und »beständige Radikalisierung«. Das vorgegebene Selbst des Intellektuellen aber ist für Sartre – und dabei spricht er natürlich auch von seinem eigenen Fall – ein Produkt »kleinbürgerlicher« Erziehung. Es ist also – erneut – ein bloß partikulares Selbst, welches daher mit völligem Recht den Vernichtungsschlägen der universalistischen Kritik ausgesetzt wird. Sollte diese Kritik erfolgreich sein, dann kämen wir zu einem Selbst, das alle historischen oder moralischen Partikularismen hinter sich gelassen hat – vermutlich ein höheres Wesen. Sartre räumt freilich ein, daß wir diese glückliche Situation (nicht »in Situation« zu sein?) niemals völlig erreichen werden. Unser Bewußtsein bleibt ein »unheilbar geteiltes Bewußtsein«. Dennoch müssen wir nach Heilung suchen – das Ende der Spaltung bleibt für das kritische »Ich« das ideale Endziel. Wie aber liegen die Dinge, wenn wir das Selbst für noch sehr viel mehr geteilt halten als Sartre? Und was, wenn wir gar das »geteilte Bewußtsein« bewundern?

III

Als Erklärung für die Selbstkritik betrachtet, fallen sowohl das psychoanalytische als auch das philosophische Modell unter die Kategorie des »Dünnen«. Beide schlagen vor, im Selbst eine einfache, lineare und hierarchische Anordnung zu sehen, an deren Spitze, am Ende einer einzigen kritischen Überlegung, nur ein kritisches »Ich« steht. (Stellen wir uns dieses »Ich« etwa als das tugendhafte Bürger-Selbst oder als das rationale, auf Nutzen-Maximierung bedachte Selbst vor, von denen oben im zweiten Kapitel die Rede war.) Analytiker möchten die Hierarchie modifizieren, Philosophen wollen sie rechtfertigen, doch keiner zweifelt an ihrer Existenz. Unbeschadet der Tatsache, daß das Über-Ich nur ein partikulares Wertverständnis repräsentiert, vertritt es trotzdem einen Wert. Es ist der innere Vertreter der Zivilisation, eine säkulare Version des religiösen Gewissens. Der Analytiker steht zugleich an der Spitze einer Hierarchie: Er ist der äußere Vertreter ebenso der Kultur wie auch der seelischen Gesundheit. Die Oberhoheit des kritischen »Ich« des Philosophen ist sogar noch augenfälliger, geht doch sein Anspruch dahin, im Namen »grundlegender Zwecke« zu sprechen. Fraglos erfassen diese Modelle einen Teil unserer inneren Erfahrung – etwa die Schuld, die wir empfinden, wenn wir etwas offenbar Unrechtes tun, wenn Über-Ich und Super-Subjekt in ihrem Tadel an unserem Selbst ganz unzweideutig und ohne Ausflüchte für jeden Menschen in der Welt zu sprechen scheinen. Ihre Anklagen sind dann am einsichtigsten und überzeugendsten, wenn sie unsere minimalistische Moral vertreten. Nichtsdestoweniger entgeht den beiden Modellen vieles. Sie verfehlen die gewöhnliche Unmittelbarkeit unseres Selbstseins, die immer dann gegeben ist, wenn wir – wie man sagen könnte – unseren kritischen Instinkten folgen, ohne dabei die Dienste eines inneren Autokraten in Anspruch zu nehmen. Auch können sie uns nichts über jene Augenblicke des Zweifels und der inneren Teilung mitteilen, in denen es uns völlig dunkel bleibt, welcher Teil unser bester ist, welche Rollen, Identitäten oder Werte grundlegend sind. Die hierarchische Anschauung bedarf einer dichten, pluralistischen und demokratischen Korrektur.[72]

Ich möchte in einem ersten Schritt die Unmittelbarkeit verteidigen und dann rasch zu einer Kritik der Hierarchie fortschreiten: ein Verfahren, das durch die enge Verknüpfung der beiden gerechtfertigt erscheint. Ein paar Beispiele mögen die Argumentation in Gang bringen helfen: In einem seiner brillanten und grimmigen Essays gegen die amerikanische Beteiligung am Ersten Weltkrieg wendet sich Randolph Bourne, nachdem er die Frage sorgfältig erwogen hat, dagegen, daß man ihn als »Kriegsdienstverweigerer aus Gewissensgründen« bezeichnet. Er will in der Tat nicht am Krieg teilnehmen, doch lautet die Begründung dafür nicht, daß er »mit Freuden [seine] Blutgier für das Geschäft [des Krieges] schüren würde, wenn nur dieses unerklärliche Gewissen es ihm nicht wie eine gottesfürchtige Großmutter strikt verböte«. Was gegen den Kriegsdienst spricht, ist »etwas, das mit seinem ganzen modernen und weltanschaulichen Lebensgefühl verwoben ist«.[73] Bourne behauptet, seine Weigerung stelle den Akt einer *Person* dar, nicht den eines »objektiven Gewissens«, das die niederen Anteile des Selbst unterdrückt. Nicht sein Gewissen ist für die Weigerung verantwortlich, sondern etwas Tieferes, das unentwegt in seinem Innenleben am Werk ist oder es völlig durchdringt. Vielleicht ist dies ein Anzeichen für Ich-Stärke oder ein Hinweis auf ein bereits siegreiches kritisches »Ich«. Zweifellos wäre es möglich, eine psychoanalytische oder philosophische Erklärung für Bournes »Lebensgefühl« anzubieten. Ohne niedrige Ränge ist das Bild einer Hierarchie jedoch hinfällig, und nichts scheint in dieser Schilderung auf deren Anwesenheit hinzudeuten. Blutgier spielt in Bournes gegenwärtigem Gemütszustand überhaupt keine

Rolle, und ebensowenig taucht sie, nach seiner Version der Geschichte, in einem seiner früheren Zustände auf. Er denkt und handelt in inniger Übereinstimmung mit seinen Gefühlen: Das kritische »Ich« des Philosophen hat hier keinen Platz.

Wenden wir uns nun einer Geschichte zu, in der es sehr wohl einen Platz hat, allerdings weder einen hohen noch einen rühmlichen. In einem bekannten Abschnitt seines *Discours sur l'origine de l'inégalité* schildert Jean-Jacques Rousseau, wie der »ruhige Schlaf« eines Philosophen plötzlich durch Hilferufe gestört wird. Er hört die Schreie, läßt sich dadurch aber nicht aus dem Bett reißen.

»Man kann seinen Mitmenschen unter seinem Fenster ungestraft umbringen; er braucht sich nur die Ohren zuzuhalten und sich ein paar Argumente zurechtzulegen, um die Natur, die sich in ihm empört, daran zu hindern, ihn mit dem zu identifizieren, den man meuchlings ermordet. Der wilde Mensch hat dieses bewundernswerte Talent nicht, und aus Mangel an […] Vernunft sieht man ihn stets sich unbesonnen dem ersten Gefühl der Menschlichkeit überlassen.«[74]

Hier wird die herkömmliche Hierarchie sehr hübsch umgekehrt. Die verinnerlichte Stimme der Philosophie unterdrückt gleichzeitig den Trieb und den moralischen Wert. Das kritische »Ich« schaut in der Tat zu, aber es legt eine berechnende und vorsichtige Wachsamkeit an den Tag, nur darauf bedacht, unter gar keinen Umständen in die Falle sentimentaler Güte zu tappen. Und wie reagiert Rousseau darauf? Ergreift er die Partei des natürlichen, vorkritischen Selbst? So einfach ist es nicht, denn dafür ist er selber bereits zu kultiviert. Aber er glaubt nicht, unsere inneren Kämpfe hätten nur ein einziges wünschbares Ergebnis. Vielmehr möchte er Verwirrung hinsichtlich unseres besseren Teils stiften.

In Rousseaus Geschichte drängt sein »erstes Gefühl« den Philosophen, aus dem Bett zu springen und seinem bedrängten Mitmenschen zu helfen. Aber er überzeugt sich nicht allein davon, daß er so nicht handeln müsse, er redet sich auch ein, daß jedes aus dieser unterlassenen Handlung entspringende Schuldgefühl überflüssig sei. Zufrieden mit sich, schläft der Philosoph wieder ein, und dies ist nicht einem Versagen der Kritik geschuldet. Im Gegenteil: Sie ist, wie Rousseau uns mitteilt, durchaus erfolgreich. Die verinnerlichte Stimme der Philosophie triumphiert. Die herkömmliche Auffassung über Kritik und Schuld weicht von diesem Bild offensichtlich stark ab. Selbstkritik im üblichen Verständnis ist die Tätigkeit der Schuldzuweisung, und Schuld ist das gebotene Gefühl, das pflichtbewußt akzeptiert wird. Weil ich selbstkritisch bin oder war, fühle ich mich schuldig. (Freuds Begründung ist sehr viel verwickelter, doch ich vermute, die zeitliche Abfolge bleibt dieselbe.) Diese Auffassung klärt uns jedoch nicht über die emotionale Grundlage des kritischen Unterfangens auf. Ist es denn nicht manchmal der Fall, daß ich mich kritisiere, weil ich mich schuldig fühle? Die Selbstkritik möchte auf eigennützige Weise die Gründe dieses Gefühls erforschen – oder sie stellt, wie Rousseau meint, den Versuch dar, das Gefühl zu hemmen. Sehr oft macht sich das kritische »Ich« an die Arbeit, weil es weiß, daß das Selbst schlecht ist oder schlecht gehandelt hat. Das Urteil ist schon gefällt, nun geht es allein darum herauszufinden, was dahintersteckt.

Wahrscheinlich ist die herkömmliche Auffassung logischer: Zuerst tritt der Strafverfolger auf und der Richter fällt sein Urteil, und erst danach kommt es zur (Selbst-)Bestrafung und zum Schmerz der empfundenen Schuld. Dennoch ist die alternative Erklärung psychologisch gesehen plausibler, weil sie das innige Verhältnis des Selbst zu sich selbst in den Blick bekommt. Nun haben wir ein komplexeres Bild vor uns: Ich warte nicht erst das Urteil des Strafverfolgers ab; dieser hat vielmehr Helfer, welche sozusagen in meinem Verstand und meinem Herzen wohnen – meine moralische Einsicht sendet Signale aus, noch bevor er seine Anklage erhoben hat. Ich bin schon schmerzlich berührt (und das spricht gegen die Annahme eines vorkritischen Selbst).

Natürlich denke ich in Ruhe über Dinge nach, die ich gesagt und getan habe. Ich lese in meinem Leben wie in einem Buch und manchmal bin ich ein kritischer Leser. Wie verhält sich diese Tätigkeit zu der unmittelbareren Form der Selbstkritik? Es ist so, als würde ich wieder einmal einen Aufsatz oder ein Buch lesen, die ich vor Jahren geschrieben habe. Die verflossene Zeit sorgt für eine kritische Distanz. Ich sage mir, daß ein anderer diese Seiten verfaßt hat, was es mir ermöglicht, sie mit größerer Objektivität zu lesen, als mir dies während der Niederschrift möglich gewesen wäre. Allerdings lese ich sie jetzt auch mit weniger Beteiligung. Zweifellos bin ich verhältnismäßig unbeteiligt und leidenschaftslos, doch könnte es nicht sein, daß Beteiligung und Leidenschaft entscheidende Merkmale des selbstkritischen Unterfangens sind? Vergleichen wir meine jetzige Kritik mit meiner damaligen Beunruhigung (als ich die betreffenden Texte schrieb). Erstere ist objektiver, aber letztere, nun ja, kritischer. Sich Sorgen machen, ist eine Art ununterbrochener Selbstkritik, die Beschäftigung eines wahrhaft engagierten Kritikers (nicht jedoch eines einseitigen Kritikers: Ich mache mir zur gleichen Zeit über die verschiedensten Dinge Sorgen, die oft in gar keinem Zusammenhang zueinander stehen). Während ich schreibe, grüble ich vielleicht zu viel darüber nach, ob ich in jedem Satz die treffende Formulierung gefunden habe: Später kümmere ich mich zu wenig darum, ob es mir gelungen ist. Welche Haltung ist die privilegierte Beobachterposition? In beiden Fällen schießen wir, wenn auch in verschiedenen Hinsichten, am Ziel vorbei.

Es ist jedoch zweierlei, ob ich das Selbst kritisiere oder seine Schöpfungen bzw. seine Tätigkeiten. Handlungen, Worte, selbst Bände von Worten lassen sich zurücknehmen, verwerfen, entschuldigen; mich selbst vermag ich hingegen nicht so leicht zurückzunehmen. Ich verspreche nicht allein das, was ich tue, zu ändern, sondern auch ein anderer zu werden. Freilich wird dieses Versprechen selten eingelöst. Der Versuch, die Persönlichkeit umzumodeln, wird sich wahrscheinlich ebenso wie die Revolutionierung einer Gesellschaft als sehr unvollständige Leistung herausstellen. Gewiß, die kritische Stimme, die mir mitteilt, nicht das, was ich getan habe, sei schlecht, sondern ich selbst, schlägt eine sehr tiefe Wunde. Indes kann ich mich mit der Tatsache trösten, daß auch dieser Kritiker ich selbst bin, daß dieser Teil von mir, der sich gegen die anderen stellt, danach verlangt, gerechtfertigt und nicht verändert zu werden. Zudem habe ich jederzeit die Möglichkeit, einen anderen Teil von mir um eine zweite bzw. eine dritte Meinung zu bitten. Die Kritiker, die ich um weitere Meinungen ersuche, sind zeitlich gesehen von meinem Selbst nicht unterschiedlich weit entfernt. In diesem Falle ist es zutreffender, sich die Distanz räumlich vorzustellen. Ich habe verschiedene Werte, alternative Ich-Ideale oder Anschauungen davon, was ich sein sollte (oder zu sein wünsche). Und sie alle sind gewissermaßen von dem, was ich tatsächlich bin, unterschiedlich weit entfernt. Nehmen wir zum Beispiel an, daß ich gewisse Phantasien über Heiligkeit hege. Doch die kritische Stimme, die mir das Ideal der Heiligkeit vorhält, spricht nicht unmittelbar und mit großer Eindringlichkeit zu mir. Dieser Selbstkritiker ist verhältnismäßig weit entfernt und gedämpft, da er (ich) weiß, daß ich dieses Ziel ohnehin niemals erreichen werde. Andererseits liegt mir viel daran, mitfühlender, für die Bedürfnisse anderer sensibler und beredter zu sein, wenn es darum geht, sie zu einem Engagement zu bewegen und aus ihrer Reserve zu locken – und in diesem Falle fügt mir jede Kritik an meinen fehlgeschlagenen oder unterlassenen Versuchen Schmerz zu. Dieser Selbstkritiker spricht aus größerer Nähe.

Meine innere Welt ist dicht besiedelt. Erinnern wir uns noch einmal an Yeats' Zeilen, daß wir zwischen der »Vollkommenheit des Lebens oder des Werkes« wählen müssen. Es wäre sinnlos zu behaupten, dasselbe kritische »Ich«, das in Tuchfühlung mit den universalen und objektiven Werten steht, verteidige auch diese einander entgegengesetzten Vollkommenheiten. Tatsächlich werde ich von verschiedenen Kritikern angegriffen, die für je andere und oftmals nicht zu vereinbarende Vorstellungen von einem vollkommeneren Selbst das Wort ergreifen. Ja, ich werde von Kritikern angegriffen, die etwas verteidigen, was ich ansonsten für eine Unvollkommenheit halte, denn manchmal (etwa wenn ich mir vorstelle, ich befände mich auf dem Markt) würde ich es vorziehen, berechnender, aggressiver, karriereorientierter zu sein, als ich es normalerweise bin. Und auch dies verdient die Bezeichnung Selbstkritik. Vielleicht sollte ich mir vorstellen, daß meine Selbstkritiker nicht nur mich, sondern auch einander kritisieren. Ich bin ebenso das Objekt ihrer Angriffe wie ein Beobachter der Kriege zwischen den Kritikern.

Weder ich noch einer meiner Selbstkritiker ist der souveräne Spielleiter dieser Kritikerkriege. Die um mich versammelten Kritiker, die für verschiedene Werte eintreten und unterschiedliche Rollen und Identitäten repräsentieren, sind von mir nicht ausgewählt worden. *Sie sind ich*, wobei dieses ich *(me)* sowohl eine gesellschaftliche als auch eine persönliche Schöpfung darstellt, es ist ein komplexes und maximalistisches Ganzes. Ich werde aufgefordert, mich etwa wie ein guter Bürger, Arzt oder Handwerker zu verhalten; oder ich werde verurteilt, weil ich mich nicht wie ein aufrechter Amerikaner, Jude, Schwarzer, eine aufrechte Frau oder was auch immer benehme. Viele äußere »Anliegen« kommen von außen und haben immer noch Verbindungen nach außen. Sie sind, wie es gewöhnlich heißt, internalisiert worden, und ich darf mich glücklich schätzen, wenn sie sich eingebürgert haben – sich also an die neue Umgebung (mein Denken und meine Empfindungen) sowie an die Erfordernisse von Konkurrenz und Koexistenz anpassen konnten. Wenn alles gutgeht, dann strebt keines dieser Anliegen danach, in die Rolle des Über-Ichs oder Super-Subjekts zu schlüpfen und eine alleinige und bedingungslose Herrschaft zu errichten.

Möglicherweise ist der überschießende Schmerz der Selbstkritik nichts anderes als eine Folge der Herrschaft. Diese aber ist nicht weniger eine Pathologie des Selbst als ihr anarchisches Gegenstück, bei dem die Kritikerkriege rückhaltlos ausgefochten werden, bis mich meine Kritiker buchstäblich zerrissen haben und ich im Zustand größter Aufgewühltheit und Bekümmertheit unfähig geworden bin, auch nur kurzfristig zwischen ihnen zu entscheiden. Anhaltende Geplänkel sind jedoch ebenso Teil eines normalen Lebens wie der (ausgehandelte) Waffenstillstand, der uns eine Erfahrung wie die von Bourne geschilderte machen läßt: die Unmittelbarkeit eines Selbst, das mit seinen Kritikern in Frieden lebt und einfach weiß, was es zu tun hat.

Könnte ich sagen, daß ich von mehr als einem Gewissen in Frage gestellt und zurechtgewiesen werde? (Können wir uns vorstellen, daß Sokrates mehr als einen Dämon hatte?) »Die Gewissen« ist ein eigenartiger Plural, falls er auf ein einzelnes Selbst angewandt wird. In *Paradise Lost* behauptet Miltons Gott, in jeden von uns »Mein Richter Gewissen« gelegt zu haben.[75] *Ein* Gott, *ein* Richter: Der Singular ist transitiv. Eine säkulare Anschauung führt demgegenüber zu einer komplizierteren Lage. Gewissen bedeutet nun gemeinsames (moralisches) Wissen, und wenn wir dieses Wissens eher mit anderen Menschen als mit Gott teilen, dann werden wir auch abweichende Darlegungen und Interpretationen über seine

Bedeutung teilen. Folglich ist das Gewissen selbst geteilt. Mein Schiedsrichter am Ausgangsmal ruft »Strike«, wird aber vom Schiedsrichter am dritten Mal überstimmt. Meistens genieße ich diese inneren Meinungsverschiedenheiten (ebenso wie ich politische Streitigkeiten goutiere); mitunter ist es allerdings sehr hart, mit ihnen zu leben. Vielleicht erklärt uns diese Schwierigkeit, warum ich manchmal bereit bin, eine dünnere Auffassung über das Selbst zu akzeptieren, derzufolge Gottes einziger Schiedsrichter (oder der Vertreter einer anderen höchsten Instanz) die oberste Herrschaft ausübt.

Auch in dieser Frage hilft uns der Vergleich mit der Gesellschaftskritik weiter. Zweifellos ist der Gesellschaft mit einer Vielzahl von Kritikern besser gedient. Sie benötigt nicht nur einen einzigen Kritiker, der an einem privilegierten Beobachtungsposten steht und einen gleichförmigen und allgemeingültigen Maßstab hochhält, sondern viele Kritiker mit konkurrierenden Maßstäben: Unter dieser Bedingung gibt es einen Raum für Entscheidungen – vorausgesetzt natürlich, es gibt eine Instanz (etwa eine demokratische Öffentlichkeit), die fähig ist, sich zwischen ihren Kritikern zu entscheiden, auch wenn sie die Kritiker selbst nicht auswählen kann. Wir müssen dann alternativen Ansprüchen und Vorschlägen Gehör schenken, die sich nicht durch irgendein allmächtiges, ein für allemal gültiges und ideologisch korrektes Argument zum Schweigen bringen lassen. Ebenso verhält es sich mit der Selbstkritik. Mir ist am besten gedient, wenn ich mehrere interne Kritiker habe. Der Pluralismus steht für Freiheit, weil er für die Klugheit des Selbst Raum läßt. Natürlich bedarf es dazu eines Selbst, das zur Klugheit befähigt und stark genug ist, um alle gegen es gerichteten Kritiken aufzunehmen und zwischen ihnen zu urteilen.

Das Selbst ist in der Tat geteilt, aber (von pathologischen Fällen einmal abgesehen) nicht völlig zersplittert. Ich kann in dieser Rolle oder Identität beharrlich und konsistent sein und dann in jener. Es ist denkbar, daß ich im Namen dieses Wertes handeln und danach jenen Wert verfolge – so wie auch ein demokratischer Staat trotz heftiger und anhaltender politischer Kontroversen zunächst ein bestimmtes Bündel von Maßnahmen verfolgen kann und später eine andere Politik einschlägt. Ohne eine zusammenhängende Öffentlichkeit verliert die Gesellschaftskritik ihren Ansatzpunkt, ohne ein zusammenhängendes Selbst, ein Ego, ein Ich (ein *me*), verliert auch die Selbstkritik ihre Pointe.[76] Das Bild des Selbst, das ich verteidigen möchte, weist durchaus eine *Ordnung* auf, obschon sie, wie wir sehen werden, immer der Veränderung unterliegt. Ich kann mich selbst nur als eine Plauderei unter Kritikern verstehen, wenn ich auf irgendeine Weise im Mittelpunkt der Plauderei stehe: nicht unbedingt als Federführer all der Kritiker, wohl aber als ihr einziger Zuhörer und Gesprächspartner, dazu bereit, jedem von ihnen mit »Ja« oder »Nein« (oder auch »Vielleicht«) zu antworten.

IV

Mithin gibt es weder ein linear gradliniges Selbst noch eine hierarchische innere Ordnung. Die Ordnung des Selbst sollte besser als ein dicht bevölkerter Kreis verstanden werden, in dessen Mittelpunkt ich (*me*) stehe, umgeben von meinen Selbstkritikern, die zeitlich und räumlich unterschiedlich weit entfernt sind (aber nicht notwendigerweise an ihrem Ort verharren). Insofern ich für Kritik empfänglich und bereit bin, mich einem (leichten) Tadel auszusetzen, versuche ich einige Kritiker näher zu mir heranzuziehen, so daß ich mir ihrer Kritik unmittelbarer bewußt bin. Eine andere Möglichkeit wäre, sie mir einfach einzuverleiben, so daß sie zu meinen intimen Quälgeistern werden und ich zu einem bekümmerten

Selbst. Ich verhalte mich wie ein neu gewählter Präsident, der
Berater einsetzt und ein Kabinett bildet. Und obgleich er den
Titel Oberbefehlshaber trägt, ist sein Entscheidungsspiel-
raum in Wirklichkeit eingeschränkt und seine Freiheit bedingt. Die politische Welt wartet mit vielerlei Gegebenheiten
auf, sie hat eine Geschichte, die weit hinter seinen Wahlsieg
zurückreicht. In gleicher Weise ist auch meine innere Welt
voller kulturell übermittelter oder gesellschaftlich aufgezwun-
gener Gegebenheiten – was mir bleibt ist, mich zwischen
ihnen hindurchzuwinden, soweit mir ihre Vielheit ein solches
Manövrieren erlaubt. Mein umfassenderes Selbst, mein be-
kümmertes Selbst, wird von der Summe all dieser Gegebenheiten gebildet und bildet sich selbst durch sie. Ich bin der
ganze Kreis und auch sein heftig umkämpfter Mittelpunkt.

So jedenfalls sieht die dichte Auffassung des Selbst aus. Was
sollen wir jedoch von einem Individuum halten, dessen Worte
und Taten allesamt eine dünne Beschreibung nahelegen? Betrachten wir etwa ein Selbst, ich nenne es das dominierte
Selbst, das sich rückhaltlos mit einem einzigen allmächtigen
Kritiker identifiziert oder ihm alle Urteile überläßt. Ein offen-
sichtliches Beispiel dafür ist der religiöse oder politische Fanatiker: er ist von Gott besessen oder von einer Ideologie getrieben. Stets ereifert er sich zornig oder besorgt über ein und
dieselbe Sache, wenngleich es ihm oftmals gelingt, diese Empfindungen auf die äußere Welt zu projizieren. Das Selbst wird
von einem kritischen »Ich« überwältigt, das seinerseits gegen
jede Kritik immun ist. Ich vermute, daß Ultranationalisten
und all jene, die Yeats' »Vollkommenheit des Werkes« wählen,
ein ähnliches Selbst haben. Sie beurteilen und bewerten jegliche zwischenmenschliche Beziehung und jedes soziale Gut
danach, ob es ihnen bei ihrer einseitigen Jagd nach Macht oder
Reichtum, oder auch Wahrheit und Schönheit, dienlich ist.

All die genannten Typen überwinden Sartres »geteiltes Bewußtsein«, und obgleich Sartre dieses Endziel für wünschens-

wert erklärte, scheint es mir höchst abstoßend zu sein. Denn
es ist ganz und gar undenkbar, daß das allmächtige, kritische
»Ich« alleine dasteht. Wir müssen uns eher vorstellen, daß es
andere Selbstkritiker unterdrückt. Niemand, der in der modernen
Welt aufwächst, ist von Anfang an so linear. Einzig
und allein Unterdrückung kann das aus uns machen. Ich werde
hier nicht versuchen, die psychologischen Mechanismen
der Unterdrückung zu beschreiben. (Im vierten Kapitel habe
ich begründet, warum ich der Angst eine entscheidende Rolle
bei der Herausbildung einer *ausschließlichen* nationalen Identität
zuschreibe.) Ich möchte lediglich betonen, daß solche
Mechanismen zwangsläufig bei jedem Menschen am Werk
sein müssen, dessen »wahrer Charakter« oder dessen »normale
Verfassung« derart absolut und ausschließlich auf ein Ziel
ausgerichtet ist. In jedem dünnen Selbst steckt ein dichtes,
nach Entfaltung, Erweiterung und Freiheit dürstendes Selbst.

Der Fanatiker, der Ideologe, der »Erz«-irgendwas und der
Perfektionist, der sich um nichts anderes als um das eigene
Werk kümmert: Sie alle sind allesamt Menschen, die nicht
zuhören, die sich gegenüber den Stimmen von außen (Ihre
oder meine) ebenso taub stellen wie gegenüber den Stimmen
in ihrem Innern. Die Kritiker sind stets anwesend, sie verkörpern
oder sprechen für die Möglichkeiten der Kultur und des
umfassenderen Selbst. Doch wenn jeder dieser Kritiker eine
Position hat – nicht nur in dem Sinne, daß er einen Ort in der
Geographie des Bewußtseins einnimmt, sondern auch in dem
Sinne, daß er eine Lehre und eine These vertritt – wie ist dann
die Position des Selbst-das-kritisiert-wird beschaffen? Müssen
wir uns den Mittelpunkt als eine neutrale Zone vorstellen?
Hat es einen Gehalt? Wenn dem so ist, dann muß der Gehalt
wandelbar sein, denn das von mir beschriebene Selbst, das
zuhörende Selbst, greift die Kritik auf und verleibt sich die
Kritiker ein: es ist in der Gegenwart ein anderes als in der Vergangenheit.
Zum Teil werde ich von meinen Selbstkritikern

gebildet. Wie ich jedoch gezeigt habe, muß man in mir auch eine Instanz sehen, die in der Lage ist, zwischen meinen Bestandteilen zu manövrieren. Offenbar betrachte ich mich selbst so, und meine Selbstkritiker stimmen dem zu, und sei es nur, um meine Winkelzüge zu verurteilen. Für sie ist, ebenso wie für mich, das »Subjekt« keineswegs tot, sondern wohlbehalten – unbeschadet der Tatsache, daß es beständig unter Beschuß steht. In ähnlicher Weise verändert eine demokratische Öffentlichkeit ihren Charakter, indem sie der Gesellschaftskritik zuhört und auf sie reagiert, ohne deshalb ihre kollektive Identität oder das Bewußtsein ihrer Autorschaft zu verlieren.

Was aber ist letzten Endes für die Reaktion ausschlaggebend? Die schiere Überzeugungskraft der Kritiker? Oder sind unterschiedliche Gesellschaften und verschiedene Selbste für je andere Arten der Kritik empfänglich? Verfügen die Gesellschaft und das Selbstsein über einige (minimale) strukturelle Voraussetzungen, denen sich selbst die schärfsten (maximalistischen) Kritiker anpassen müssen? Ich kenne die Antworten auf diese Fragen nicht. In seinem Mittelpunkt ist das Selbst, was es ist, oder wie Lionel Trilling gerne sagte, »beständig«, obgleich seine Zusammensetzung, während es sich zugleich erhält, Veränderungen unterworfen ist.[77] Zweifellos ist das Selbst ein Produkt der Geschichte und der Gesellschaft, und das trifft erst recht auf jeden inneren Kritiker des Selbst zu, der die Werte seiner Zeit und seines Ortes spiegelt. Indes ist es nach wie vor ein großes Rätsel, wie das Selbst und auch die Selbstkritiker geschaffen und reproduziert werden. Jedes Selbst ist sein eigenes, von allen anderen unterschiedenes Selbst. Es bedarf seines eigenen Kreises von Kritikern und ist auf ganz persönliche Weise bestimmten Dingen gegenüber empfänglich und ablehnend. (Jede Gesellschaft ist ihre eigene, von allen anderen unterschiedene Gesellschaft, sie bedarf ihres eigenen kritischen Kreises usw.) Es gibt kein ideales Muster für die inneren Beziehungen.

Natürlich neige ich zu der Auffassung, daß ein dichtes, geteiltes Selbst das charakteristische Produkt einer dichten, differenzierten und pluralistischen Gesellschaft ist und deshalb auch eine solche Gesellschaft benötigt. Aus dieser Behauptung folgt allerdings nicht, daß nur eine einzige ideale Dichte des Selbst existiert, der nur eine Art von Gesellschaft gerecht werden kann. Und ebensowenig ist damit gesagt, daß es nur ein einziges Ideal einer dichten Gesellschaft gibt, welcher allein eine Art von Selbst entsprechen kann. Zweifelsohne können wir auf eine dünne Weise darlegen, wann und wie das Selbst und die Gesellschaft einander entgegenkommen und anpassen sollen, und manchmal ist es politisch durchaus sinnvoll, das zu tun – also für eine gesellschaftliche oder persönliche Version eines minimalistischen Liberalismus einzutreten. Darüber sollten wir jedoch nicht vergessen, daß diese Argumente uns nur ein Stück weiterhelfen, sie können nicht die ganze Wirklichkeit unseres persönlichen oder kollektiven Lebens erfassen.

Und so sieht die Wirklichkeit aus: spezifische Gruppen dichter Selbste fühlen sich in bestimmten komplexen Gesellschaften mehr oder weniger zu Hause. Nicht alle Unvereinbarkeiten lassen sich ausräumen, dennoch können wir versuchen, die (inneren und äußeren) Grenzen der Gesellschaft so zu ziehen, daß sie möglichst wenig Schmerzen verursachen. Die Grenzen werden politisch festgelegt, und wir dürfen uns ruhig vorstellen, daß nicht nur die einzelnen Bürger, sondern alle Selbstkritiker und jedes kritisierte Selbst, aus denen diese Bürger bestehen, an einem solchen politischen Prozeß teilnehmen. Nehmen wir etwa einen lautstarken zeitgenössischen Kritiker, der (in meinen und möglicherweise auch in Ihren inneren Debatten) für das moderne Ich-Ideal eines gesunden, schlanken und suchtfreien Selbst eintritt. Diesem Kritiker stellen sich die inneren Stimmen der Skepsis und der Ironie, und stärker noch die Stimme des Begehrens, entgegen, gleichwohl verfügt der Kritiker über genügend Schwung, um unsere Einstellungen und unser Verhalten beträchtlich zu beeinflussen, so daß er zu einem Faktor in unseren politischen Auseinandersetzungen über Gerechtigkeit wird. Es scheint nicht länger richtig zu sein, suchtfördernde Drogen, Zigaretten und Alkohol eingeschlossen, bloß als Waren zu betrachten, die auf dem Markt vertrieben werden dürfen. Gesetzlich vorgeschriebene Warnungen über die gesundheitsschädlichen Auswirkungen, Beschränkungen der Werbung, Rauchverbot in öffentlichen Räumen und eine Vielzahl anderer Maßnahmen ziehen neue Grenzen zwischen dem Markt und unserem Verständnis von Eigentums- und Persönlichkeitsrechten. Wenn in meinem persönlichen Fall Skepsis und Begehren (zeitweilig) Erfolg hatten, dann falle ich aus den Reihen all der gesunden, schlanken und suchtfreien anderen heraus und werde möglicherweise von ihnen an die Wand gedrückt. Gleichwohl werde ich in einer Gesellschaft geteilter Selbste und getrennter Sphären aller Wahrscheinlichkeit nach genügend Gleichgesinnte und einen hinreichend großen Raum finden, um weiterhin mit meinem kränklichen Aussehen, meiner Korpulenz und meiner Sucht zu überleben. Denn schließlich ist auch das eine Frage der Gerechtigkeit.

Ähnlich liegt der Fall in Fragen der Rolle und der Identität. Mein vielseitiges (von allen Seiten bestürmtes) Selbst bedarf einer dicht differenzierten Gesellschaft, in der ich meine verschiedenen Fähigkeiten und Begabungen, meine unterschiedlichen Selbstauffassungen ins Spiel bringen kann. Doch wenn ich Don Quijote bin und mit gesenkter Lanze gegen Windmühlen anrenne, werde ich herausfallen und ins Abseits geraten. Das verfügbare Spektrum von Rollen und Identitäten im Amerika des 20. Jahrhunderts schließt nicht die Ritterschaft ein – und es gibt keinen Grund, daran etwas zu ändern. Jede konkrete Gesellschaft vermag nur auf eine be-

grenzte Anzahl geteilter Selbste zu reagieren, und bei ihnen
wird es sich wahrscheinlich um solche handeln, die auf eine
charakteristische Weise geteilt sind, ungefähr denselben
moralischen Kritikern und Selbstkritikern zuhören oder sich
gegen sie abschotten, da sie Produkte einer gemeinsamen Geschichte sind und eine ähnliche Sprache sprechen. (Aus diesem Grund vermag eine immanente Gesellschaftskritik Em-
pörung und Schuld hervorzurufen.) Gesellschaften haben
ganz zu Recht eine besondere Gestalt, weil ihre Mitglieder
charakteristische Selbste haben. Doch gerade weil diese Selbste geteilt und ihre Gesellschaften hochdifferenziert sind,
sollte es immer Zugangsmöglichkeiten für abweichende Mitglieder geben. Don Quixotes Erfahrung wird verhältnismäßig
selten sein, was aber nicht heißt, daß sie ganz und gar ver-
meidbar ist.[78] Vor allem in der Sphäre der Anerkennung werden es einige Menschen aufgrund historischer oder kultureller Unangepaßtheiten sehr schwer haben. Deshalb sollten wir
ihre Rechte in anderen Sphären so gut wie möglich schützen.

Komplexe Gleichheit im Inneren einer Gesellschaft und
verschiedene Versionen von Selbstbestimmung in der eigenen
und der internationalen Gesellschaft ist etwas, was einem
geteilten Selbst besonders gut entgegenkommt. Ich sagte *verschiedene* Versionen, und das heißt nicht allein der Nationalstaat, der offenbar in all jenen Fällen am geeignetsten ist, in
denen sich eine bestimmte Identität gewissermaßen im Bela-
gerungszustand befindet. Wenn die innere Stimme, die mir
mitteilt, daß ich ein Jude, Armenier, Kurde usw. bin, dies in
der Außenwelt nur unter höchst problematischen und gefahr-
vollen Bedingungen zum Ausdruck bringen kann, dann
scheint mir derjenige Schutz, den allein die Eigenstaatlichkeit
in der heutigen Welt liefert, moralisch angemessen und vermutlich sogar notwendig zu sein. Aber ich schenke auch anderen Stimmen Gehör und benötige deshalb andere Formen
des Schutzes: religiöse Toleranz, kulturelle Autonomie, indi-

viduelle Rechte. Es ist nicht möglich, den besten Schutz herauszupicken, denn keine Stimme ist zwangsläufig oder mit Recht dominant; keiner meiner Selbstkritiker sollte das letzte Wort haben dürfen. Schließlich bin ich nicht dieses oder jenes fix und fertige Selbst, dem wir fix und fertige gesellschaftliche Einrichtungen anpassen können. Selbst wenn ich an mir selbst arbeite, Kritik nicht beiseite schiebe und darum ringe, ein besseres Selbst zu schaffen, tue ich dies nicht in Übereinstimmung mit einer einzigen oder endgültigen Blaupause.

Doch nun schauen meine Selbstkritiker mißtrauisch auf dieses, eine Vielheit von Instanzen fordernde Argument und behaupten ihrerseits, daß es mir bloß ausgezeichnet zupasse komme. Eine solche Demokratie der Kritik bewahre mich schließlich vor der Strenge und Beharrlichkeit eines einzigen Superkritikers. Und was ich damit erreiche, sei eine Flucht vor der Stimme der Wahrheit, die darauf wartet, mir zu sagen, wie schlecht ich in Wirklichkeit bin. Vielleicht ist dem so; ich möchte nicht von mir behaupten, ich sei zu einer solchen Strategie unfähig. Ich bin jedenfalls nicht von Sinnen. Selbst in meiner normalen Verfassung höre ich jedoch verschiedene Stimmen, spiele unterschiedliche Rollen und identifiziere mich auf unterschiedliche Weisen – und eben aus diesem Grund muß ich auf eine Gesellschaft hinwirken, die Raum für dieses geteilte Selbst schafft.

II.
NATION UND WELT

Universalismus und Partikularismus
in Moral und Politik

1. Vorlesung

ZWEI ARTEN VON UNIVERSALISMUS

I

In den letzten Jahren ist viel über moralischen Absolutismus und moralischen Relativismus, über Letztbegründung und Kontextualismus in der Ethik, über Monismus und Pluralismus, Universalismus und Partikularismus – all die leidenschaftlichen Ismen – geschrieben worden, und dennoch scheint unser Verständnis dieser einfachen Gegensätze keine Fortschritte zu machen. Die Verfechter der liberalen Aufklärung sehen sich Verteidigern einer stärker kommunitären Tradition gegenüber; und diejenigen, die die ganze Welt umspannen wollen, sehen sich mit jenen konfrontiert, die eine lokale Intensität anstreben. Die Stichwörter der Gegenparteien sind uns sattsam bekannt. Bei jedem Streitgespräch sehen wir das Eröffnungsgambit voraus; wir kennen die Standardantworten und die darauffolgenden Argumentationszüge auswendig, keine Schlußwendung vermag uns noch zu überraschen. Da wir die jeweiligen Positionen mehr oder weniger gut verteidigen können, ist eine Debatte immer noch zu gewinnen, wie wir ja auch mit größerem Geschick oder schnellerem Reagieren auf die Fehler des Gegners eine Schachpartie für uns entscheiden. Solche Triumphe bleiben freilich ohne größeren Widerhall. Aus diesem Grund habe ich nach einem Weg gesucht, überzeugend zu sein, ohne meine Kontrahenten besiegen zu wollen, nach einem Weg, den üblichen Gegensätzen zu entrinnen oder sie zumindest mit weniger umstrittenen Begriffen neu zu beschreiben. Mein Vorhaben läuft auf folgendes hinaus: Ich werde mich unter jene einreihen, die ich und viele andere mit mir für das feindliche Lager gehalten haben, und von dort aus argumentieren. Derart auf dem Boden der Universalisten stehend, möchte ich einen anderen Universalismus vorschlagen, der den moralischen Partikularismus einschließt und uns möglicherweise hilft, dessen Attraktivität zu verstehen.

An den Anfang meines Gedankenganges möchte ich das historische Beispiel des Judentums stellen, das häufig (und nicht ganz grundlos) als eine Stammesreligion, als die Verkörperung eines partikularistischen Glaubensbekenntnisses schlechthin, kritisiert wurde. Zugleich aber ist das Judentum auch eine der wichtigsten Quellen für beide Formen des Universalismus, deren erste Variante nach ihrer Übernahme durch das Christentum zur gängigen Auffassung wurde. Wahrscheinlich hätte sie sich auch dann durchgesetzt, wenn in der Antike das Judentum und nicht das Christentum gesiegt hätte. Für diese Vermutung spricht zweierlei: Erstens war diese erste Form des Universalismus unter den Juden stark verbreitet, und zweitens steht sie, wie im folgenden deutlich werden wird, in einer gewissen Verbindung zur Idee oder zur Erfahrung des Triumphes.

Der erste Universalismus geht davon aus, daß es *einen* Gott und – *weil und insofern* es einen Gott gibt – ein Gesetz, eine Gerechtigkeit, ein richtiges Verständnis des guten Lebens, der guten Gesellschaft oder der guten Regierungsform, eine Erlösung, einen Messias, ein Millennium für die gesamte Menschheit gibt. Ich werde diese Version als den »Universalismus des allumfassenden Gesetzes« bezeichnen.[1] Gewiß, nach der christlichen Lehre ist es nicht so sehr das Gesetz als vielmehr das Opfer des Sohnes Gottes, das in seiner Liebe alle Menschen »umfaßt« – so daß der Satz »Christus starb für deine Sünden« an jede Person, zu jeder Zeit und an jedem Ort gerichtet werden kann und dennoch stets wahr sein wird, da das Pronomen eine unbestimmte und unbegrenzte Referenz hat. Wie viele Sünder es auch geben mag und wer sie auch sein mögen, Christus starb für *sie*. Ich beabsichtigte jedoch, mich hier auf den jüdischen »Legalismus« (sowie spätere naturrechtliche Begründungen) zu beziehen, dessen Ziel es ist, eine Erklärung dafür zu bieten, was es heißt, nicht zu sündigen, gut oder zumindest dem Gesetz gemäß zu leben. Der Universalismus des allumfassenden Gesetzes ist als eine »alternative« Lehre innerhalb des Judentums bezeichnet worden; in den Zeiten der Propheten hatte sich diese Alternative allerdings so weitgehend durchgesetzt, daß wir in ihr, zumindest nach der schriftlichen Überlieferung der Juden zu urteilen, vielleicht sogar die damals vorherrschende Lehre sehen dürfen.[2] Das jüdische Stammesdenken war zu dieser Zeit auf eine Weise neu interpretiert und aufgefaßt worden, daß es als Mittel für ein allgemeines Ziel erschien. Die Erwähltheit der Juden diente einem Zweck, der sich nicht allein auf ihre eigene Geschichte bezog, sondern auch auf die Geschichte der Menschheit. Eben das meint Jesaja, wenn er Israel als »Licht für die Völker«[3] bezeichnet. Ein Licht für alle Völker, denen am Ende dieselbe Erleuchtung zuteil werden wird: Weil aber das Licht gedämpft ist und die Völker störrisch sind, mag noch viel Zeit darüber ins Land gehen. Vielleicht müssen wir sogar bis zum Ende der Zeit warten.

Das Ziel läßt sich sowohl in kämpferischen und triumphierenden Worten als Sieg des sich zur Allgemeinheit ausweitenden Stammes beschreiben, oder aber bescheidener als »Hinzukommen« oder als »Aufsteigen« der Nationen. »Viele Nationen machen sich auf den Weg; sie sagen: Kommt, wir ziehen hinauf zum Berge des Herrn ...«[4] Welche Form es auch annehmen mag, immer ist das Ergebnis derselbe Triumph religiöser und moralischer Einzigartigkeit: Viele Völker steigen auf *einen* Berg. Die Hoffnung auf einen solchen Triumph ist in die täglichen Gebete eingegangen: »An jenem Tag wird der Herr und sein Name einer sein.«[5] Bis zum Anbruch jenes Tages kann dieser erste Universalismus zu einer Mission werden, wie es häufig genug in der Geschichte des Christentums und später im Imperialismus jener Nationen geschehen ist, die sich christlich nannten. Man denke nur an diese Zeilen aus Rudyard Kiplings »Ein Lied der Engländer«:

Keep ye the law – be swift in all obedience –
Clear the land of evil, drive the road and
bridge the ford.
Make ye sure to each his own
That he reap where he hath sown.
By the peace among our peoples, let men know
we serve the Lord.[6]

Wenn schließlich die Straßen und Brücken errichtet sind und der Frieden gesichert ist, werden »unsere Völker«, alle unterworfenen Nationen, lernen, dem Herrn aus freien Stücken zu dienen, bis dahin aber müssen »wir« über sich herrschen. Die Erfahrung der Nationen, die dem Gesetz nicht folgen, wird restlos entwertet. Diese Einstellung ist ein übliches Merkmal für den Universalismus des »allumfassenden Gesetzes«. Die Diener des Herrn stehen im Mittelpunkt der Geschichte, sie bilden den Hauptstrom, während die Geschichten der übrigen Völker nur Chroniken der Unwissenheit und des sinnlosen Streites sind. In einem bestimmten Sinne – etwa nach der hegelianisch-marxistischen Auffassung – besitzen sie überhaupt keine Geschichte, da ihnen nichts von welthistorischer Bedeutung zugestoßen ist. Auch wird ihnen nie ein welthistorisches Ereignis widerfahren – es sei denn, sie streben dem Hauptstrom zu und gehen in ihm auf. Die christliche Version dieser Denkungsart, die Antriebskraft vieler missionarischer Bestrebungen, ist uns ebenso vertraut wie ihre säkularen Gegenstücke. Aber es gibt auch eine jüdische Variante dieses Gedankens, der zufolge Exil und Zerstreuung der Juden zwar eine Strafe für ihre Sünden darstellt, darüber hinaus aber einen zentralen Platz in Gottes welthistorischem Plan einnehmen. Dank ihres Exils sollte der wahre monotheistische Glaube überall auf der Welt Anhänger und Vorbilder haben – ein zerstreutes Licht, aber doch ein Licht.[7] Das Exil mag schwer auf den Individuen lasten, für die Allgemeinheit ist es segensreich. Nach dieser Auffassung ist der Monotheismus für die Juden eine Bürde, ähnlich wie die Zivilisation für Kiplings Engländer und der Kommunismus für Marxens Arbeiterklasse eine Bürde darstellt.

Da zu jedem Zeitpunkt einige Völker das Gesetz kennen und andere nicht, einige es befolgen, andere dagegen verstoßen, sorgt dieser erste Universalismus für einen gewissen Stolz unter den Wissenden und Gesetzestreuen – unter den Erwählten, den Auserkorenen, den wahren Gläubigen, der Avantgarde. Natürlich wird der Stolz gewöhnlich in einem der »allumfassenden Gesetze« getadelt, und wie ich bereits sagte, kann sich auch der Triumph Gottes so vollziehen, daß kein Anlaß für das Siegesgebaren seiner Diener besteht. Dennoch trifft es zu, daß diese Männer und Frauen (wer sie sind, darüber mag man streiten) schon jetzt in einer Weise leben, der eines Tages alle Männer und Frauen nacheifern werden. Sie besitzen schon heute ein Wissen und eine Gesetzessammlung, die eines Tages allgemein gebilligt werden. Was für einen Bewußtseins- und Gefühlszustand dürfen wir bei solchen Leuten erwarten? Wenn nicht Stolz, so doch gewiß Zuversicht: Wir können den Universalismus des »allumfassenden Gesetzes« an der von ihm eingeflößten Zuversicht erkennen.

Der zweite Universalismus ist die wahrhaft alternative Lehre in der jüdischen Geschichte. Wir müssen ihn allerdings erst aus den biblischen Fragmenten wiedergewinnen. Sobald das Judentum in einen offenen Konflikt mit der Christenheit geriet, wurde er unterdrückt; und erst im 18. und 19. Jahrhundert, mit der Romantik, kommt er erneut in säkularer Form zum Vorschein. Das für uns entscheidende Fragment stammt vom Propheten Amos, der Gott fragen läßt:

»Seid ihr mir nicht genausoviel wert, wie die Äthiopier, ihr Kinder Israels? ... Habe ich nicht Israel aus dem Lande Ägypten herausgeführt, doch auch die Philister aus Kaphtor und die Aramäer aus Kir?«[8]

Die Fragen legen nahe, daß es nicht nur einen Auszug, eine göttliche Erlösung, einen Zeitpunkt der Befreiung für die ganze Menschheit gibt – so wie es nach der christlichen Lehre *ein* Erlösungsopfer gibt. Befreiung ist eine besondere, von jedem unterdrückten Volk wiederholte Erfahrung. Gleichzeitig ist sie in jedem Einzelfall eine gute Erfahrung, denn Gott ist der allgemeine Befreier. Jedes Volk erfährt *seine eigene* Befreiung durch die Hand eines einzigen, in allen Fällen identischen Gottes, dem vermutlich jegliche Unterdrückung verhaßt ist. Ich schlage vor, diese These als »wiederholenden Universalismus« zu bezeichnen. Was ihn vom »Universalismus des (allumfassenden) Gesetzes« unterscheidet, ist seine partikularistische Blickrichtung und seine pluralisierende Tendenz. Es besteht kein Grund anzunehmen, der Auszug der Philister oder der Aramäer sei mit dem Exodus Israels identisch oder gipfele in einem ähnlichen Bund oder auch nur, daß die Gesetze der drei Völker gleich sind oder sein sollten.

Wir können an ein historisches Ereignis wie den Auszug Israels aus Ägypten auf zweierlei Weise herangehen. Zum einen läßt sich darin ein entscheidendes Geschehen einer Universalgeschichte sehen – so, als ob die ganze Menschheit am Roten Meer oder am Berg Sinai zwar nicht anwesend, aber repräsentiert war. So gesehen ist Israels Befreiungserfahrung ein Gut aller. Oder wir können den Exodus als exemplarisches, entscheidendes Ereignis einer partikularen Geschichte auffassen, eine Erfahrung, die von anderen Völkern auf je eigene Weise wiederholt wird – ja, die wiederholt werden muß, soll diese Erfahrung jemals die eigene sein. Durch den Exodus aus Ägypten wird allein Israel befreit, also das Volk, das aus der Knechtschaft auszieht. Andere Befreiungen aber sind möglich. Nach dieser zweiten Auffassung gibt es keine Universalgeschichte, sondern nur eine Reihe von Geschichten, die jeweils für sich wertvoll sind (und die wahrscheinlich auch nicht zusammenlaufen oder nur am mythischen Ende der Zeit – wie die vielen nationalen Wege zum Kommunismus). Ich nehme an, Amos hätte nicht vom »gleichen Wert« gesprochen, und genauso wenig möchte ich darauf bestehen, daß eine solche Gleichheit bereits aus dem Gedanken der Wiederholung folgt. Dennoch wollen Amos' Fragen den Stolz der Israeliten tadeln. Sie sind nicht das einzige auserwählte oder das einzige befreite Volk. Der Gott Israels sorgt auch für andere Nationen. Vermutlich in derselben Absicht bringt auch Jesaja denselben Punkt vor, sogar in einem dramatisch gesteigerten Ton:

> »Wenn sie [die Ägypter] beim Herrn gegen ihre Unterdrücker Klage erheben, wird er ihnen einen Retter schikken, der für sie kämpft und sie befreit. Der Herr wird sich den Ägyptern offenbaren, und die Ägypter werden an jenem Tag den Herrn erkennen […] An jenem Tag wird Israel als drittes dem Bund von Ägypten und Assur beitreten, zum Segen für die ganze Erde. Denn der Herr der Heere wird sie segnen und sagen: Gesegnet ist Ägypten, mein Volk, und Assur, das Werk meiner Hände, und Israel, mein Erbbesitz.«[9]

Anstelle vieler Völker und eines Berges sehen wir hier einen Gott und viele Segnungen. Und da die Segnungen verschieden sind, vereinigen sich die Geschichten der drei Völker nicht zu einer einzigen Geschichte.

Der wiederholende Universalismus läßt sich stets in die Form eines allumfassenden Gesetzes kleiden. Beispielsweise können wir behaupten, Unterdrückung sei immer falsch, oder wir sollten moralisch und politisch auf den Schrei aller unterdrückten Völker reagieren (wie es von Gott gelegentlich berichtet wird), oder wir sollten jede Befreiung schätzen. Allerdings handelt es sich hier um allumfassende Gesetze besonderer Art: Zum einen werden sie aus der Erfahrung gelernt, aus einer historischen Begegnung mit dem Anderen – Israel, die Philister, die Aramäer. Und da sie nur auf solche Weise gelernt werden, verpflichten sie uns zweitens zum Respekt vor der Besonderheit: dazu, die unterschiedlichen Erfahrungen von Knechtschaft und Leid zu achten, die verschiedene Völker gemacht haben, deren Befreiung unterschiedliche Formen annimmt. Da sie schließlich drittens durch Unterschiede bestimmt werden, eignen sie sich weitaus weniger dazu, denjenigen Zuversicht einzuflößen, die ihre Gebote kennen. Es ist sogar jederzeit möglich, daß derartige allumfassende Gesetze zu geistigen und moralischen Folgen führen, die ihren mutmaßlichen Absichten geradezu widersprechen: Möglicherweise werden wir von der schieren Vielfältigkeit des menschlichen Lebens derart überwältigt, daß wir jeglichen Glauben an die Bedeutung unserer eigenen Geschichte für andere fallenlassen. Ist aber unsere Geschichte für sie bedeutungslos, so auch die ihrige für uns. Wir ziehen uns in die Innerlichkeit zurück und werden teilnahmslos. Die Anerkennung der Differenz mündet in Indifferenz. Obgleich wir die ägyptische Befreiung für wertvoll halten, sehen wir keinen Grund, sie zu befördern. Das ist das Geschäft Gottes oder die Angelegenheit der Ägypter. Wir sind nicht beteiligt; wir haben keine welthistorische Mission; wir sind – und sei es nur aus Unterlassung – Befürworter der Nicht-Einmischung. Freilich ist diese Einstellung nicht allein der Unterlassung geschuldet; denn der wiederholende Universalismus entspringt zum Teil einer bestimmten

Ansicht darüber, was es bedeutet, eine eigene Geschichte zu haben. Daher darf sich die Nicht-Einmischung auch auf ein positives Fundament berufen; der diesem zweiten Universalismus angemessenste Geistes- und Gefühlszustand ist eine Haltung der Toleranz und der gegenseitigen Achtung.[10]

II

Angesichts der »Bürde« des monotheistischen Glaubens vermochte der wiederholende Universalismus nie mehr als eine Möglichkeit innerhalb des Judentums zu sein. Wenn wir uns Gott aber als aktiv in die Geschichte eingreifend und in der Welt engagiert vorstellen, dann ist dies eine recht kraftvolle Möglichkeit. Es gibt keinen Grund, einen solchen Gott – der überdies allmächtig und allgegenwärtig ist – auf die jüdische Geschichte oder gar die jüdische Version der Weltgeschichte zu beschränken. Legt nicht alles Zeugnis ab von der Stärke seiner Hand? Und ist er nicht allen Nationen gegenüber unparteiisch? Betrachten wir etwa diese Zeilen aus Jeremia (wieder ist es Gott, der spricht):

> »Bald drohe ich einem Volk oder einem Reich, es auszureißen, niederzureißen und zu vernichten. Kehrt aber das Volk, dem ich gedroht habe, um von seinem bösen Tun, so reut mich das Unheil, das ich ihm zugedacht hatte. Bald sage ich einem Volk oder Reich zu, es aufzubauen oder einzupflanzen. Tut es aber dann, was mir mißfällt, und hört es nicht auf meine Stimme, so reut mich das Gute, das ich ihm zugesagt habe.«[11]

Fraglos bezieht sich dies auf alle Nationen, obwohl jede für sich betrachtet wird, ihr eigenes »bald« hat. Wir könnten vermuten, daß Gott alle nach demselben Maßstab beurteilt; der Ausdruck »was mir mißfällt« beziehe sich stets auf dasselbe Bündel verwerflicher Handlungen. Dies ist jedoch nicht zwangsläufig der Fall. Schlösse Gott mit jedem Volk einen gesonderten Bund oder segnete er jedes Volk auf eine andere Weise, dann wäre die Annahme sinnvoll, daß er ein jedes Volk an seinem eigenen Maßstab mißt. Jedes Volk hat seine eigene Menge verwerflicher Handlungen, obwohl sich diese verschiedenen Mengen gewiß überschneiden werden. Oder aber: Auch wenn es nur eine Menge von verwerflichen Taten geben sollte (als Ergebnis dieser Überschneidung: Mord, Verrat, Unterdrückung usw.), könnte es immer noch der Fall sein, daß das Gute in vielfältigen Mengen hervorgebracht wird. Denn (und darauf werde ich in meiner zweiten Vorlesung noch zurückkommen) das Gute ist nicht einfach das Gegenteil des Bösen. Weil es verschiedene Mengen, verschiedene Arten von Gütern gibt, muß es auch vielfältige Segnungen geben. Nach beiden Ansichten ist Gott selbst ein wiederholender Universalist: Er beherrscht und begrenzt die Vielfalt der Menschheit – aber er hebt sie nicht auf.

Gleichwohl läßt sich behaupten, dieser zweite Universalismus griffe dann am besten, wenn wir uns mit dem Gedanken vertraut machen, daß die Gottheit selbst verschieden und vielgestaltig ist. Hinweise auf eine solche Überlegung finden sich kaum in der jüdischen Bibel, obwohl der Prophet Micha diesem Gedanken in den folgenden Versen nahekommt (der erste dieser beiden Verse wird häufiger zitiert als der zweite): »Jeder kann sitzen unter seinem Weinstock und seinem Feigenbaum, ohne daß jemand ihn aufschreckt. […] Denn von allen Völkern wandelt ein jedes im Namen seines Gottes; wir aber wandeln im Namen des Herrn, unseres Gottes, für immer und ewig.«[12] Gewöhnlich wird der zweite Vers als Überbleibsel eines älteren Glaubens gedeutet, dem zufolge jedes Volk seinen eigenen Gott hat und der Gott Israels nur einer unter vielen Göttern ist. Diese Auffassung erklärt indes nicht, warum der Vers überdauert hat. Warum haben spätere Herausgeber den zweiten Vers stehengelassen und weiter tradiert? Wie dem auch sei, die beiden Verse gehören zusammen. Sie weisen eine parallele Form auf und werden durch die Konjunktion »denn« (hebräisch: *ki*) miteinander verbunden, so als sei das glückliche, im ersten Vers beschriebene »Sitzen« eine Folge des im zweiten Vers angesprochenen »Wandelns«. Vielleicht wollte Micha genau das sagen; gewiß aber wird der wiederholende Universalismus am häufigsten mit dem Argument verteidigt, die von ihm eingeflößte Toleranz führe zum Frieden. Wie viele von uns werden noch ruhig unter ihren Weinstöcken und Feigenbäumen sitzen, wenn die Vertreter des ersten Universalismus erst einmal ans Werk gegangen sind und dafür sorgen, daß jeder vom allumfassenden Gesetz ordentlich erfaßt wird?

Vielleicht kann der Pluralismus unter den Weinstöcken und Feigenbäumen auf einen Pluralismus im Himmel über uns verzichten und lediglich eine Pluralität der göttlichen Namen hier auf Erden fordern: »Denn von allen Völkern wandelt ein jedes im Namen seines Gottes.« Diese Pluralität ist im Prinzip mit dem einen, allmächtigen Gott Israels vereinbar, der Männer und Frauen nach seinem Ebenbilde, mithin als schöpferische Männer und Frauen, schafft. Denn dann muß sich Gott auf irgendeine Weise auch mit ihrer Pluralität und Kreativität anfreunden.[13] Die Künstler unter ihnen werden nicht alle dasselbe Bild malen, die Dramatiker nicht dasselbe Theaterstück schreiben, die Philosophen nicht dieselbe Auffassung vom Guten vertreten und die Theologen Gott nicht beim selben Namen rufen. Was den Menschen gemeinsam ist, ist eben diese schöpferische Kraft, und sie ist nicht die Kraft, dasselbe auf die gleiche Weise zu tun, sondern die Kraft, viele verschiedene Dinge auf verschiedene Weisen zu tun: Sie ist die (schwach) widergespiegelte, verteilte und partikularisierte Allmacht Gottes. Dies ist zugegebenermaßen keine übliche Version der Schöpfungsgeschichte, aber eine mögliche Variante, die die Lehre des wiederholenden Universalismus unterstützt.[14]

III

Wie immer es auch um die göttliche Kreativität bestellt sein mag, die Werte und Vorzüge der menschlichen Kreativität lassen sich am besten im Sinne der Wiederholung begreifen. Unabhängigkeit, innere Inspiration, Individualismus, Selbstbestimmung, Selbstregierung, Freiheit, Autonomie: sie alle können als universale Werte gelten, während sie gleichzeitig partikularistische Implikationen haben. (Dasselbe gilt, allerdings mit einem noch stärker partikularistischen Einschlag, für die Haupttugenden der Romantik: Originalität, Authentizität, Nonkonformismus usw.) Wir können uns gewiß ohne weiteres ein allumfassendes Gesetz vorstellen, das etwa besagt: »Selbstbestimmung ist das Recht jedes Volkes/jeder Nation«. Nur wird sich dieses Gesetz schnell erschöpft haben, da es unfähig ist, seine eigenen inhaltlichen Ergebnisse näher zu bestimmen. Schließlich schätzen wir die Ergebnisse nur insofern, als sie selbstbestimmt sind, und die Bestimmung ändert sich mit dem jeweiligen »Selbst«. Wiederholte Akte von Selbstbestimmung erzeugen eine Welt der Differenz. Natürlich können neue allumfassende Gesetze in Kraft treten, wenn die Erzeugung fortschreitet. Indes ist schwer vorstellbar, welcher Wert der Selbstbestimmung noch zukäme, falls sie vom Gesetz vollständig »abgedeckt«[15] und in jeder Einzelheit geregelt wäre. Wenn Moses (wiederum für Gott sprechend) zu den Israeliten sagt: »Vorgelegt habe ich dir Leben und Tod [...] wähle also das Leben, damit du lebst, du und

deine Nachkommen!«, so mögen wir darin in gewissem Sinne
eine freie Entscheidung sehen, nur ist das so gewählte Leben
gewiß nicht selbstbestimmt. [16] Beobachten wir demgegenüber,
wie die Juden später über die Auslegung der göttlichen Gesetze streiten und sich dadurch eine *Lebensform* schaffen,
dann wird uns klar, was zurecht als Prozeß der Selbstbestimmung bezeichnet werden darf.

Selbstbestimmung ist ein Wert, den ich, sofern ich ihn überhaupt verteidige, auch dann verteidigen muß, wenn ich glaube, daß häufig verabscheuungswürdige oder unrechte Entscheidungen getroffen werden. (In einem speziellen Fall ist es
freilich erlaubt, sich der Selbstbestimmung zu widersetzen;
wenn die Entscheidungen des Handelnden eindeutig oder
nahezu eindeutig entscheidende wichtige Moralprinzipien
verletzen; nichtsdestoweniger würde ich mich weiterhin zu
den Verteidigern der Selbstbestimmung zählen.) Menschen
müssen für sich selbst entscheiden, jedes Volk für sich. Deshalb bestimmen wir unsere Lebensform, und sie die ihre, und
sie, und sie usw. ... Jede Bestimmung wird in wichtigen Hinsichten von den vorausgegangenen und gleichzeitig getroffe-
nen Entscheidungen abweichen. Es steht uns natürlich frei,
unser Werk wechselseitig zu kritisieren und darauf zu dringen,
daß es dem unsrigen ähnlicher wird, solange aber weder unser
Leben noch unsere Freiheit (oder diejenige anderer unschuldi-
ger Männer und Frauen) verletzt oder bedroht werden, dürfen
wir nicht gewaltsam einschreiten. Wir können nicht in die Rolle der Polizei schlüpfen und dem Gesetz Geltung verschaffen,
denn (abgesehen von ernsthaften Verletzungen) läuft das Gesetz leer, bevor es durchsetzbar ist. Allumfassende Gesetze
oder ein Bündel von Gesetzen, die eine hinreichend vollständige Vorlage für unsere Arbeit oder die ihrige liefern, existieren einfach nicht. Ebensowenig trifft es zu, daß die Gesetze,
auf die sich ein Volk geeinigt hat, alle anderen »umfassen«,
wodurch eine substantielle Nachahmung an die Stelle proze-

duraler Wiederholung treten könnte. Solange die Werte und Vorzüge der Autonomie wirkliche Werte und Vorzüge für uns sind, ist eine Ersetzung dieser Art völlig undenkbar.

Dieses Argument gilt für Individuen ebenso wie für das Volk/die Nation. Sofern wir Autonomie wertschätzen, werden wir uns wünschen wollen, daß die einzelnen Männer und Frauen ihr eigenes Leben führen. Ist hingegen jedes einzelne Leben von einem einzigen Bündel allumfassender Gesetze eingeschlossen, dann hat die Vorstellung von »Eigenheit« keinen Anwendungsbereich mehr. Individuelle Autonomie kann beschränkt werden und wird zweifellos in verschiedensten Hinsichten eingeschränkt, daraus folgt indes nicht, daß sie vollständig kontrolliert wird und kontrolliert werden kann. Wir können auf ganz unterschiedliche Weise ein eigenes Leben »haben«. Oft meinen wir, ein solches Leben müsse erst gemacht werden, bevor es sich »haben« läßt. In unseren Augen ist ein individuelles Leben ein Projekt, eine Laufbahn, ein Unterfangen, etwas, das wir planen und dann nach Plan durchführen. Darin schlägt sich aber allein unser (kollektives) Verständnis von Individualität nieder, es dringt nicht bis zum Ding-an-sich vor. Es bezeichnet nicht die einzig legitime und authentische Weise, ein Individuum zu sein. Tatsächlich ist es durchaus möglich, ein Leben zu erben und es immer noch als sein eigenes zu besitzen. Auch ist es möglich, ein Leben zu finden, buchstäblich ohne irgendeine Vorerwägung darauf zu stoßen. Jede Auffassung von Autonomie muß nicht nur Raum für verschiedene Selbstbestimmungen lassen, sondern auch für verschiedene Arten, sich selbst zu besitzen.

Dem wiederholenden Universalismus geht es nicht nur um die vielfältigen Formen des Selbstseins. Auch in den Werten und Tugenden der Bindung sollten wir am besten Wiederholungen sehen. Liebe, Loyalität, Treue, Freundschaft, Hingabe, Engagement, Patriotismus – jede davon oder alle lassen sich zwar universal vorschreiben, nur bleibt das Gebot notwendigerweise abstrakt, da es nicht die inhaltliche Erfahrung bestimmt. »Liebe deinen Nächsten« ist ein bekanntes allumfassendes Gesetz, dennoch ist jede besondere Liebesbeziehung, die es einschließt, einzigartig. Dasselbe gilt für Gruppenbindungen, einschließlich jener, die die Familie, die Primärgruppe, bildet. Tolstoi behauptete zu Unrecht, daß »alle glücklichen Familien einander ähneln«.[17] Meines Erachtens nach haben Romanschriftsteller gute und hinreichende Gründe, sich vor allem dem familiären Unglück zuzuwenden. Sollten glückliche Familien so beschaffen sein, daß ihre Mitglieder – unter anderem – einander zugeneigt sind, dann dürften die Zuneigungen mit Sicherheit komplex und unterschiedlich sein, und sie werden sowohl innerhalb der Familien als auch zwischen ihnen variieren. Erst recht wird das auf einen interkulturellen Vergleich zutreffen, da in den jeweiligen Kulturen unterschiedliche Auffassungen über das Wesen familiärer Bindungen herrschen. Wie Liebende oder Familienmitglieder einander behandeln sollen, läßt sich zwar auf sehr allgemeine Weise bestimmen, doch werden wir so weder die Eigenart noch den Wert der Beziehung erfassen.

Jeder Liebende muß für sich allein lieben. Es muß *seine eigene* Liebe sein, nicht irgendeine universale Liebe, die er der anderen Person entgegenbringt. Gewiß ist uns aus dem Christentum die These vertraut, die einzige Liebe, die wir andern entgegenbringen könnten, sei die überfließende Liebe, mit der Gott uns liebt.[18] Aber meiner Ansicht nach beruht die Behauptung, Gottes Liebe sei immer gleich, auf einer Fehlinterpretation des christlichen und sicherlich des jüdischen Gottes, auf einer irrigen Auffassung von der Bedeutung seiner Allmacht. Sinnvoller wäre die Annahme, die göttliche Liebe sei, wenn sie sich auf einen bestimmten Menschen richtet, stets differenziert – anderenfalls wäre sie keine Liebe *für mich* (oder dich). Und selbst wenn Gottes Liebe nicht auf diese Weise differenziert wäre, so ist es doch zweifellos die menschliche

Liebe. Sobald sie sich anderen mitteilt, nimmt sie verschiedene Formen von Intensität an, wird in unterschiedlicher Weise ausgedrückt und zeitigt unterschiedliche emotionale und moralische Folgen. Manchmal sind die Unterschiede persönlicher, manchmal kultureller Art, in jedem Fall aber sind sie für die Erfahrung von Liebe entscheidend. Wir erkennen die Liebe an ihren Unterschieden und würden sie, folgte sie starr den Konventionen und unterwürfe sie sich der Regel eines allumfassenden Gesetzes, nicht als solche anerkennen.

Ebenso erkennen wir den Patriotismus oder die Liebe für sein Land an ihren Unterschieden: wie könnten wir denn das eigene Land lieben, wenn es von allen anderen Ländern ununterscheidbar wäre? Unterschiedliche Länder erfordern unterschiedliche Arten und Grade von Loyalität, die den Bindungen entspringen, durch die das »Selbst« in dem Ausdruck »nationale Selbstbestimmung« konstituiert ist. Und so wie die Bestimmungen in Abhängigkeit vom jeweiligen »Selbst« variieren, so ist auch das betreffende nationale »Selbst« nach Art seiner Bindung ein je anderes. Im politischen Leben bringen die Werte der Autonomie und Loyalität gemeinsam Vielfalt hervor, sie schaffen Männer und Frauen, die auf unterschiedliche Weise miteinander verbunden sind, deren wechselseitige Bindungen unterschiedlich ausgedrückt, verwirklicht und zelebriert werden. Sollen Menschen ihr Land lieben, dann muß es, wie Edmund Burke schrieb, liebenswürdig sein.[19] Es ist nicht ausgeschlossen, daß wir einige minimale, von allen anerkannte Maßstäbe für Liebenswürdigkeit (oder, was wahrscheinlicher ist, einige weitgehend anerkannte, weil häufig erfahrene Formen von Häßlichkeit) entdecken. In der Hauptsache aber ist das, was liebenswürdig ist, durch den Blick des Betrachters bestimmt, denn es gibt keine universale Ästhetik für Länder.

Gibt es eine universale Ethik? Gerechtigkeit bildet ohne Zweifel die Spitze der Werte und Tugenden, auf die sich die

Theorie vom allumfassenden Gesetz beruft. »Vielmehr flute wie Wasser das Recht, Gerechtigkeit wie ein mächtiger Strom«, spricht Amos.[20] Die Geographie der Ethik, so wie sie gewöhnlich verstanden wird, weiß nur von einem mächtigen Strom, einem Nil oder Mississippi, der sich über die ganze Welt ergießt und sie fruchtbar macht. Sie erkennt nur *eine* gerechte Gesellschaftsordnung an, und alle negativen Gebote der Theorie des Rechts – die Verbote zu töten, zu foltern, zu unterdrücken, zu lügen, zu betrügen usw. – warten förmlich darauf, als allumfassende Gesetze formuliert zu werden: als allgemeines und absolutes »du sollst nicht!«. In gleicher Weise muß jegliche Ausnahme von solchen Gesetzen für jeden, überall auf der Welt, eine Ausnahme darstellen, wie etwa in dem üblicherweise angeführten Beispiel des Tötens aus Notwehr.

Anscheinend ist Gerechtigkeit aus demselben Grund, aus dem Autonomie und Bindung wiederholend sind, ihrem Wesen nach universal: aufgrund der Anerkennung und der Achtung vor den handelnden Menschen, die sich eine moralische Welt schaffen und dank dieser Kreativität ein eigenes Leben und eigene Länder erwerben. Während sich ihre Schöpfungen stark voneinander unterscheiden und immer besonders sind, gibt es in ihrer Kreativität doch etwas zugleich Einzigartiges und Universales, nämlich die pure Fähigkeit zum Handeln. Wie ich bereits andeutete, wird diese Gemeinsamkeit durch die Behauptung erfaßt, alle handelnden Menschen seien nach dem Ebenbilde eines Schöpfergottes geschaffen worden. Gerechtigkeit ist der Tribut, den wir für diese nackte Tatsache und unsere göttliche Ebenbildlichkeit zu entrichten gelernt haben. Die Prinzipien und Regeln der Gerechtigkeit sind über Jahrhunderte entwickelt worden, um die handelnden Menschen zu schützen und sie für ihre schöpferischen (wiederholenden) Aufgaben freizusetzen: Gerechtigkeit ist ein Bündel von Prinzipien für eine Menge von Handelnden.

1. Vorlesung

Aber darin liegt auch ein Problem. Ohne Zweifel läßt sich eine Theorie der Gerechtigkeit auf die Vorstellung von handelnden Wesen gründen. Gehen wir jedoch von der gleichen Achtung vor den Handelnden aus (und alle Männer und Frauen sind gleichermaßen Handelnde), dann können wir vermutlich erst dann einen Schlußstrich ziehen, wenn uns eine vollständig ausgearbeitete Beschreibung einer gerechten Gesellschaft vorliegt. Sobald wir uns aber die entwickelte Beschreibung ansehen, gewinnen wir den Eindruck, daß aus dem menschlichen Handlungsvermögen zu viel gefolgert wurde: Je mehr wir daraus machen, um so weniger bleibt für das Handlungsvermögen selbst zu tun übrig. Welchen Grund hätten wir, das menschliche Handlungsvermögen zu schätzen, wenn wir nicht bereit sind, ihm Raum zum Manövrieren und Erfinden zu lassen?

Wenn wir in der Gerechtigkeit eine auf unterschiedliche Weise geschaffene gesellschaftliche Erfindung sehen, wenn Gerechtigkeit für uns ein weiteres Produkt menschlicher Kreativität ist, warum sollten wir dann ihre Erzeugung anders beurteilen als die praktische Ausarbeitung von Autonomie und Bindung? Auf welcher Grundlage dürfen wir dann eine einzige und universale Gerechtigkeit erwarten? Wäre das nicht so, als wollten wir die Vielheit der Dramatiker schützen, und gleichzeitig fordern, sie sollten alle das gleiche Stück schreiben? Aber verdienen nicht alle Dramatiker denselben Schutz – selbstverständlich nicht vor einem unfreundlichen Publikum oder schlechten Kritiken, wohl aber vor Zensur und Verfolgung? Wo sollen wir die Grenze zwischen der Moral der allumfassenden Gesetze und der wiederholenden Moral ziehen?

IV

Ich möchte nun betrachten, wie Stuart Hampshire, ein zeitgenössischer Philosoph, in seinem Essay »Morality and Convention« versucht hat, diese kritische Grenze zu ziehen.[21] Hampshires Argumentation ist deshalb besonders aufschlußreich, weil er für die Ansprüche partikularer, in »lokalen Erinnerungen und Bindungen« wurzelnden Lebensformen ebenso sensibel ist wie für die Ansprüche einer universalen Moral, »die einem gemeinsamen Menschsein und einer ganz allgemeinen Norm von Billigkeit entspringt«. Die erste Gruppe von Ansprüchen ist seiner Ansicht nach in denjenigen Bereichen der Moral von größtem Gewicht, die sich um »die Verbote und Vorschriften drehen, welche die Sexualmoral, die familiären Beziehungen und die Pflichten der Freundschaft anleiten«.[22] »Anleiten« ist hier eines der Verben, die sich auf das Besondere beziehen: Zumindest in diesen Bereichen dürfen wir unsere eigenen Verbote und Vorschriften bestimmen. Die zweite Gruppe von Ansprüchen hat ihren angemessenen Ort in den Prinzipien des Richtigen und den Regeln der Verteilung. »Prinzipien« und »Regeln« sind Substantive mit umfassender Reichweite: Ihr Inhalt wird von einer Vernunft geliefert, die niemandem im besonderen eigen ist.

Autonomie und Bindung werden hier auf eine Weise von der Gerechtigkeit abgegrenzt, die sich säuberlich in die Unterscheidung zwischen einem wiederholenden Universalismus und einem Universalismus des allumfassenden Gesetzes einzufügen scheint. Im Hinblick auf Verwandtschaft und Freundschaft erkennt Hampshire eine »Erlaubnis, Unterschiede zuzulassen«, an. In Verteilungsfragen besteht er demgegenüber auf einer »Forderung nach Konvergenz«. Seine »Erlaubnis« läßt viele verschiedene Geschichten zu; seine »Forderung« verweist auf einen ständigen (und vertrauten

Druck) zur Einheitlichkeit.[23] Die Werte und Vorzüge von
Autonomie und Bindung sind eine Sache der Sitte, des Gefühls und der Gewohnheit. Es gibt keinen Grund, warum sie
in verschiedenen Gesellschaften gleich sein sollten (daher ist
die »Erlaubnis« ihrerseits universal). Die Werte und Vorzüge
der Gerechtigkeit sind hingegen eine Sache der rationalen
Begründung. Im Prinzip sollten sie überall ähnlich, wenn
nicht identisch sein.

Es fällt freilich nicht leicht, dieser Unterscheidung eine
praktische Bedeutung zu unterlegen. Betrachten wir kurz die
Frage der familiären Beziehungen, d. h. des Verwandtschafts-
systems. In den meisten von Anthropologen untersuchten
Gesellschaften (und in einem gewissen Grade auch noch in
unserer eigenen Gesellschaft) sind die Verwandtschaftsregeln
zugleich Verteilungsregeln. Sie bestimmen, wer mit wem lebt,
wer mit wem schläft, wer wem Ehrerbietung schuldet, wer
über wen Macht hat, wer wem eine Mitgift gibt und wer von
wem erbt. Nach der Bestimmung all dieser Dinge bleibt freilich nicht mehr viel Raum für die Durchsetzung rationaler
und universaler Verteilungsgesetze. Nun geraten die Erlaubnis, Unterschiede zuzulassen, und die Forderung nach Konvergenz unverhüllt miteinander in Konflikt, denn beide scheinen über denselben Bereich zu herrschen.

Hampshire versucht diesen Konflikt mit dem Vorschlag
aufzulösen, Gerechtigkeit stelle eine Art negativer Einschränkung für Autonomie und Bindung dar. Er schreibt, die Rationalität verlange, daß »die Regeln und Konventionen [in
diesem Fall diejenigen der Sexualmoral] nicht Ursache offen-
sichtlichen und vermeidbaren Unglücks sein oder gegen ak-
zeptierte Prinzipien der Fairness verstoßen sollten«. Kulturelle Vielfalt soll mithin nur innerhalb der Grenzen der Vernunft
(oder des Common sense: was heißt denn »akzeptiert«?) gelten, und der Vorschlag erscheint, je nachdem wie eng die
Grenzen gezogen werden, mehr oder weniger attraktiv. Für

Hampshire ist die Vielfalt der natürlichen Sprachen mit ihren völlig unterschiedlichen und scheinbar willkürlichen Grammatiken und »Regeln der Richtigkeit« ein Modell für die kulturelle Vielfalt, während die »vermutete Tiefenstruktur aller Sprachen« ein Modell für die rationalen Grenzen darstellt.[24]

Diese linguistische Analogie stellt uns allerdings eher vor ein Rätsel als vor eine Erklärung. Zwar konstituiert die Tiefenstruktur, die sich tatsächlich in allen natürlichen Sprachen wiederholt, die unterschiedlichen Grammatiken, aber sie reguliert sie nicht. Sollten wir jemals auf eine Sprache mit alternativer Tiefenstruktur stoßen, so müßten wir die Universalitäts-Annahme fallenlassen: Wir würden nicht darangehen, die abweichende Sprache zu »verbessern«. Demgegenüber sind die allumfassenden Gesetze in der Moral – beispielsweise die »akzeptierten Prinzipien« der Gerechtigkeit – ihrem Charakter nach gerade regulativ. Würde Hampshire eine Moral ohne solche Prinzipien finden, würde er sie vermutlich kritisieren und verbessern wollen.

Es ist durchaus möglich, daß unsere wiederholten Moralen und Lebensformen eine gemeinsame Tiefenstruktur aufweisen. Wichtiger aber ist für uns die Frage, ob sie einen gemeinsamen Inhalt haben. Gibt es tatsächlich ein einziges Bündel von Prinzipien, das irgendwo im Kern jeder Moral enthalten ist und jede Entfaltung von Autonomie und Bindung reguliert? Wird sie so formuliert, dann provoziert die Frage eine verneinende Antwort: Wir müssen dazu lediglich einen Blick in die anthropologische Literatur werfen. Wiederholung sorgt für Differenz. Dennoch werden wir eine sich überschneidende Vielheit von Bündeln entdecken, die alle eine gewisse Familienähnlichkeit zu den anderen aufweisen. Infolgedessen werden wir in ihnen (allen) Prinzipien der Gerechtigkeit erkennen, und die Interaktionen von Staaten und Völkern mögen uns sehr wohl dazu veranlassen, sie so zu interpretieren, daß dadurch ihre gemeinsamen Züge noch deutlicher hervortreten. Unsere Interpretationen können freilich nicht mehr leisten, als die *differenzierten Gemeinsamkeiten* der Gerechtigkeit anzudeuten, denn diese gemeinsamen Merkmale sind immer Teil eines bestimmten kulturellen Systems und auf sehr spezifische Weise entwickelt. Wir abstrahieren von den Unterschieden, um zu einem universalen Code zu gelangen, der in etwa H. L. A. Harts »minimalem Naturrecht« gleicht.[25] Aber eine einzige richtige Niederschrift des Codes ist ebenso undenkbar wie ein einziges Bündel positiver Gesetze, die das Naturrecht ein für allemal richtig fassen. Jede Festlegung ist zugleich eine Interpretation, die (sagen wir) philosophisch befrachtet ist; und vermutlich wird sie darüber hinaus noch die kulturelle Last der Sprache tragen, in der sie verfaßt ist.

Wie dem auch sei, in dem Maße, wie die Welt kleiner wird, läßt sich dieselbe Suche nach Gemeinsamkeit und dieselbe Abstraktion auch in den Bereichen Sexualität und Verwandtschaft durchführen. Sollte daher der abstrahierte Code der gesellschaftlichen Praxis Grenzen setzen, dann gilt dies für das gesamte Spektrum des moralischen Lebens und nicht nur für die Gerechtigkeit. Auch eine Differenzierung läßt sich dann für das gesamte Spektrum vornehmen: nirgendwo stoßen wir auf eine klare Abtrennung der Bereiche, auf einen gesonderten gesellschaftlichen Raum, in dem der Universalismus des allumfassenden Gesetzes eine beherrschende Rolle spielte. Sobald wir die kritische Trennlinie ziehen wollen, befindet sich auf der anderen Seite nichts mehr: Entweder umfassen die »allumfassenden Gesetze« wirklich alles – oder anders gesagt: Für den »wiederholenden Universalismus« der Partikularitäten bleiben nur noch Trivialitäten übrig (jedes Volk hat seine eigenen Volkstänze) – oder aber alles wird wiederholt und im Laufe der Wiederholung (teilweise) differenziert; und das gilt dann auch für die Gerechtigkeit.[26]

V

Der wiederholende Universalismus ist freilich immer noch eine Form des Universalismus. Ich habe bereits angedeutet, wie er zur Formulierung von »allumfassenden Gesetzen« einlädt: die Berechtigung zur Wiederholung ist (wie Hampshires »Erlaubis, Unterschiede zuzulassen«) selbst universal. Damit will ich nicht sagen, daß eine derartige Berechtigung tatsächlich jeder wiederholten Bemühung vorausgeht – obgleich dies, falls wir die Berechtigung für göttlichen Ursprungs halten, durchaus denkbar wäre. Ich meine lediglich, daß jeder Anspruch, eine Moral zu schaffen, jeder Anspruch, eine Lebensform zu gestalten, die nachfolgenden Ansprüche rechtfertigt. Und die Erfahrung der Wiederholung macht es für Menschen zumindest möglich, die Vielfalt der Ansprüche anzuerkennen. So wie wir in der Lage sind, eine bestimmte Geschichte als unsere eigene und eine andere Geschichte als diejenige anderer Leute zu erkennen, beide aber als menschliche Geschichten, so besitzen wir auch die Fähigkeit, eine bestimmte Auffassung von Autonomie und Bindung als unsere eigene und eine andere Auffassung als diejenige anderer Menschen zu begreifen, beide aber als moralische Auffassungen anzuerkennen. Wir können uns die Familienähnlichkeiten vor Augen führen und zugleich den besonderen Charakter der einzelnen Familienmitglieder anerkennen. Diese Anerkennung ist additiv und induktiv (wie ich oben bereits andeutete); und so ist ein externer Standpunkt oder ein universaler Blickwinkel (von dem aus wir unmittelbar zu einem allumfassenden Gesetz springen könnten) überflüssig. Wir stehen da, wo wir stehen, und wir lernen aus unseren Begegnungen mit anderen Menschen. Was wir lernen, ist, daß wir keine besondere Stellung haben: Die von uns erhobenen Ansprüche werden auch von ihnen geltend gemacht, von den Kindern Israels und den Kindern der Äthiopier. Aber es ist selbst eine moralische Handlung, Anderssein auf diese Weise anzuerkennen. Wenn die Wiederholung, wie ich glaube, eine wahre Geschichte erzählt, dann bringt sie in ihrer Erzählung eben jene Art von moralischer Grenzziehung mit sich, von der es für gewöhnlich heißt, sie stamme allein aus dem Universalismus der allumfassenden Gesetze.

Darüber hinaus ist die Wiederholung auch hinsichtlich ihrer Anlässe universal. Wir schaffen unsere eigene Moral, doch nicht willkürlich oder auf beliebige Weise. Die autonomen und eingebundenen Akteure sind Personen einer bestimmten Art, d. h. moralisch schöpferische Menschen, und die von ihnen geschaffene Moral muß sich ihren Erfahrungen einfügen.[27] Erfahrungen, die zur Schaffung einer Moral führen, hängen häufig mit Herrschaft und Knechtschaft, d. h. mit Unterdrückung, Schutzlosigkeit, Furcht und ganz allgemein mit der Ausübung von Macht zusammen. Derartige Erfahrungen erfordern, daß wir unsere Ansprüche voreinander rechtfertigen und uns gegenseitig um Hilfe bitten. Auf diese Anforderung reagieren wir schöpferisch, was soviel heiß wie auf unterschiedliche Weise, aber vermutlich zumeist mit der unangebrachten Zuversicht, unsere Antwort sei die einzig legitime. Die Geschichte hat uns indes häufig genug gezeigt, daß es ein großes Spektrum möglicher und eine bedeutende Anzahl faktischer Antworten gibt, die zumindest in dem Sinne legitim sind, daß sie zu den Erfahrungen passen, also den Erfordernissen ihrer Anlässe entsprechen.

Diesen Erfordernissen kann unangemessen oder unaufrichtig begegnet werden, doch ist es kaum denkbar, sie ganz und gar zu verfehlen. Eine weitverbreitete und oft zutreffende Kritik an den existierenden Moralen besagt beispielsweise, sie würden die Tatsache der Unterdrückung verschleiern und damit den Interessen der Unterdrücker dienen. Keine von Menschen geschaffene Moral kann jedoch, angesichts menschlicher Erfahrung, ausschließlich den Interessen der Unterdrücker dienen. Denn man kann keinem menschlichen Partikularinteresse dienen, ohne damit zugleich den Weg für eine weitergefaßte Indienstnahme freizumachen. Betrachten wir erneut die Exodus-Geschichte, deren offenkundiger Ausgangspunkt Israels Bewußtsein von seiner Unterdrükkung war. »Und die Kinder Israels stöhnten noch unter der Knechtschaft; und sie schrieen auf. Ihr Hilferuf ob ihrer Knechtschaft stieg empor zu Gott.«[28] Die Knechtschaft war der Grund für ihren Aufschrei; und das läßt vermuten, daß es bereits ein irgendwie vorgegebenes Verständnis davon gab, was ein freies menschliches Leben ist oder sein könnte. Wie auch immer ein solches Leben gesellschaftlich bestimmt und zugewiesen wird – ist der Anspruch darauf einmal formuliert, dann kann er von jedem erhoben werden. So können wir sicher sein, daß die Philister und die Aramäer ähnliche (wenn auch nicht identische) Ansprüche erhoben haben: Auch sie »schrien auf« – obwohl ihre Hilferufe sowohl andere Anlässe hatten als auch in einer anderen Sprache formuliert wurden als die Klagen der Israeliten. Das Entwickeln einer Moral umfaßt diese Hilferufe und ermöglicht sie zugleich – indem sie (früher oder später) Gerechtigkeitsprinzipien bereitstellt, die den Schreien eine Bedeutung verleihen.

Jede Antwort auf einen moralischen Anlaß läßt sich vom Standpunkt anderer, früherer oder gleichzeitig erfolgter Antworten aus kritisieren. Wir können voneinander lernen, auch wenn die gelernte Lektion nicht genau dem entspricht, was der andere uns lehren wollte. Der Wert eines Geschenkes wird nicht vom Schenkenden festgelegt. Nichtsdestoweniger haben Geschenke einen Wert – eine Nation kann für eine andere ein »Licht« sein. Moralbildner (Gesetzgeber, Propheten, aber auch gewöhnliche Männer und Frauen) sind wie Künstler oder Schriftsteller, die stilistische Elemente anderer Künstler aufgreifen oder sogar ihre Fabeln übernehmen, freilich nicht, um sie nachzuahmen, sondern um das eigene Werk eindringlicher zu gestalten. So verbessern wir uns gegenseitig, ohne uns damit zum Selben zu machen; denn wir könnten einander nur identisch machen, wenn wir gleichzeitig unsere schöpferische Kraft leugneten oder unterdrückten. Aber Leugnung und Unterdrückung sind ihrerseits kreative (wenngleich pervertierte) Anwendungen dieser selben Kraft; und sie werden stets von anderen Anwendungen abgelöst.

Betrachten wir nun ein konkreteres Beispiel dafür, wie unterschiedlich unsere Reaktionen auf vergleichbare moralische Anlässe ausfallen. Zu meinem Ausgangspunkt wähle ich den derzeitig vielversprechendsten Anwärter auf den Status eines allumfassenden moralischen Gesetzes: das Prinzip, daß Menschen ein Recht auf gleiche Achtung und gleiche Anteilnahme haben.[29] Der maßgebende moralische Anlaß ist hier die Erfahrung von Demütigung oder Erniedrigung, von Eroberung, Sklaverei, Verbannung, Paria-Status. Einige der eroberten, versklavten, verbannten oder deklassierten Frauen und Männer werden gegen ihre Behandlung mit Berufung auf das Achtungsprinzip protestieren und sich auf Elemente der bestehenden Moral stützen. Da diese Reaktion unter verschiedenen Umständen und mit unterschiedlichen Elementen ständig wiederholt werden muß, ist auch die Vorstellung von Achtung selbst differenziert und formiert unter vielen Namen: Ehre, Würde, Wert, Stellung, Anerkennung, Wertschätzung usw. Mag sein, daß sie alle dieselbe Sache bezeichnen, wenn wir sie nur hinreichend abstrakt beschreiben: In der Praxis, im alltäglichen Leben aber bedeuten sie ganz unterschiedliche Dinge. Wie sollte es uns gelingen, jeden entsprechend all dieser Einstellungen zu behandeln? Auch bleibt unklar, ob wir trotz des allumfassenden Moralgesetzes fähig sind, jeden im gleichen Maße einer dieser Einstellungen gemäß zu behandeln. Das durch das allumfassende Gesetz formulierte Gebot setzt also jene Universalität bereits voraus, die es erst schaffen soll. Allein Gott vermag für alle Geschöpfe, die er nach seinem Bilde schuf, die gleiche Rücksicht und Achtung zu bezeugen. Damit sind besonders geformte Beziehungen zu individuellen Männern und Frauen nicht ausgeschlossen, wohl aber die Art von Günstlingswirtschaft, die der biblische Gott regelmäßig an den Tag legt; wenn er beispielsweise Abels Opfer dem Opfer Kains vorzieht. Die Tatsache, daß selbst Gott in unserer Vorstellung Günstlinge hat, verdeutlicht, daß wir uns nur mit Mühe ein anderes Verhalten unsererseits vorstellen können.

In der Praxis üben wir gleiche Rücksicht und Achtung nur, wenn unsere Rolle es von uns verlangt, und selbst dann nur hinsichtlich jener Bevölkerungsgruppe, durch die unsere Rolle definiert ist. Heute ergeht dieses Gebot vor allem an Staatsbeamte: in ihrem ganzen Umgang mit den Bürgern ihres Staates (doch nicht mit anderen) sollen sie diese Art von Gleichbehandlung vorbildhaft veranschaulichen. Die Bürger sind gewissermaßen ihre kollektiven Günstlinge, doch unter Bürgern ist jedwede Günstlingswirtschaft untersagt. Dann wird dasselbe Gebot für andere Beamte und andere Gruppen von Bürgern wiederholt. Das gültige allumfassende Gesetz lautet daher: Alle Beamten sollen ihre *Mit*bürger mit gleicher Achtung und Anteilnahme behandeln. Wiederum stoßen wir hier auf eines jener allumfassenden Gesetze, die sogleich Unterschiede hervorrufen. Denn weder wird dieselbe Vorstellung von Bürgergemeinschaft noch dieselbe Auffassung von Achtung universal geteilt, so daß das Individuum letztlich nur indirekt Gegenstand der Achtung ist. Weitaus unmittelbarer richtet sich die Achtung auf eine bestimmte Lebensform, auf die Kultur der Rücksicht und Achtung, die das Individuum mit seinen Mitbürgern teilt. Folglich hat das Gesetz diese Form: Menschen sollten so behandelt werden, wie sie ihren eigenen Vorstellungen gemäß behandelt werden wollen (oder, um jeder Arroganz und jedem Dünkel vorzugreifen und Leute mit Minderwertigkeitskomplexen oder dem, was Marxisten »falsches Bewußtsein« nennen, zu schützen, entsprechend den idealen Maßstäben ihrer eigenen Lebensform). Wir sollten den moralischen Gehalt dieser Regel keineswegs gering veranschlagen, aber vermutlich läßt sie sich besser nach dem Modell der Wiederholung als nach demjenigen des allumfassenden Gesetzes begreifen.

Wir achten die verschiedenen Ergebnisse der Regel insofern, als wir in ihnen Wiederholungen unserer eigenen moralischen Anstrengung erkennen, die wir aus ähnlichen Anlässen, jedoch unter anderen historischen Umständen und unter dem Einfluß anderer Meinungen über die Welt unternommen haben. Die verschiedenen Ergebnisse zu respektieren, schließt nicht jede kritische Einstellung zu ihnen aus; auch muß uns das nicht davon abhalten, die Meinungen, auf denen sie beruhen, in Frage zu stellen. Der gewöhnlichste Anlaß für eine Kritik ist indes der Widerspruch zwischen den praktischen Ergebnissen und ihrer begrifflichen Grundlage: Die Durchführungen halten nicht, was sie versprochen haben. Beispielsweise können wir eine besondere Rücksicht auf und Sorge um unsere Kinder ausdrücken und anerkennen, daß andere Elterngruppen dasselbe tun – unbeschadet der Tatsache, daß das konkrete Verhalten, in dem sich ihre Rücksicht und Sorge niederschlägt, auffällig von dem unsrigen abweicht. Und da wir wissen, was es heißt, Rücksicht und Sorge zum Ausdruck zu bringen, sind wir auch in der Lage, Fälle zu erkennen, in denen überhaupt keine echte Rücksicht und Sorge vorliegt, sondern Mißhandlung oder Vernachlässigung (oder keine gleiche Rücksicht, wohl aber Vetternwirtschaft und Diskriminierung). Ähnliches gilt für Staaten und Beamte: Situationen zu identifizieren, in denen entgegen allen Erklärungen die geforderte moralische Anstrengung nicht wirklich unternommen wird, fällt nicht besonders schwer. Man denke nur an das Verhalten der britischen Staatsdiener und die Lage der irischen Bauern in den Jahren 1845–49.[30] Allerdings ist damit nicht gesagt, daß die Anstrengung, falls sie unternommen wird, stets auf die gleiche Weise unternommen werden muß.

So sorge ich mich also in spezieller Weise um meine Kinder, meine Freunde, meine Genossen und meine Mitbürger – und Sie tun das ebenfalls. Der wiederholende Universalismus verlangt von uns, die Legitimität dieser wiederholten Akte moralischer Spezialisierung anzuerkennen. Ich mache einige Menschen zu besonderen Menschen, aber das heißt nur, daß sie für mich besonders sind; und ich kann *und sollte anerkennen*, daß für Sie andere Menschen eine besondere Bedeutung haben. Was wir dann für eine Einschränkung oder Partikularisierung von »allumfassenden« Moralgesetzen [*covering laws*] halten mögen, betrifft zwar alle Felder der Spezialisierung. Aber kein Moralgesetz »umfaßt« alle Bereiche oder deckt alle Felder ab. Umfassend sind nur die wechselseitige Anerkennung unserer Unterschiede – und dann unsere (unterschiedlichen) Versionen der in der Wiederholung erfahrenen Gemeinsamkeiten. Vielleicht gibt es ja eine allgemeine Regel, daß alle [sc. moralisch relevanten] Felder auch erfaßt werden müssen; wir sollten die Erfordernisse aller unserer moralischen Anlässe erfüllen. Wir müssen uns immer wieder erklären, wir müssen uns verteidigen, wir müssen unsere Beschwerden begründen und unsere Ansprüche rechtfertigen, wir müssen uns innerhalb der moralischen Welt ansiedeln und nach besten Kräften zu ihrem Aufbau und Umbau beitragen. Aber wir tun dies alles unter uns – an einem bestimmten Hier-und-Jetzt, mit Hilfe einer lokalen Gruppe von Begriffen und Werten. Damit ist nur noch einmal gesagt, daß die Wiederholung eine wahre Geschichte darstellt.

Der Universalismus der Wiederholung wirkt größtenteils innerhalb durch »wir und sie« gezogener Grenzen – er handelt von »unserer« Vernunft und »ihrer« Vernunft, nicht von der Vernunft als solcher. Er erfordert Achtung vor den anderen, die nicht weniger Bildner von Moral sind als wir selbst. Das heißt nicht, daß die von ihnen und die von uns geschaffenen Moralen den gleichen Wert (oder Unwert) haben. Es gibt keinen einheitlichen oder ewigen Wertmaßstab; denn auch die Maßstäbe werden beständig wiederholt. Aber zu jedem Zeitpunkt kann sich eine vorgegebene Moral im Verhältnis zu ihren Anlässen als unzulänglich erweisen; oder ihre Praxis erfüllt die eigenen Maßstäbe nicht; oder sie kann neu entwickelten oder nur erst schwach erkennbaren Alternativmaßstäben nicht genügen – denn die Wiederholung ist eine beständige und beständig umstrittene Tätigkeit. Die umfassendste Forderung der Moral, das Kernprinzip eines jeden Universalismus, muß darum lauten: Wir müssen einen Weg finden, diese streitbare Tätigkeit auszuüben und zugleich mit den anderen Akteuren in Frieden zu leben.

2. Vorlesung

EIN ZWEITER BLICK AUF DIE NATIONALE FRAGE

I

In dieser zweiten Vorlesung möchte ich versuchen, der in der ersten Vorlesung entwickelten These eine schwierige Aufgabe zuzumuten: Ich will nämlich die Konzeptionen vom Universalismus des allumfassenden Gesetzes und des wiederholenden Universalismus in einer Erörterung der nationalen Frage anwenden. Ich beginne damit, beide Formen noch einmal kurz zu skizzieren und verweile einen Augenblick bei der weniger vertrauten Idee des wiederholenden Universalismus.

Der »Universalismus des allumfassenden Gesetzes« steht für die übliche philosophische Bemühung, alle menschlichen Tätigkeiten, sämtliche gesellschaftlichen Einrichtungen und alle politischen Verfahrensweisen unter ein einziges Prinzipienbündel oder eine einheitliche Auffassung des Richtigen oder des Guten zu bringen. Im Gegensatz dazu reflektiert die Idee der Wiederholung die Einsicht, daß die Moral immer wieder neu erschaffen wird, weshalb ein einziges unveränderliches und allumfassendes Moralgesetz unmöglich ist. Die moralische Kreativität hat vielfältige Wirkungsfelder und ist ihren Ergebnissen nach differenziert – ohne sich jedoch völlig in Unterschiede aufzulösen. Es ist nicht etwa so, als hätten die Akteure und Subjekte all dieser Moralen überhaupt keine Gemeinsamkeit mehr. Tatsächlich können sie sich selbst und einander als Moralbildner anerkennen, und aus ebendieser Anerkennung folgt der minimalistische »Universalismus der Wiederholung«.

2. Vorlesung

Eine grobe Analogie mag meine These veranschaulichen. Stellen Sie sich hundert Architekten vor, die zu verschiedenen Zeiten und an verschiedenen Orten leben und alle damit beschäftigt sind, Pläne für die gleiche Art von Gebäuden zu entwerfen, etwa für ein Wohnhaus, einen Tempel oder eine Schule. Sie geben ihr Bestes, um ein gelungenes Gebäude zu errichten, und dieses Ziel teilen sie mit den Schöpfern der Moral. Dennoch versuchen sie nicht, dasselbe Gebäude zu entwerfen, das *eine* vollkommene Gebäude, das, sollte es einem von ihnen gelingen, alle zukünftigen Entwürfe überflüssig machte (wir würden einfach das eine Gebäude immer wieder nachbauen). Im Prinzip können alle ihre Gebäude gelungen sein und sich dennoch radikal voneinander unterscheiden. Denn obwohl ihre Bemühungen einen ähnlichen Anlaß haben – das Bedürfnis nach einem Raum zum Leben, zum Beten oder zum Lernen –, so ähneln sich ihre Umstände und Auffassungen keineswegs: Ihr Verständnis vom Raum ist ebenso verschieden wie ihre Auffassungen vom Leben, Beten und Lernen. In Wirklichkeit werden ihre Entwürfe natürlich nicht alle gelungen sein; alle ihre Gebäude werden umstritten sein; sie werden Kritiken ausgesetzt und Verbesserungen unterworfen werden, um schließlich als Folie für neue Entwürfe und neue Auffassungen von Architektur zu dienen. Da jedoch alle Architekten Gebäude für Menschen entwerfen, werden die Bauten zugleich gewisse gemeinsame Züge aufweisen; und wiederholte theoretische Erörterungen über diese Gemeinsamkeiten werden immer eine Quelle der Architekturkritik bilden.

Auf ähnliche Weise bringen moralisch schöpferische Männer und Frauen viele unterschiedliche Moralen hervor; aber keine davon ist die *eine* vollkommene Moral, die ihre Kreativität überflüssig machen würde. Dank ihrer differenzierten Gemeinsamkeiten erkennen wir in allen Schöpfungen ein Werk von Menschenhand, und unsere Erklärungen für dieses

Gemeinsame und seine Gründe verhelfen uns zu einer Reihe universaler Einschränkungen (die ihrerseits nie vollkommen verstanden und ausformuliert werden). Wir sollten uns allerdings davor hüten, die Einschränkungen so stark zu betonen, daß die schöpferische Bemühung dadurch erstickt und uns allen ein einziges Ideal aufgezwungen würde, eine praktische Orthodoxie der einen oder anderen Sorte, der gemäß wir leben sollen. Ich habe gezeigt, daß dies gewöhnlich die Stoßrichtung jener ist, die die Konzeption vom allumfassenden Moralgesetz verteidigen, und daß wir in der Moral wie in der Architektur besser beraten sind, wenn wir Raum für die Wiederholung der Differenz lassen. Wenn sich nun aber die von uns geschaffenen Dinge (die Gebäude, die Gesetzessammlungen, die Länder) als häßlich herausstellen?

II

Im Laufe der Menschheitsgeschichte wiederholt sich nicht nur die Moral, sondern auch die Unmoral. Freilich bestehen zwischen diesen beiden Wiederholungen wichtige Unterschiede. Keiner würde sagen, daß wir diese oder jene Unmoral »schaffen«; statt dessen heißt es, wir handelten unmoralisch. Wenn wir unmoralisch handeln, so folgen wir dabei keiner Theorie der Unmoral, noch fassen wir unser unmoralisches Tun in Begriffe oder arbeiten dafür systematische Gebote und Regeln aus. Gewöhnlich belügen wir mal andere, mal uns selbst über unser Tun. Wir tun Böses, während wir glauben oder vorgeben, Gutes zu tun. Wann immer etwas Unrechtes verübt wird, ergeben sich Widersprüche zwischen unseren Äußerungen und unserem Tun. Demgegenüber kennt die Unmoral nicht den Widerspruch zwischen Theorie und Praxis, der für jede Moral charakteristisch ist. Es gibt keine theoretische Auffassung des Unrechts, keine »Lehre des Unrechttuns«, die wir in der Praxis Lügen strafen könnten. Damit ist keine logische Unmöglichkeit angesprochen. Es fällt keineswegs schwer, sich einen Theoretiker des Bösen vorzustellen, der zugleich ein ängstliches Geschöpf und deshalb ein Heuchler ist, der den von ihm selbst vertretenen Maßstäben nicht gerecht wird. Vielleicht war ja der Marquis de Sade, trotz einiger läppischer Abenteuer, eine solche Person. Doch hat es nicht viele Menschen dieser Art gegeben. So verbreitet die Praxis der Unmoral ist, so selten treffen wir auf ein positives Lehrgebäude des Unrechts, die bewußte Schaffung einer Unmoral. Menschen tun auf dieselbe wiederholende Weise Böses, wie sie Gutes tun, aber sie denken nicht auf die gleiche Weise über das Böse nach. Möglicherweise fordert das Böse unser Denken weniger heraus, zumindest in dem Sinne, daß das Gute prompter ausgearbeitet und differenziert wird, während des Böse seinem Wesen nach einheitlicher und gleichförmiger ist.[31] Ich will damit nicht bestreiten, daß Grausamkeit beispielsweise eine höchst einfallsreiche Sache sein kann, aber sie ist es nur in der Praxis, nicht in der Theorie. Es wäre eine völlige Verschwendung schöpferischer Energie, wollte man eine Theorie des schlechten Lebens entwickeln, ganz zu schweigen von mehreren Theorien. Wir verstehen das schlechte Leben negativ oder als Gegensatz zum guten Leben. Das heißt jedoch nicht, daß jede Version des guten Lebens ein Gegenstück, eine ihr entsprechende Version des schlechten Lebens hat. Eher schon besteht eine Standardversion des Bösen im Gegensatz zu (oder in der Verleugnung von) Prinzipien und Regeln, welche alle Versionen des guten Lebens ermöglichen – und außerdem ist das Böse eine offene, aktive und erfinderische Opposition.

Derselbe Sachverhalt läßt sich in der Begrifflichkeit meiner ersten Vorlesung formulieren. Wir handeln immer dann unmoralisch, wenn wir anderen Menschen den legitimen Anspruch auf das verweigern, was ich künftig die Rechte der Wiederholung nennen werde, nämlich das Recht, autonom zu handeln, und das Recht, Bindungen entsprechend einer bestimmten Auffassung vom guten Leben einzugehen. Anders gesagt, die Unmoral zeigt sich für gewöhnlich in der Weigerung, anderen dieselbe moralische Verantwortung und dieselben schöpferischen Kräfte zuzugestehen, die wir für uns selbst beanspruchen. Und Unmoral wird zum Bösen, wenn diese Weigerung eine willentliche und bewußt gewaltsame ist, wenn sie die anderen gegen ihren Willen zu »Untermenschen« degradiert (oder jedenfalls zu Wesen, die weniger menschlich sind als wir). Normalerweise wird ein derartiges Verhalten von theoretischen Rechtfertigungen begleitet, doch werden sie nicht die Form von schöpferischen Unmoralen annehmen. Rechtfertigung ist ihrem Charakter nach stets moralisch, und die Rechtfertigung des Bösen bildet keine Ausnahme. Das zentrale Problem der moralischen Kreativität ist gerade, daß sie auch schlechte Handlungen umfaßt und rechtfertigt. In dieser zweiten Vorlesung möchte ich dieses Problem behandeln, indem ich eine der am häufigsten wiederholten Theorien von Autonomie und Bindung genauer untersuche: die Theorie des Nationalismus.

Fraglos ist innerhalb unserer Gesellschaften, unter uns, in den Familien, den Schulen, auf den Märkten, in den Wirtschaftsunternehmen und Staaten vieles von Übel. Dennoch stimmt es vermutlich, daß die größten Übel der Menschheitsgeschichte sich zwischen Nationen ereignet haben und weiterhin ereignen und daß eine bestimmte Spielart des Nationalismus der politische Träger dieser Übel und auch der Hauptverantwortliche für ihre Rechtfertigung war. Unsere eigene Nation auf eine bestimmte Weise zu betrachten, bedeutet auch, einigen oder allen anderen Nationen Übles zu wünschen. Gleichzeitig jedoch ist der Nationalismus auch einer der unmittelbarsten Ausdrücke kollektiver Autonomie und Bindung. Aus diesem Grund habe ich in meiner ersten Vorlesung die nationale Selbstbestimmung zur paradigmatischen Form der moralischen Wiederholung erhoben: zuerst eine Nation und dann eine weitere. Das Paradigma ist zweifellos konzeptionell begrenzt und historisch kontingent. Die Nation kann keineswegs als das wichtigste Kollektiv gelten, in dessen Rahmen moralische Vorstellungen und Lebensformen entwickelt wurden. Die Erfahrung des alten Israel ist in dieser Hinsicht entschieden ungewöhnlich. Sogar was die Selbstbestimmung betrifft, läßt sich die nationale »Nation«, die ihrerseits in verschiedenen historischen Epochen auf unterschiedliche Weise zustande kam und verstanden wurde, ohne weiteres durch den Klan, den Stamm, den Stadtstaat oder die Glaubensgemeinschaft ersetzen.[32] Allerdings tut dies, im Guten wie im Schlechten, dem Argument an sich keinen Abbruch. Jedes Kollektiv ist in der Lage, die für die Entwicklung einer Version des guten Lebens unabdingbaren institutionellen Strukturen und Tätigkeitsmuster bereitzustellen. Und jedes Kollektiv kann den Egoismus, die Arroganz und die allgemeine Niederträchtigkeit an den Tag legen, die wir heute mit der übelbeleumdeten Nation in Verbindung bringen. Wie dem auch sei, genau diese Verbindung möchte ich untersuchen.

III

In unseren Augen ist die Nation Hauptrepräsentant des Partikularismus. Einer verbreiteten philosophischen Ansicht zufolge ist der Partikularismus Ursache der Niedertracht. Sobald sich Gruppen wie die Nation politisch organisiert haben, streben sie nach Expansion, nach Unterwerfung, Beherrschung und Vernichtung rivalisierender Gruppen (die, sobald sich ihnen die Gelegenheit bietet, ebenso handeln). Edmund Wilson hat in seinem Buch über den amerikanischen Bürgerkrieg diese Ansicht mit einem Beispiel aus der Biologie illustriert: »In einem kürzlich gedrehten Film über das Leben auf dem Meeresboden beobachten wir, wie ein primitiver Organismus, eine sogenannte Seegurke, kleine Organismen mittels einer großen, an einem Ende ihres Körpers befindlichen Öffnung verschlingt. Stößt sie auf eine andere, nur ein wenig kleinere Seegurke, so schlingt sie auch diese hinunter ... Die von Menschen geführten Kriege folgen der gleichen Regel ... denselben Instinkten wie die Gefräßigkeit der Seegurke.«[33]

Es wäre recht schwierig, eine plausible Darstellung der internationalen Gesellschaft nach diesem Modell zu entwerfen. Angenommen, wir ersetzten die Instinkte durch Interessen und die Interessen durch Interessenskonzeptionen (oder Ideologien), so erhielten wir dennoch nichts, was irgendwie einer gleichförmigen Gefräßigkeit gleichkäme. Nationen, auch Nationalstaaten, verhalten sich ganz unterschiedlich – je nachdem, welche (wiederholten und differenzierten) Auffassungen sie von sich selbst und ihrem Ort in der Welt haben. In seinen Bemerkungen zu den Individuen innerhalb einer Gesellschaft behauptet Machiavelli, derartige Auffassungen hätten eine Klassenbasis: »Ohne Zweifel zeigt sich aber bei der Betrachtung der Zwecke des Adels und des Volkes beim Adel ein heftiges Verlangen zu herrschen, beim Volk nur das Verlangen, nicht beherrscht zu werden, und folglich ein festerer Wille, frei zu leben [...].«[34] Es ist durchaus denkbar, daß es »adlige« und »plebejische« Nationen gibt, wobei die ersten stets eine Bedrohung darstellen und die zweiten stets bedroht werden. Das ist nicht allein eine Frage des Instinktes und der Größe (wie im Falle von Wilsons Seegurke), sondern auch eine Frage des Ehrgeizes und der Ehre. Die klassische Lösung für das Problem der Herrschaft sieht so aus: Die weniger ehrgeizigen, kleineren und schwächeren Individuen (bzw.

Nationen), deren Wunsch sich einzig und allein darauf richtet, nicht beherrscht zu werden, schließen sich zusammen; sie
erfinden etwas von der Art des Universalismus des allumfassenden Gesetzes und schaffen eine politische Instanz – den
Staat –, um diesem Gesetz Geltung zu verschaffen. In der internationalen Gesellschaft benötigt der Universalismus des
allumfassenden Gesetzes also, wenn er wirksam sein soll,
einen Welt- oder Universalstaat.

Die klassische Lösung greift jedoch am besten *innerhalb*
einer Gesellschaft; dort, wo die Adligen tatsächlich unterworfen, wenn auch gewöhnlich nicht (wozu Machiavelli riet) ausgelöscht werden, und ein Staat errichtet wird, der zumindest
manchmal seine Mitglieder vor den Herrschaftsgelüsten anderer schützt. Diesem Erfolg liegt, wo und sofern er errungen
wird, eine gemeinsame Kultur beider Klassen zugrunde. Mag
sich ihr Leben auch in materieller Hinsicht stark unterscheiden, mögen sie auch unterschiedliche moralische Maßstäbe
entwickelt haben und oft eine antagonistische Politik verfolgen, so werden die beiden Klassen doch wahrscheinlich ein
großes Spektrum kultureller Errungenschaften teilen: die
Sprache, die Religion, historisches Gedächtnis, den Kalender
und seine besonderen Festtage, ein Gefühl für das Land und
seine Lage, eine besondere Erfahrung von Kunst und Musik.
Infolge einiger oder all dieser Dinge wird ihnen auch etwas
gemeinsam sein, das wir »Nationalität« nennen. In den Augen
seiner Mitglieder ist der entstehende Nationalstaat daher ein
geeigneter und bereits vertrauter Rahmen für die Ausübung
von Autonomie und die Gestaltung von Bindungen. Den
schlagendsten Beweis für die Richtigkeit dieser Annahme lieferte das Jahr 1914 mit seinem Zusammenbruch des marxistischen Internationalismus. Offenbar hatte das internationale
Proletariat keine gemeinsame Kultur, ebensowenig wie das
Gebilde, das wir häufig – und mehr aus Hoffnung denn aus
Einsicht – die Gemeinschaft der Nationen nennen. Daher ist

es höchst unwahrscheinlich, daß sich die plebejischen Nationen einen Weltstaat vorstellen (so wie sich die einzelnen Plebejer sehr wohl einen Nationalstaat denken können), der das Rahmenwerk für den Ausdruck *ihrer eigenen Kultur* bereitstellt. Möglicherweise wird keine bestehende Kultur in einem derartigen Rahmen ihren Ausdruck finden; oder vielleicht wäre Esperanto die angemessene Sprache des Universalstaates und dessen Moral eine Art Esperanto-Code. Weitaus plausibler wäre es jedoch, wenn die plebejischen Nationen erwarten, daß der Universalismus im Weltstaat die Gestalt einer »adligen« Übervorteilung annimmt.

Denselben Eindruck haben umgekehrt auch die adligen Nationen. Und an diesem Punkt wird ihr nationaler Ehrgeiz moralisch bedeutsam. Wäre Ehrgeiz nichts anderes als Begierde, ließe er sich befriedigend als Wille zur Macht erklären, als Herrschaftsstreben um der bloßen Lust an der Herrschaft (oder anderer mit ihr einhergehender Vorteile) willen, dann wäre der Adel der adligen Nationen lediglich psychologisch von Interesse. Wir müssen ihn verstehen, um ihn zu unterdrücken oder zu zügeln. Doch die Führer der Nationen geben ebenso wie die von ihnen rekrutierten Intellektuellen meistens Gründe für ihre Herrschaftsbestrebungen an. Sie müssen sich rechtfertigen; also sind ihre Gründe moralischer Art und nehmen die Form eines Universalismus des allumfassenden Gesetzes an. (Ob es überhaupt andere Begründungsmuster gibt, ist mir nicht ganz klar.) Nach den Bekundungen ihrer Führer und Intellektuellen dient ihr Expansionsbestreben allein dem Zweck, dem Gesetz Geltung zu verschaffen:

Make ye sure to each his own
That he reap where he hath sown[35]

Kipling ist natürlich der Dichter des Imperialismus, und wahrscheinlich sehen wir im Nationalismus die Ideologie der antiimperialistischen Revolte. Doch die Imperien der modernen Welt wurden von Nationen errichtet und unterhalten;

und auch die Ideologie des Imperialismus hat nationalistische Züge: Sie fordert uns dazu auf, die Nation als Trägerin einer Mission anzuerkennen (und zu billigen). Das oberste Ziel des antiimperialistischen Kampfes ist Freiheit, während sich die imperiale Nation höhere Ziele steckt: Zivilisation, Aufklärung, Moderne, Demokratie, Kommunismus usw. In seinem brillanten Buch über die Nation als eine »imaginierte Gemeinschaft« vertritt Benedict Anderson die These, daß der Nationalismus notwendigerweise die Akzeptanz von Grenzen beinhaltet: »Die Nation wird als *begrenzt* betrachtet, weil selbst die größte unter den Nationen [...] bestimmte, wenn auch dehnbare Grenzen hat, jenseits deren andere Nationen beginnen. Keine Nation stellt sich vor, mit der ganzen Menschheit identisch zu sein. Auch die sendungsbewußtesten Nationalisten träumen nicht davon, daß eines Tages alle Mitglieder der menschlichen Gattung ihrer Nation beitreten, so wie es in bestimmten Epochen für Christen möglich war, von einem ganz und gar christlichen Planeten zu träumen.«[36] Das ist völlig richtig und erklärt zudem, warum der wiederholende Universalismus lange Zeit eine Lieblingslehre nationalistischer Intellektueller war. Allerdings war er niemals die einzige Doktrin. Es gab immer auch andere Intellektuelle, die zwar nicht gerade davon träumten, die ganze Menschheit einzubürgern und keinen Ausländer mehr in der Welt übrigzulassen, aber immerhin dem Wunsch nachjagten, das Leben der ganzen Menschheit möge durch die Werte einer ihrer Nationen geprägt sein – etwa, daß die ganze Welt für die Demokratie gewonnen werden solle.[37]

Das ist der Universalismus eines allumfassenden Gesetzes. Gewiß unterscheidet er sich von der religiösen Version dieses Universalismus, aber der Unterschied ist kein totaler. In der Tat kommt die Vorstellung von der Nation als Trägerin einer Mission dem jüdischen, wenn nicht dem christlichen Verständnis von Universalismus recht nahe. Daher ist es durchaus passend, daß eine der stärksten Verteidigungen der Idee einer nationalen Mission von einem jüdischen Philosophen unserer Tage stammt. »Keine Nation in der Welt«, schreibt Martin Buber, »hat nur [Selbsterhaltung und Selbstbehauptung] zur Aufgabe, denn so wie ein Individuum, das einzig und allein danach strebt, sich selbst zu bewahren und zu behaupten, ein durch nichts gerechtfertigtes und sinnloses Dasein führt, verdient eine Nation, die kein anderes Ziel hat, sich aufzulösen.« Bubers These, daß jede Nation eine eigene Mission habe (und wenn nicht, schnellstens eine finden sollte), ruft das zentrale Problem seines politischen Denkens hervor, nämlich die Frage, wie die »Grenzlinie« zwischen unterschiedlichen und möglicherweise konfligierenden nationalen Missionen zu ziehen sei, so daß sie alle (in wiederholender Weise) verfolgt werden können. Obwohl Buber selbst das Wort »Mission« verwendet, scheint es mir das von Buber Gemeinte nicht sehr gelungen auszudrücken: Schließlich gehört es der Welt des allumfassenden Gesetzes an, und diese Welt ist nicht die seine. Er möchte, daß wir uns solchen Überzeugungen oder Werten verpflichtet fühlen, die ein gemeinsames Leben inspirieren oder aufrechterhalten und es dem bloßen Dasein entrücken. Ohne Zweifel hegt er bestimmte Ansichten darüber, welche Überzeugungen und Werte zumindest für sein Volk die angemessensten sind. Gleichzeitig bestreitet er jedoch das Vorliegen einer »Werteskala«, anhand deren sich die nationalen Verpflichtungen einstufen und ordnen lassen.[38] Unter Missionaren sind solche Leugnungen höchst selten, wenn nicht gar undenkbar. Auch fällt es nicht leicht, nationale Missionen, vor allem die edlen, voneinander abzugrenzen. Sie haben eine globale Reichweite, spiegeln die höchsten Bestrebungen wider, und der von ihnen erheischte Triumph ist so beschaffen, daß er mit Bubers Eintreten für die Wiederholung unvereinbar ist. Wie kann jemand, der von der universalen Geltung des allumfassenden Gesetzes überzeugt ist, die weitere Annahme vermeiden, daß für die leidende und unwissende Menschheit einige Missionen dringlicher und wertvoller sind als andere?

In der Tat nimmt das, was ich den Universalismus des allumfassenden Gesetzes genannt habe, oftmals bescheidenere Formen an: Die zivilisatorische Mission dieser oder jener Nation erstreckt sich vielleicht nur auf ein paar benachbarte Stämme; die ideologisch korrekte Position mag nur dem Lande nebenan aufgezwungen werden; und unmoralische und widernatürliche Praktiken mögen nur in einigen verstreuten Provinzen eines kleineren Reiches ausgelöscht werden. Man tut, was man kann. Dennoch sind alle derartigen Bemühungen ihrem Geist nach universalistisch: zum einen, weil das Gesetz, dem sie folgen, mehr als das Volk umfassen soll, in welchem es zuerst eingeführt wurde – und zum anderen, weil sie stellvertretend auf das Gute für andere Menschen abzielen. Wir neigen heute dazu, die Legitimität sowohl dieses allumfassenden Anspruchs als auch die Aufrichtigkeit der altruistischen Zielsetzung in Zweifel zu ziehen (außer in unserem eigenen Falle, wo jeder Zweifel für gewöhnlich unterdrückt wird). Aber ich vermute, daß die Legitimität und Aufrichtigkeit (außer im lokalen Falle) von jeher mit einem Fragezeichen versehen wurden. Der Universalismus des allumfassenden Gesetzes ist ein eifersüchtiger Gott, und alle anderen Götter (mit Ausnahme meines eigenen) müssen Götzen sein.

Natürlich ist das allumfassende Gesetz immer ein Deckmantel für Expansionsbestrebungen und Ausbeutung.[39] Dennoch wäre es falsch zu meinen, damit sei alles gesagt. Vermutlich war und ist jede nationale Selbsterhöhung auf den Idealismus (einiger) ihrer Mitglieder angewiesen. Unter Idealismus verstehe ich hier ihren Glauben an diese oder jene universalistische Version des allumfassenden Gesetzes und an sich selbst als deren Vertreter. Sie tragen in fremde Länder eine Kultur, an die andere Menschen assimiliert, oder eine

Lehre, nach der sie regiert werden sollen. Sie führen die anderen in eine Lebensform ein, die dem Naturrecht, einem göttlichen Gebot oder der historischen Notwendigkeit eher entspricht. Können solche Überzeugungen jemals wahr sein? In seinen Artikeln über Indien hielt Karl Marx einige von ihnen sehr wohl für wahr, bestritt aber zugleich den Idealismus ihrer Vertreter. Die fortgeschritteneren Nationen fördern, als lenke sie eine unsichtbare Hand, das Wohl der von ihnen eroberten und unterdrückten Völker. »Gewiß war schnödester Eigennutz die einzige Triebfeder Englands, als es eine soziale Revolution in Indien auslöste ... Aber nicht das ist hier die Frage. Die Frage ist, ob die Menschheit ihre Bestimmung erfüllen kann ohne die radikale Revolutionierung der sozialen Verhältnisse in Asien. Wenn nicht, so war England, welche Verbrechen es auch begangen haben mag, doch das unbewußte Werkzeug der Geschichte, indem es diese Revolution zuwege brachte.«[40] Auf der nächsten historischen Entwicklungsstufe sollten die sozialistischen Regierungen der fortgeschrittenen Nationen dieselbe revolutionäre Rolle spielen, diesmal aber mit einem klareren Bewußtsein ihrer Aufgabe und angeblich mit weniger Gewalt. Marxens Argument beruht (wie alle Universalismen des allumfassenden Gesetzes) auf der zusätzlichen Annahme, die Menschheit teile ein einheitliches Schicksal, das ihre sämtlichen Mitglieder gleichermaßen »erfüllen« müßten. Wir sind jedoch nicht in der Lage, unser Schicksal zu erkennen, und vermutlich berechtigte die Geschichte uns sehr viel eher dazu, Unterschiede zu erwarten – sogar für die lokale Verwendung neuer und universaler Technologien. Bis heute jedenfalls kann sich jeder Versuch, Einheitlichkeit zu erzwingen, nur auf bloße Glaubensakte berufen – nicht anders als die früheren islamischen Eroberungen oder die christlichen Kreuzzüge.

Zudem hielt Marx zu Unrecht daran fest, daß die Engländer in Indien *allein* »vom schnödesten Eigennutz« getrieben wurden. Zweifellos waren ihre Interessen gemischt, wie dies bei Menschen immer der Fall ist. Doch wahrscheinlich würden wir nicht behaupten wollen, John Stuart Mill, der in den Londoner Büros der Ostindienkompagnie arbeitete, habe etwas Schnödes getan und nur seinen persönlichen oder nationalen Eigennutz befriedigt.[41] Dennoch haben wir gute Gründe, jede imperiale Expansion und koloniale Herrschaft hart zu verurteilen. Expansion und Herrschaft verweigern ihren Opfern das Recht auf Wiederholung: auf eine autonome Entwicklung und freiwillig gewählte Bindungen. Diese Weigerung ist auch dann unmittelbar wirksam, wenn die Absicht, wie es wohl unter der Verantwortung von Marx oder Mill der Fall gewesen wäre, darin besteht, genau dieses Recht langfristig zu verteidigen. Was dieser wohlwollenden Absicht zugrundeliegt, ist die moralisch gefährliche Überzeugung, die Opfer hätten durch irgendwelche Umstände die Fähigkeit zur Selbsttätigkeit eingebüßt, ihre kulturelle und moralische Kreativität, ihr Vermögen, das eigene Leben zu gestalten, verloren. Sie gelten als stumpfsinnig, barbarisch, unaufgeklärt, unwissend und passiv – gefangen in einem stagnierenden Traditionalismus, abgeschnitten von der Geschichte und hilflos darauf wartend, von den fortgeschritteneren Nationen gerettet zu werden.

IV

Die Opfer, ausnahmslos plebejische Nationen, widerlegen diese Überzeugung immer dann, wenn sie sich der herrschenden Macht widersetzen, wie es 1857 etwa die Inder im Sepoy-Aufstand taten, lange bevor sie die Früchte der von den Engländern ausgelösten sozialen Revolution hätten ernten können. Tatsächlich straft der Widerstand nicht nur die An-

sicht Lügen, die die imperialistische Nation von ihren Untertanen hegt, sie untergräbt auch ihre eigene Selbsteinschät-
zung. Zur Aufrechterhaltung ihres Imperiums müssen die
Vertreter der Aufklärung sich das Verhalten und die Methoden der Barbaren aneignen. Ohne rohe Grausamkeit läßt sich
das allumfassende Gesetz der Zivilisation nicht durchsetzen
und die Sache des Fortschritts nicht fördern. Und je häufiger
der Widerstand sich wiederholt, um so größer wird die Grausamkeit. Die bekannteste Version des Nationalismus ist das
Bekenntnis des Widerstandes, besonders des Widerstandes
in seiner zweiten Phase, wenn das Selbstbewußtsein durch
die Unterdrückung gestärkt wurde. Er ist, wie Tom Nairn
schreibt, »die Ideologie der schwächeren, weniger entwickelten Länder, die sich von der Fremdherrschaft befreien wollen«.[42] Jede nationalistische Bewegung bringt ihre eigene
Spielart dieser Ideologie hervor. Ich werde hier darauf verzichten, die realen und die möglichen Varianten aufzulisten.
Auch sie lassen sich am besten als Produkte der Wiederholung auffassen: als ähnliche Kämpfe (oder zumindest als
Kämpfe, denen wir denselben Namen beilegen) mit unterschiedlichen ideologischen und praktischen Ergebnissen. Nur
handelt es sich in diesem Fall um reaktive Wiederholungen,
und daher weisen sie gewisse Verzerrungen gegenüber den
kulturschaffenden Prozessen auf, die wir uns als normale,
von den Zwängen der imperialen Macht und den Geboten
des Widerstandes unbeeinflußte Prozesse vorstellen dürfen.
Mag sein, daß eine »Normalität« dieser Art utopisch ist: ein
normales Nirgendwo. Gleichwohl ist Verzerrung genau das
richtige Wort zur Bezeichnung des Druckes, der (einige) neue
Nationen einem hausgemachten Imperialismus in die Arme
treibt.

In den »weniger entwickelten Ländern« gedeiht die nationalistische Ideologie oftmals durch Zwang oder wie in einer
Treibhausatmosphäre. Die Bildung von Kulturen und Mora-

len ist ein Prozeß, bei dem in jedem einzelnen Augenblick zahlreiche Elemente im Spiel sind. Der durch politische Dringlichkeiten angetriebene, krampfhafte Versuch, einen kohärenten Nationalismus hervorzubringen, führt jedoch zu höchst künstlichen Ereignissen; denn seine Wortführer sind weit weniger daran interessiert, den Prozeß in Gang zu halten, als vielmehr daran, eine homogene und einlinige »Tradition« zu erfinden. Die nationalistische Bewegung oder der von ihr ins Leben gerufene Staat werden also versuchen, alles zu unterdrücken, was sich nicht in diese Erfindung einfügt. Ein Problem der wiederholenden Prozesse liegt in der Tat darin, daß sie selbst wiederholbar sind: Wie Anderson bemerkte, gibt es auf die Idee der Befreiung keinen Patentschutz. Wenn somit die nationalistischen Bewegungen die globale Reichweite der ganze Imperien »umfassenden Gesetze« *[covering laws]* in Frage stellen, so kann auch die lokale Reichweite des Nationalismus durch noch lokalere und noch stärker parochialistische Gemeinschaften herausgefordert werden – wie beispielsweise Großindien durch Pakistan, Kaschmir, Drawidistan, usw. –, die gleichfalls das Recht auf die Durchsetzung ihrer eigenen Kultur fordern. Die politischen und intellektuellen Führer nationalistischer Bewegungen verlangen für gewöhnlich eine bedingungslose, absolute Loyalität gegenüber der von ihnen entworfenen Nation. Diese Vorstellung, die einem unmittelbaren politischen Zweck dient, wird jedoch zwangsläufig eine weitere Entwicklung und Differenzierung durchlaufen.[43] Die Nagelprobe für jeden Nationalismus ist daher die nächste »Nation« in der Reihe. Auf diesen Punkt werde ich später noch einmal zurückkommen.

Das »Erzwingen« von Nationalismus hat ein weiteres Ergebnis: Es erklärt den regressiven Charakter vieler nationalistischer Ideologien. Allerdings möchte ich schnell hinzusetzen, daß »regressiv« ein irreführender Ausdruck ist, falls er den Anschein erweckt, die Prozesse der kulturellen Kreativität schlügen nur eine einzige Richtung ein und bewegten sich auf ein einheitlich gebilligtes Ziel zu. Dennoch *bewegen sie sich*; und wie die Notwendigkeit, eine kohärente Ideologie zu schaffen, die Bewegung zum Stillstand bringen kann, so vermag der Zwang, sich den vom Universalismus des allumfassenden Gesetzes dekretierten Zielen von »Zivilisation« und Fortschritt zu widersetzen, die Bewegung umzukehren. Wahrscheinlich wird die neue Ideologie alsbald alles Alte und Archaische im nationalen Erbe für heilig erklären; und sie wird dem religiösen Fundamentalismus und der kulturellen Integrität einen weitaus höheren Wert zuweisen, als sie ihn jemals zuvor besaßen. Gandhis Spinnrad ist genau die Art von Symbol, nach dem viele Nationalisten suchen, weil es an eine in Ehren gehaltene, aber weitgehend mythische Vergangenheit erinnert.[44]

Normalerweise werden die alten und ehrwürdigen Bräuche der Nation beständig revidiert (und diese Revision ist ebenso beständig umstritten). Nun werden die Vertreter einer Veränderung wahrscheinlich als illoyal bezeichnet und ihre Produkte als nicht authentisch kritisiert. Obgleich man meinen würde, »Authentizität« lasse sich immer nur *relativ* zu einer bestimmten nationalen Geschichte behaupten (und sei angesichts der tatsächlichen Vielfältigkeit und der inneren Widersprüche all dieser Geschichten selbst in ihrer Relativität zweifelhaft), greifen nationalistische Intellektuelle oft nach einem stärkeren Argument: Sie nennen ihre Kultur, ihre Moral und ihre Politik *tout court* authentisch. Sie betrachten sie allein als wirklich, historisch, orthodox, organisch, treu, unverdorben, rein und dauerhaft – und damit als all den synthetischen, unnatürlichen und hybriden Schöpfungen anderer Völker überlegen. In diesem Punkt ahmen sie die von ihnen ansonsten angegriffenen Universalisten nach und bestehen darauf, nationale Kulturen auf einer einzigen Werteskala einzustufen. Zwar nehmen sie neue Kriterien an und stellen die alten auf den Kopf, doch an einer festen Rangfolge halten sie fest. Zumindest in diesem Sinne (wenn auch nicht in vielen anderen Hinsichten) ähnelt die nationalistische Perversion der aufgeklärten Tugend.

Aber diese Reaktion auf die imperiale Aufklärung und ihre allumfassenden Gesetze, diese Erfindung eines »höheren« Traditionalismus, ist oft gegenüber ihrem Anlaß unangemessen – wodurch sie uns sehr deutlich vorführt, was eine derartige Unangemessenheit bedeutet und woran wir sie erkennen. Der Anlaß ist eine Geschichte von unterdrückerischer und erniedrigender Herrschaft; die Reaktion ist zugleich ideologisch und praktisch; und sie ist unangemessen, insofern sie den Anlaß reproduziert, anstatt ihn aufzulösen. Nationen mit »höheren« Traditionen sind schnell bereit, sich kleineren oder schwächeren Nationen in ihrer Mitte oder an ihren Rändern gewaltsam aufzudrängen. Damit wiederholen sie, was Isaiah Berlin in seinem Essay über Herder als die »barbarische Mißachtung [...] spontaner und natürlicher Formen menschlicher Ausdrucksfähigkeit« bezeichnet hat.[45] Diese Mißachtung wird noch erleichtert durch die Behauptung der neuen Unterdrücker, sie stünden ganz oben an der Spitze der Stufenleiter der Natürlichkeit und Authentizität.

V

Eine kulturelle Rangordnung stellt immer eine Bedrohung für die Männer und Frauen dar, deren Kultur abgewertet wird. Rangordnungen sind niemals unschuldig; es ist illusionär zu meinen, wir verteilten Noten in rein ermahnender Absicht, ohne jeden Anflug von Abfälligkeit. Schlechte Noten sind eine Aufforderung und eine potentielle Rechtfertigung für »barbarische Mißachtung«, und letztere zieht nur allzu häufig eine Eroberungs- und Unterdrückungspolitik nach sich. Aber habe ich nicht soeben selbst bestimmten nationalen Kulturen eine schlechte Note erteilt? Habe ich nicht gerade eine Rangordnung aufgestellt, in der Nationen, die eine Rangordnung aufstellen, einen niedrigen Rang erhalten? Ganz recht, genau das habe ich getan: Einem minimalistischen (d. h. Wiederholungen ermöglichenden) Universalismus folgend, habe ich eine sehr begrenzte Rangordnung vorgeschlagen, die mit der Anerkennung der (meisten) »spontanen und natürlichen Formen menschlicher Ausdrucksfähigkeit« vereinbar, mit ihrer Mißachtung aber unvereinbar ist. Allerdings möchte ich die Möglichkeit nicht ausschließen, daß auch die »barbarische Mißachtung« manchmal natürlich und spontan auftritt. Wenn das der Fall sein sollte, dann muß sie theoretisch abgewertet und politisch kontrolliert werden. Aber damit wird nur dem Umstand Rechnung getragen, daß die Segnungen zwar (wie der Prophet Jesaja verkündete) für alle Nationen bereitstehen, aber deshalb noch nicht jeder Nationalismus gesegnet sein muß.

Es geht bei einer derart eingeschränkten Rangordnung darum, das gemeine Volk unter den Nationen vor den »adligen« Nationen zu schützen – und ebenfalls vor den plebejischen Nationen, die danach streben, in den Adelsrang aufzusteigen. Die Pointe besteht darin, den Adel *immer dann* abzuwerten, wenn er nach Vorherrschaft strebt (was er nach Machiavelli beständig tut). Ich habe behauptet, daß der Universalismus des allumfassenden Gesetzes in seinen verschiedenen Spielarten die wichtigste unter all den Lehren ist, welche den »adligen« Nationalismus rechtfertigen (ich rede hier nicht vom Verursachen). Nun möchte ich zeigen, daß die Theorie des wiederholenden Universalismus die beste Erklärung für den Nationalismus im allgemeinen liefert und seine verschiedenen Formen von Unmoral auf angemessene Weise einschränkt. Selbstverständlich geht es mir um begriffliche und nicht um praktische Angemessenheit, über praktische Einschränkungen habe ich nicht viel zu sagen. Warum erfüllt aber dann ein allumfassendes Gesetz, welches Eroberung und Unterdrückung verbietet, nicht voll und ganz das Kriterium der Angemessenheit? Enthält der Universalismus des allumfassenden Gesetzes nicht in sämtlichen seiner Varianten ein solches Gesetz? Nun, die eigentlichen Probleme werfen die anderen Gesetze auf, diejenigen, die gewöhnlich fordern, die nationalen Kulturen sollten sich einem einheitlichen Maßstab fügen und alle anderen abwerten, die ihn nicht erfüllen. Wir können aber einer Theorie nicht dank eines ihrer Begriffe begriffliche Angemessenheit bescheinigen, solange dieser eine Begriff von allen anderen Begriffen unterhöhlt wird. Der Marxismus (oder der Marxismus-Leninismus) ist auch hier wieder ein hilfreiches Beispiel; denn einerseits hält er das Recht auf nationale Selbstbestimmung hoch, und andererseits rechtfertigt er Revolutionskriege gegen Nationen, die sich den Kräften des historischen Fortschritts widersetzen. Die marxistische Konzeption der Entwicklungsstufen verträgt sich, auch wenn sie keine normative Rolle spielen und allein Voraussagen treffen will, nur schwer mit dem Begriff der Selbstbestimmung.[46]

Anders der wiederholende Universalismus: Er macht keinerlei Voraussagen, jedenfalls nicht über die Substanz der aufeinanderfolgenden Wiederholungen. Worauf wir stoßen, ist lediglich eine allgemeine Voraussage, die den in meiner ersten Vorlesung zitierten und von der Haupttradition abweichenden Zeilen Michas entspricht: Wenn ein jeder im Namen seines Gottes wandelt, werden wir alle friedlich unter unseren Weinstöcken und Feigenbäumen sitzen. Ähnliches prophezeit John Locke in seiner Verteidigung der religiösen Toleranz: »Wäre nur dies durchgeführt, so wäre allen Beschwerden und Tumulten aus Gewissensgründen der Boden entzogen.« Ich halte es zwar für außergewöhnlich optimistisch anzunehmen, es würde keine unbegründeten Beschwerden und Tumulte geben, doch genau das behauptet Locke: »Aber es gibt nur ein Ding, das Menschen in aufrührerischen Bewegungen vereinigt, und das ist Unterdrückung.«[47] Dasselbe Argument auf die internationale Gesellschaft angewandt würde besagen, alle nationalen Befreiungskriege und nationalen Vereinigungen, die die moderne Welt heimgesucht haben, seien allein durch Unterdrückung verursacht: Der Frieden unter den Weinstökken und Feigenbäumen wird schließlich kommen, sobald nur die Gewissen keinen Zwängen mehr unterworfen und die Nationen befreit sein werden. In vergangenen Jahren habe ich eine schwächere und gemäßigtere Version dieser These vertreten.[48] Wie es scheint, ist aber der Frieden eher ein unmittelbares Ergebnis religiöser Toleranz als nationaler Befreiung. Der Grund dafür liegt auf der Hand: Kirchen erheben keine territorialen Ansprüche, so daß die wiederholten Prozesse, die zur Teilung und Aufsplitterung der Kirchen führen, äußerst selten territoriale Konflikte provozieren. Gewiß wird auch um die Kontrolle über heilige Stätten gestritten, in den meisten Fällen beziehen sich die Streitigkeiten indes auf außerweltlichen Grund und Boden. Im Gegensatz dazu ist der Nationalismus sehr viel stärker durch die Ideologie des Bodens gekennzeichnet. Neue Nationalismen sorgen für territoriale Konflikte, weil die Bevölkerung entweder gemischt oder der Grenzverlauf unklar ist. Streitigkeiten dieser Art werden ohne großes Zögern blutig ausgetragen. Was auch immer nationalistische Führer und Intellektuelle über die umkämpften Gebiete sagen, kein Stück Land ist mit dem Körper des Kindes vergleichbar, das vor König Salomon gebracht wird: Land stirbt nicht, wenn man es teilt. Nahezu immer ist bei territorialen Streitfragen die Teilung des Landes eine gangbare (wenn auch selten eine saubere) Lösung.

Die von neuen Nationalismen ausgehende Gefahr wächst vermutlich, wenn sie sich nicht damit begnügen, begrenzte territoriale Ansprüche zu erheben, sondern sich zudem noch eine universalistische Mission zulegen. Geschieht dies, gleichen sie den alten Religionen, bevor Toleranz die Religion zähmte, und häufig nehmen sie selbst einen religiösen Charakter an. Die Befürworter des Universalismus der Aufklärung sind nun erstaunt darüber, daß sie nicht länger allein das Feld beherrschen; säkulare Fortschrittsjünger sehen sich plötzlich mit religiösen Fundamentalisten konfrontiert; Männer und Frauen, die zufrieden der Zukunft entgegensehen, müssen erleben, wie sie plötzlich von Männern und Frauen überholt werden, die leidenschaftlich die Vergangenheit herbeisehnen. Theoretiker der Wiederholung, die ebensowenig wie alle anderen die nächste Spielart des kulturellen oder politischen Nationalismus voraussagen können, richten sich immerhin darauf ein, überrascht zu werden. Sie rechnen damit, daß beständig neue nationalistische Ansprüche aufeinanderfolgen, und sind darauf vorbereitet, einige (zurückhaltende) Urteile über die aufeinanderfolgenden Nationen zu fällen.

VI

Für jeden Nationalismus kommt die Stunde der Prüfung, wenn er sich mit dem überraschenden Auftreten einer neuen Nation auseinandersetzen muß – oder besser gesagt: einer neuen Befreiungsbewegung, welche den Status einer Nation beansprucht. Diese Erfahrung ist nicht ungewöhnlich; und ich vermute, die Prüfung wird für gewöhnlich nicht bestanden. Wir kennen viele Beispiele dafür: die Türkei und die Armenier, Nigeria und die Ibos, der Irak und die Kurden, Israel und die Palästinenser – obwohl in den beiden letztgenannten Fällen das Ende der Geschichte noch offen ist. Die Zahl der toten Armenier und Ibos in den ersten beiden Beispielen macht deutlich, welch verheerende Folgen es zeitigt, wenn die

Prüfung nicht bestanden wird, und erklärt, warum der Nationalismus als Ideologie oft hart verurteilt wird. Allerdings sollten wir nicht verschweigen, daß der Nationalismus in diesen Beispielen auch die Ideologie der Opfer war, und obgleich man stets beide Seiten verurteilen kann – die Sieger, weil sie tatsächlich gemordet haben, und die Opfer, weil sie vielleicht getötet hätten –, halte ich es für angebrachter, zumindest die Möglichkeit in Betracht zu ziehen, daß die unterlegene Nation, wäre sie auf weniger grausamen Widerstand gestoßen, eine friedliche Lösung vorgezogen hätte. Manchmal wird dies zutreffend sein und manchmal nicht: Ein einhelliges Urteil ist unmöglich. Denn worauf sollten wir schon die Behauptung stützen, alle Nationalisten böten überall auf der Welt einem universalen Gesetz die Stirn? Eric Hobsbawm hat für eine solche Rundum-Verdammung votiert, als er schrieb, daß »der Nationalismus per definitionem alle anderen Interessen denen seiner eigenen ›Nation‹ unterwirft«.[49] Hier wird der Nationalismus als eine Form des kollektiven Egoismus begriffen. Wir sollten in ihm jedoch eher eine Form des kollektiven Individualismus sehen – und das bedeutet, daß nationalistische Bewegungen und Nationalstaaten sich wie individuelle Männer und Frauen sowohl schlecht als auch gut verhalten können und dementsprechend beurteilt werden müssen.[50] Nichts zwingt uns, die beispielsweise von Guiseppe Mazzini, dem Gründer des Jungen Italien und späterem Mitbegründer der Jungen Schweiz und des Jungen Deutschland, verteidigte nationalistische Politik zu verurteilen. Wie einer, der auf vielen Hochzeiten tanzen möchte, war Mazzini begierig darauf, sich jeder Wiederholung des nationalen Kampfes Italiens anzuschließen. Was ihn freilich nicht daran hinderte, zeit seines Lebens ein italienischer Nationalist zu bleiben. Sein liberaler Nationalismus, jedenfalls so, wie er ihn lebte, ist ein klassisches Beispiel für den wiederholenden Universalismus. Wenn er darüber schrieb, so scheint er allerdings nicht immer die

volle Bedeutung der Wiederholung verstanden zu haben. Betrachten wir etwa sein berühmtes Bild des Weltorchesters. In
diesem Orchester spielt zwar jede Nation ihr eigenes Instrument, doch offensichtlich nicht nach ihrer eigenen Partitur,
denn das Ergebnis ist, wie Mazzini zu meinen scheint, eine
einzige harmonische Symphonie.[51] Es ist aufschlußreich, dieses angeblich glückliche Bild mit Marxens Verweis auf das
Orchester als Modell für die kooperative Arbeit in einer sozialistischen Fabrik im dritten Band des *Kapitals* zu vergleichen.[52] Angesichts dessen, was wir über das diktatorische
Verhalten der Dirigenten großer Orchester wissen, ist dieser
Vergleich zwar ziemlich fragwürdig, in einem anderen Sinne
aber erscheint er durchaus passend: Die Arbeiter in einer Fabrik kooperieren nämlich bei der Herstellung eines Produkts.
In der internationalen Gesellschaft, wo die verschiedenen
nationalen Spieler wahrscheinlich eher eine Kakophonie – die
nur für modernistische (oder vielleicht postmodernistische)
Ohren wie Musik klingt – denn eine Symphonie zustandebrächten, kennen wir keine vergleichbare Kooperation. Tatsächlich findet nicht nur eine Aufführung statt, sondern eine
Reihe von Aufführungen, und wir sollten es nationalistischen
Intellektuellen wie Mazzini hoch anrechnen, wenn sie das
Recht der anderen Spieler anerkennen, das zu spielen, was
ihnen gefällt. Falls sie darüber hinaus bereit sind, dem Spiel
der anderen zu lauschen, verdienen sie ein noch größeres
Lob.

Spielen aber nicht einige der Spieler gut und andere
schlecht? Fraglos wird es all denen so erscheinen, die an unsere eigene Musik gewöhnt sind, und (noch stärker) jenen unter
uns, die meinen, unsere Musik hätte den Segen einer universalen Ästhetik. Was wir mit einiger Sicherheit sagen können,
ist lediglich, daß sie *das, was sie spielen*, gut oder schlecht spielen und daß sie zweifellos ihre eigenen Kritiker haben, die
sich dazu äußern. In moralischer Hinsicht ist diese Art der

Kritik durchaus bedeutsam, und ich möchte sie keineswegs unterschätzen, ebensowenig wie unsere weniger gesicherten Urteile über die inneren Harmonien und Disharmonien bestimmter nationaler Kulturen. Solche Urteile beziehen sich freilich nicht auf den Nationalismus im allgemeinen und im besonderen. Für eine angemessene Beurteilung des Nationalismus sollten wir uns die Einstellungen und Verhaltensweisen ansehen, die er gegenüber anderen Nationen an den Tag legt.

Es gibt kein universales Modell für nationale Kulturen, kein allumfassendes Gesetz oder Bündel von Gesetzen, das die Entwicklung einer Nation bestimmen könnte. Wohl aber existiert ein universales Modell für das Verhalten einer Nation gegenüber anderen – ein Modell, das Herder für alle Nationen als das natürliche betrachtete. Berlin schreibt: »Er sah keinen Grund, warum eine Gemeinschaft, die sich um die Entwicklung ihrer ursprünglichen Begabung kümmerte, nicht eine ähnliche Tätigkeit bei anderen Gemeinschaften achten sollte.«[53] Hier wird in der Tat der Kernsatz des wiederholenden Universalismus formuliert. Doch nichts in der jüngsten Geschichte weist darauf hin, daß sich die von ihm geforderte Achtung ganz natürlich einstellt. Dergleichen beobachten wir weder bei den alten noch bei den jungen Nationen, obwohl deren Erfahrung von Unterdrückung und Befreiung noch frisch ist. Oft geben, wie ich bereits sagte, neue Nationen neue Unterdrücker ab, entweder weil ihre nationalistische Ideologie einen monolithischen Charakter hat oder weil sie kulturelle Authentizität bzw. einen eigenen »Adel« und dann eine universalistische Mission ins Feld führen. Manchmal sorgt die Neuheit für einen echten Mangel an Selbstsicherheit; sie sind sich ihrer eigenen politischen Einheit und physischen Sicherheit nicht gewiß und fühlen sich (oftmals stärker als nötig) von den nationalen Minderheiten in ihrer Mitte bedroht. In all diesen Fällen wirkt der wiederholende Universalismus wie eine Schranke, er schließt alle politischen Maßnahmen aus, die mit der weiteren »Entwicklung der ursprünglichen Begabung« und mit lokalen Kulturen unvereinbar sind. Mitunter geschieht es auch, daß neue Nationalismen so sehr von ihrer eigenen Entwicklung »absorbiert« werden, daß sie die Nation, die als nächste an der Reihe ist, buchstäblich nicht sehen. Sie sind vollkommen in sich versunken und blind. Die notwendige moralische Aufgabe besteht nun darin, eine Mahnung ergehen zu lassen, eine Art moralischen Verweis auf die anderen. Martin Buber lieferte im Geiste des wiederholenden Universalismus ein schönes Beispiel dafür. 1929 schrieb er, an die Adresse seiner zionistischen Mitstreiter gerichtet, die im arabischen Nationalismus eine »künstliche« (d. h. eine imperialistische) Schöpfung sahen: »Wir wissen also, daß ... es bei uns eine wirkliche nationale Einheit gibt ..., daß es bei den Arabern eine echte nationale Bewegung geben kann.«[54]

VII

Der Vorteil des wiederholenden Universalismus liegt darin, daß er den Wert des von ihm Angemahnten anerkennt. In der Konfrontation mit der nationalistischen Blindheit ist er nicht seinerseits für die Stärke und Bedeutung des Nationalismus blind (Buber blieb Zionist). An dieser Stelle wird der Gegensatz zum Universalismus des allumfassenden Gesetzes besonders deutlich, und ich möchte meinen Gedankengang mit der Betrachtung dieses Gegensatzes beschließen. Verteidiger der einen oder anderen Version des allumfassenden Gesetzes haben oft Partei für die Sache der nächsten Nation ergriffen. Jean-Paul Sartres Engagement für die nationale Befreiung Algeriens ist ein klassisches Beispiel dafür. (Frankreich war zwar selbst keine neue Nation, hatte aber gerade eine Zeit der Besetzung und des Widerstandes erlebt.) Sartres Politik in den 50er Jahren zeugte von großem Mut, war aber auch mit jener Blindheit geschlagen, die für den Universalismus ebenso bezeichnend ist wie die Selbstversunkenheit für den Nationalismus. Denn seine Politik beruhte auf der festen Überzeugung, daß die algerischen Nationalisten moralisch und politisch mit der französischen Linken (zu der auch Sartre sich zählte) identisch waren und eine gerechte Gesellschaft entsprechend der von den französischen Linken anerkannten universalen Prinzipien schaffen würden.[55] Die FLN war für Sartre (womit er sich selbst eine Überraschung bereitete) das historische Subjekt seines eigenen Universalismus des allumfassenden Gesetzes. Seine Einschätzung der FLN war völlig verfehlt, wurde aber mit einer solchen Gewißheit verfochten, daß wir uns sogar schwer vorstellen können, was Sartre wohl gesagt hätte, wäre er sich ihrer Abwegigkeit bewußt gewesen: Allein nach seinen Schriften zu urteilen, hat er niemals auch nur die Möglichkeit in Betracht gezogen. Welche allgemeine Position hätte er wohl verfochten, falls ihm klar geworden wäre, daß wiederholte Befreiungen in jedem einzelnen Fall ein neues, andersgeartetes und oftmals moralisch zweifelhaftes Ergebnis zeitigen?

In Verbindung mit dem Universalismus des allumfassenden Gesetzes kann diese Erkenntnis eine rein instrumentelle Auffassung nationaler Befreiungsbestrebungen nach sich ziehen. Folgen wir Eric Hobsbawm, so ist dies die korrekte marxistische Ansicht: »Das grundlegende Kriterium für die pragmatischen Urteile der Marxisten war immer die Frage, ob der Nationalismus überhaupt oder in einem speziellen Fall die Sache des Sozialismus förderte.«[56] Allein jene Befreiungsbewegungen, die den richtigen Weg einschlagen, die die richtige ideologische Position einnehmen, verdienen Unterstützung. (Das ist nicht ganz richtig: Marxisten mögen eine bestimmte

Bewegung aus Gründen unterstützen, die nichts mit Ideologie zu tun haben, sondern lediglich mit dem internationalen Kräftegleichgewicht. Aber diese Überlegung ist noch weitaus instrumenteller, und ich werde hier nicht weiter darauf eingehen.) Die Sartresche Blindheit schließt eine Kritik an Befreiungsbewegungen nahezu vollständig aus, wohingegen Hobsbawms pragmatischer Marxismus einen klaren kritischen Maßstab liefert. Allerdings scheint mir dieser Maßstab falsch zu sein; denn der Sozialismus ist unmöglich das einzige und allein legitime Ziel des Nationalismus. Es hieße in der Tat, den Ausdruck »nationale Befreiung« mißzuverstehen, wollte man darauf beharren, daß der so beschriebene Prozeß nur ein Endergebnis haben könne, denn damit würde gerade bestritten, daß das Adjektiv das Substantiv in irgendeiner Weise näher bestimmt. Die Befreiung hängt ganz zu Recht von ihrem Subjekt ab, das heißt von der Geschichte der Nation, den autonomen Prozessen kultureller Kreativität, den Mustern der wechselseitigen Bindungen usw. Wer nationalistische Bewegungen kritisieren will, muß – wie ich bereits sagte – untersuchen, welche Haltung sie *gegenüber anderen Nationen* einnehmen, statt sich mit der Qualität ihres Innenlebens zu beschäftigen. Um es noch einmal zu betonen, damit will ich nicht jeder Kritik an ihrem innenpolitischen Auftreten die Spitze abbrechen. Aber die Rechte der Wiederholung stehen nun einmal nicht im Dienste ideologischer Korrektheit.

Eine Nation ist eine historische Gemeinschaft, die mit einem bedeutungträchtigen Ort verbunden ist, eine Lebensform verwirklicht und revidiert, politische oder kulturelle Selbstbestimmung anstrebt. Diese Definition habe ich mir bewußt bis zum Schluß aufgespart, weil ich keine allzu starke Verbindung zwischen Nation und Gemeinschaft suggerieren möchte. Gemeinschaften können allerlei andere Formen annehmen, wie sie es in der Vergangenheit getan haben und gewiß auch in der Zukunft tun werden. All diesen Formen ist jedoch ein Pluralismus gemeinsam – wirkliche Gemeinschaften können gar nicht anders als verschieden sein –, und Nationen sind vermutlich die besten gegenwärtigen Beispiele für diesen Pluralismus. Sobald wir über Nationen nachdenken, kommen uns (wie Anderson meinte) sofort Grenzen in den Sinn, und dann geraten auch die anderen Nationen in unser Blickfeld: kein zu verachtender intellektueller Fortschritt.

Der wiederholende Universalismus macht es möglich, diese Grenzen zu verstehen und zu rechtfertigen. Gegenüber den wechselnden Umständen des nationalen Lebens verfügen wir über kein Patentrezept, um die Grenzen richtig zu ziehen. Auch impliziert meine Argumentation in keiner Weise, daß es sich dabei immer um *staatliche* Grenzen handeln muß. Politische Souveränität ist ein Ergebnis der nationalen Befreiung, aber nicht das einzige und auch nicht immer das bestmögliche. Die Wiederholung beschert uns eine Welt aus Nationen, aber z. B. auch eine »Nation aus Nationalitäten«, wie der amerikanische politische Theoretiker Horace Kallen die U. S. A. charakterisierte.[57] Sie verträgt sich mit jedem politischen System, vorausgesetzt es läßt einen kulturellen Pluralismus und verschiedene Lebensformen zu. Multinationale Imperien sind zwar mit demokratischen Grundsätzen unvereinbar, widersprechen aber solange nicht den Prinzipien des wiederholenden Universalismus, wie es den verschiedenen Nationen freisteht, ihren eigenen Lebensformen gemäß zu leben, d. h. solange sie von zaristischer »Russifizierung« oder einem anderen ihrer historischen Gegenstücke unbeeinträchtigt bleiben.

Die »Russifizierung« belegt sehr schön den verderblichen und zweifellos ungerechten Krieg, den Staatsbeamte gegen kulturelle Kreativität und Pluralismus führen. Politik bezweckt Einheit; aus den vielen soll eines werden. Hier geht es jedoch um eine Einheit, die sich auf verschiedensten Wegen erreichen läßt: durch Versöhnung der Unterschiede (wie im

Falle der religiösen Toleranz) oder durch deren Unterdrükkung, durch Eingliederung oder durch erzwungene Assimilation, durch Verhandlung oder durch Zwang, durch föderative
bzw. körperschaftliche Einrichtungen oder durch zentralisti-
sche Staaten. Der wiederholende Universalismus setzt sich für
die erstgenannte Alternative dieser Gegensatzpaare ein. Die
erste Alternative ist durchaus mit einer geeinten, eine Vielfalt
von Nationen umfassenden Bürgerschaft vereinbar.[58]

Der Universalismus des allumfassenden Gesetzes erklärt
und rechtfertigt demgegenüber Assimilation, Integration und
Vereinheitlichung sowohl innerhalb einzelner Staaten und
Imperien als auch diese übergreifend. Er sieht einer Zeit
entgegen, in der alle Nationen sich in derselben moralischen
und politischen Regierungsform zusammenfinden, oder einer
Zeit, wo der Nationalismus selbst endgültig überwunden ist
und alle Grenzen aufgehoben sein werden. Diese Ziele lassen sich auch mit anspielungsreicheren Worten beschreiben:
weltweite Demokratie, internationaler Kommunismus, Welt-
regierung, das Reich des Messias. Ich möchte sie allesamt verwerfen – freilich nicht deshalb, weil mir die von ihnen vorge-
schlagenen Gesetze und Lebensformen gänzlich unattraktiv
erscheinen. Vielmehr möchte ich diesen Schritt tun, weil sie
von uns verlangen, Prozesse kultureller Kreativität und Modelle wechselseitiger Bindung zu mißachten oder zu unterdrücken, die wir schätzen sollten. Auch glaube ich nicht, daß
wir diese Mißachtung oder die Unterdrückung durchsetzen
könnten, ohne gegen das wichtigste der allumfassenden Gesetze zu verstoßen, d. h. ohne unmoralisch zu handeln, auch
wenn wir es selbstredend immer mit den »edelsten« Absichten tun.

ANMERKUNGEN

Mit Ausnahme der als *Anm. d. Red.* gekennzeichneten Hinweise der Übersetzerin und Ergänzungen des Herausgebers stammen alle Anmerkungen von Michael Walzer. (O. K.)

I. Von dichter und dünner Solidarität

1 [*Anm. d. Red.:*] Vgl. etwa M. Walzer, »Für eine Politik der Differenz«, in: ders., *Zivile Gesellschaft und amerikanische Demokratie* (Berlin 1992), S. 228–240.
2 Michael Walzer, *Spheres of Justice. A Defense of Pluralism and Equality* (New York 1983) [Dt.: *Sphären der Gerechtigkeit,* Frankfurt/M.–New York 1992].
3 George Orwell, *Coming Up for Air* (New York 1950), Teil I, 3. Kapitel. Die Vorstellung der »dichten« Beschreibung, Sprache oder Moral (*thick description*) habe ich aus Clifford Geertz' vielzitiertem Buch *The Interpretation of Cultures* (New York 1973) entnommen, siehe vor allem das erste Kapitel [Dt.: *Dichte Beschreibung. Beiträge zum Verstehen kultureller Systeme,* Frankfurt/M. 1983]. Allerdings beanspruche ich hier nicht, eine dichte Beschreibung von moralischen Auseinandersetzungen zu liefern. Ich will eher eine bestimmte Form von moralischer Argumentation charakterisieren, die man selbst »dicht« nennen könnte: die reich an Bezügen ist, kulturell gesättigt und in ein ganz konkretes lokales Symbolsystem und Bedeutungsgeflecht eingewoben ist. »Dünn« bezeichnet dann einfach das Gegenteil; wie ich diesen Ausdruck verwende, erläutere ich im ersten Kapitel.
4 [*Anm. d. Red.:*] »Hussiten« wurde – nach dem Prager Magister Jan Hus – die Bewegung der »böhmischen Brüder« des frühen 15. Jahrhunderts genannt, die für das Recht auf freie Bibelauslegung und eine brüderliche, anti-hierarchische Kirche der Armen als Gemeinschaft der Auserwählten eintrat. Auch nach dem Märtyrertod von Jan Hus (er war i. J. 1415 auf dem Konstanzer Konzil als Anhänger des früheren Oxforder Theologen und radikalen Reformers John Wyclif verurteilt und auf dem Scheiterhaufen hingerichtet worden) kam es in Böhmen wiederholt zur Gründung von Brüdergemeinden. Die hussitische Revolution wider die Herrschaft des römisch-

katholischen Klerus ist später ebenso als Vorläuferin der Reformation interpretiert worden wie als nationaler Widerstand der tschechischen Christenheit wider das römisch-deutsche Kaisertum. In diesem 20. Jahrhundert hat sich insbesondere der Philosoph, humanistische Sozialist und Präsident der tschechoslowakischen Republik Thomas G. Masaryk auf diese Tradition berufen: »Unser tschechisches humanitäres Programm ist religiösen Ursprungs und hat seinen letzten Grund im Brüdertum und in der Reformation«.

5 In Wirklichkeit ist das Argument für eine staatliche Trennung ein minimalistisches und universelles, da es sich auf das Prinzip der Selbstbestimmung beruft (siehe dazu unten das dritte Kapitel). Aber welche konkreten Formen und Abmachungen der Zusammenarbeit dann für die neuen Staaten entwickelt werden, hängt offensichtlich von weitaus partikularistischeren Bedeutungskontexten ab.

6 Michael Walzer, *Interpretation and Social Criticism* (Cambridge, Mass. 1987), S. 23 ff. [Dt.: *Kritik und Gemeinsinn* (Berlin 1990), S. 34 ff.]

7 *Deuteronomium* 16.20. [Hier wie im folgenden wird die Bibel nach der deutschsprachigen Einheitsübersetzung von 1980 zitiert.]

8 *Jesaja* 3.15: »Wie kommt ihr dazu, mein Volk zu zerschlagen?/Ihr zermalmt das Gesicht der Armen«.

9 Zur »Minimal Art« siehe *The Oxford Companion to Twentieth Century Art,* hrsg. von Harold Osborne (Oxford 1981), S. 375–377.

10 Milan Kundera, *Die unerträgliche Leichtigkeit des Seins* (München 1987), 6. Teil: »Der große Marsch«.

11 [*Anm. d. Red.:*] Im Originaltext suggeriert M*inimal Morality* durch die Großschreibung eine Anspielung auf *Minimal Art.*

12 Jürgen Habermas, *Moralbewußtsein und kommunikatives Handeln* (Frankfurt/M. 1983); Seyla Benhabib, *Critique, Norm, and Utopia. A Study of the Foundations of Critical Theory* (New York 1986), Kapitel 8. [Dt.: *Kritik, Norm und Utopie. Die normativen Grundlagen der kritischen Theorie* (Frankfurt/M. 1992)].

13 So verstehe ich die These Bruce Ackermans in seinem Buch *Social Justice and the Liberal State* (New Haven, Conn. 1980).

14 Stuart Hampshire, *Innocence and Experience* (Cambridge, Mass. 1989), insbesondere S. 72–78.

15 Michael Walzer, *Just and Unjust Wars* (New York 1977), Kapitel 6. [Dt.: *Gibt es einen gerechten Krieg?* (Stuttgart 1983)].

16 [*Anm. d. Red.:*] »Jedem das Seine« zu geben heißt im Englischen »to give every *man* his due«.

17 Vgl. Aristoteles' kompliziertere Formulierung (*Politik,* 1280 a): »Gerechtigkeit ist auf Personen bezogen, und eine Verteilung ist dann gerecht, wenn die relativen Werte der ausgeteilten Dinge den Personen, die sie empfangen, entsprechen« [Aristoteles, *Politics,* trans. E. Barker (Oxford 1946), S. 136]; für die einfachere Version siehe K. J. Dover, *Greek Popular Morality in the Time of Plato and Aristotle* (Berkeley, Cal. 1974), S. 180–183.

18 *Institutes,* I. i. 1; *Hamlet* II. 2. [in der Übersetzung von August Wilhelm von Schlegel].

19 [*Anm. d. Red.:*] Im Französischen: »la carrière ouverte aux talents«.

20 Zum Stichwort »Lebenspläne« siehe John Rawls, *A Theory of Justice* (Cambridge, Mass. 1971), S. 407–416. [Dt.: *Eine Theorie der Gerechtigkeit* (Frankfurt/M. 1975), S. 445–454.]

21 [*Anm. d. Red.:*] »Triage« bezieht sich heute i. d. R. auf die Diagnose in der Unfallmedizin nach Katastrophen und bedeutet die Feststellung der Überlebensfähigkeit bzw. finalen Schädigung der Opfer und dann v. a. das Entscheidungsverfahren darüber, welche Fälle im Wettlauf mit dem Tode zuerst zu behandeln sind: »treating the most serious cases first« (Oxford Advanced Learner's Dictionary, 1995).

22 Maimonides, »Gifts of the Poor«, 8, 10–18 [in: *The Code of Maimonides,* VII: The Book of Agriculture, trans. Isaac Klein (New Haven, 1979), S. 82–84].

23 Walzer, *Sphären der Gerechtigkeit,* a. a. O., Kapitel 1: »Komplexe Gleichheit«, S. 26–64.

24 Die moralische Beziehung zwischen Sklaven und Herren läßt sich wahrscheinlich eher durch Theorien über gerechte und ungerechte Kriege begreifen als durch Theorien der Verteilungsgerechtigkeit. Siehe *Spheres of Justice,* a. a. O., S. 250/*Sphären der Gerechtigkeit,* S. 357 (Fußnote).

25 *Spheres of Justice,* S. 87/dt. S. 138 f.

26 Marshall W. Baldwin, *The Medieval Church* (Ithaca, NY 1953), Einleitung und Kapitel 1.

27 René Descartes, *Discours de la méthode,* Franz.-Deutsch (Hamburg 1969), S. 101 f.

28 [*Anm. d. Red.:*] Siehe zu diesem Begriff von »Dominanz« einer Wertsphäre über andere (im Gegensatz zum »Monopol« der Verfügung über das jeweilige Gut innerhalb seiner Sphäre) Walzers Ausführungen in *Sphären der Gerechtigkeit,* S. 36–41 (»Herrschaft und Monopol«).

29 Siehe dazu Machiavellis Rat an den Fürsten, derartige Ungerechtigkeiten zu vermeiden – und sei es nur aus Gründen der Klugheit: *Der Fürst,* Kap. 17.

30 Vgl. die Thesen von Isaac D. Balbus, *Marxism and Domination* (Princeton, N.J. 1982).

31 Ein nützliches Exempel für diese Art Marktimperialismus liefert das Buch von Gary Becker, *The Economic Approach to Human Behavior* (Chicago, 1976).

32 Platon, *Der Staat,* Buch VIII, 566–569.

33 William Butler Yeats, »The Choice« [i.O.: »The intellect of man is forced to choose/Perfection of the life, or of the work.«]

34 Michael Walzer, *Interpretation and Social Criticism* (Cambridge, Mass. 1987) [Dt.: *Kritik und Gemeinsinn* (Berlin 1990)]; *The Company of Critics. Social Criticism and Political Commitment in the Twentieth Century* (New York 1988) – [Dt.: *Engagement und Enttäuschung. Gesellschaftskritik im 20. Jahrhundert* (Frankfurt/M. 1991)].

35 »Do not put me to't/For I am nothing if not critical«, *Othello,* II.1.

36 H.W.F. Saggs, *Civilizations Before Greece and Rome* (New Haven, Conn. 1989), Kapitel 8.

37 Georges Duby, *Die drei Ordnungen. Das Weltbild des Feudalismus* (Frankfurt/M. 1985), v.a. das 5., 13. und 22. Kapitel.

38 Emmanuel Joseph Sieyès, *Qu'est-ce que le Tiers État* (1788), 1. Kapitel. [Dt. »Was ist der dritte Stand?«, in: *Abhandlung über die Privilegien,* hrsg. von R.A. Forster (Frankfurt/M. 1968)].

39 Beaumarchais, *Figaros Hochzeit.* Dt. von Gerda Scheffel (Frankfurt/M. 1976), 5. Akt, S. 223 f.

40 Welchen Wert auch immer Michel Foucaults These, es gebe zwischen einer *epistème* und ihrer zeitlichen Nachfolgerin einen radikalen und ziemlich unverständlichen Bruch, in der Geistesgeschichte überhaupt haben mag – auf die Geschichte der politischen und Gesellschaftskritik scheint sie jedenfalls nicht zuzutreffen.

41 Vgl. dazu die Darstellung der früheren polnischen (und tschechischen) Dissidenten bei Adam Michnik, *Letters from Prison and Other Essays* (Berkeley, Cal. 1985).

42 Siehe Ronald Dworkin, »To Each His Own«, *New York Review of Books* vom 14. April 1993, S. 4–6; und den daran anschließenden Meinungsaustausch zwischen Dworkin und mir, *NYRB* vom 21. Juli 1983, S. 43–46.

43 George Steiner, »Putting critics in their places« in *Sunday Times Books* (London) vom März 1989.

44 Luc Boltanski/Laurent Thévenot, *De la justification. Les économies de la grandeur* (Paris, 1991).

45 [*Anm. d. Red.:*] Im Original: »what makes the proceduralism *proceed*«, im Sinne von »fortschreiten«, aber auch von »ans Werk gehen«.

46 Vgl. die These von Robert Putnam, *Making Democracy Work. Civic Traditions in Modern Italy* (Princeton, N. J. 1993).

47 Für eine Diskussion des amerikanischen »Republikanismus« siehe Michael Walzer, *What It Means to be American* (New York 1993), S. 23 ff. und 81 ff. [Dt.: *Zivile Gesellschaft und amerikanische Demokratie,* Teil III: »Von amerikanischer Demokratie« (Berlin 1992).] – [*Anm. d. Red.:* Die Nativisten, die »eingeborenen Amerikaner«, forderten als Reaktion auf die massive Einwanderung v. a. katholischer und jüdischer Emigranten eine Restriktion der Einbürgerungspolitik bzw. der Einwanderungsgesetze.]

48 Jean-Jacques Rousseau, *Der Gesellschaftsvertrag,* Buch III, Kap. 15.

49 Norberto Bobbio, *Stato, governo, società. Per una teoria generale della politica* (Turin 1985), S. 148.

50 Charles Lindblom, *Politics and Markets. The World's Political-Economic Systems* (New York 1977); siehe dazu auch die frühere Arbeit von Grant McConnell, *Private Power and American Democracy* (New York 1966).

51 Susan Moller Okin, *Justice, Gender, and the Family* (New York, 1992). [*Anm. d. Red.:* Vgl. Susan Moller-Okin, »Für einen humanistischen Liberalismus«, in: *Transit. Europäische Revue,* Nr. 5 (1992/93), S. 74–90.]

52 Was die Amerikaner betrifft, so vergleiche man Richard Hofstaedter, *Anti-Intellectualism in American Life* (New York 1963).

53 Karl Marx und Friedrich Engels, *Die deutsche Ideologie,* Teil I und II (»Feuerbach«), in: *Marx Engels Werke* [MEW], Bd. 3 (Berlin 1958). Daraus folgt jedoch nicht, daß das Wesen dieser Individuen »vollständig unter die Teilung der Arbeit subsumiert« ist (S. 66).

54 Für die klassische marxistische Auffassung siehe Eric Hobsbawm, »Some Reflections on ›The Break-up of Britain‹«, in: *New Left Review* 105 (1977), S. 3 . 23. [Dt. in: Tom Nairn/Eric Hobsbawm/Régis Debray/Michael Löwy, *Nationalismus und Marxismus,* Berlin 1978]. Die interessantesten linken Auseinandersetzungen zum Nationalismus stammen von den Austromarxisten Otto Bauer und Karl Ren-

ner; siehe die Auszüge in *Austro-Marxism,* hrsg. von Tom Bottomo-
re und Patrick Goode (Oxford 1978), Teil III. [O. Bauer, *Die Natio-
nalitätenfrage und die Sozialdemokratie,* Wien 1907; K. Renner, *Das
Selbstbestimmungsrecht der Nationen in besonderer Anwendung auf Öster-
reich,* Leipzig–Wien 1918.].

55 Siehe die Thesen zu den Auswirkungen der Massenmobilisierung
bei Karl W. Deutsch, *Nationalism and Social Communication. An In-
quiry into the Foundations of Nationality* (Cambridge, Mass. 1953).

56 Henry Smith, zit. bei C. L. Powell, *English Domestic Relations.
1487–1653* (New York 1917), S. 75.

57 Siehe die Reden dieser antiken »Nationalisten«, wie sie Cäsar in seinen Kriegsberichten wiedergibt: Julius Caesar, *War Commentaries,*
trans. Rex Warner (New York 1960), S. 29 f., S. 74; sowie die Darstellung bei Flavius Josephus, *Der jüdische Krieg,* VIII. 329–380.

58 Daher hat Hobsbawm sicher unrecht, wenn er behauptet, daß Nationen als bloß »vorgestellte Gemeinschaften« die durch den Rück-
zug oder die Zersetzung »*realer* menschlicher Gemeinschaften« entstandene emotionale Leere »nur unzureichend und nicht authentisch
ausfüllen« könnten (Eric Hobsbawm, *Nations and Nationalism since
1780* [Cambridge 1990], S. 46: Hervorhebung von Hobsbawm). Wie
uns die Anthropologen gelehrt haben, werden auch kleine und auf
direktem Kontakt beruhende Gemeinschaften auf sehr komplexe
und differenzierte Weise »vorgestellt«.

59 »Charaktergemeinschaft« ist ein Ausdruck Otto Bauers; vgl. Botto-
more/ Goode (Hrsg.) *Austromarxism,* a. a. O., S. 107.

60 [*Anm. d. Red.:*] Vgl. dazu auch Michael Walzers Diskussion des Problems der Algerienfranzosen im 8. Kapitel seines Buches *Zweifel und
Einmischung,* a. a. O., S. 189–209: »Albert Camus und der Algerien-
krieg«.

61 Vgl. Will Kymlickas Plädoyer für den Schutz von Minderheitskultu-
ren, in: *Liberalism, Community, and Culture* (Oxford 1991), v. a. Kapitel 9.

62 Conor Cruise O'Brien, *To Katanga and Back: A UN Case Study*
(New York 1962).

63 Thomas Hobbes, *Leviathan,* Teil I, 13. Kapitel (Übers. W. Euchner).

64 [*Anm. d. Red.:*] Siehe Th. Hobbes, ebda.: »Und wegen dieses gegenseitigen Mißtrauens gibt es für niemand einen anderen Weg, sich
selbst zu sichern, der so vernünftig wäre wie die Vorbeugung, d. h.
mit Gewalt oder List nach Kräften jedermann zu unterwerfen, und

zwar so lange, bis er keine andere Macht mehr sieht, die groß genug wäre, ihn zu gefährden.«

65 Siehe John Lockes Vorwegnahme dieses Ergebnisses in seinem *A Letter Concerning Toleration/Ein Brief über Toleranz* (1689), Engl./ Dt., hrsg. und übers. von Julius Ebbinghaus (Hamburg 1966), S. 96/97.

66 Ich habe diesen »Test« in meiner Tanner-Lecture ausgeführt. [Siehe in diesem Band, Teil II, 2. Vorlesung: »Ein zweiter Blick auf die nationale Frage«.]

67 [*Anm. d. Red.:*] Walzer zitiert natürlich das Oxford English Dictionary.

68 Sigmund Freud, *Das Unbehagen in der Kultur,* in: *Gesammelte Werke,* Bd. XIV (Frankfurt/M. 1948), S. 503, S. 506.

69 [*Anm. d. Red.:*] Vgl. dazu Walzer, *Kritik und Gemeinsinn,* a. a. O., Kapitel 1 (»Drei Wege in der Moralphilosophie«), v. a. S. 13–27.

70 Was es heißen könnte, einen »objektiven« Blickwinkel auf die Welt und auf sich selbst als Teil der Welt einzunehmen, zeigt Thomas Nagel in seinem Buch *The View from Nowhere* (New York 1986). [Dt. *Der Blick von Nirgendwo* (Frankfurt/M. 1992)].

71 Siehe Jean-Paul Sartre, »Plädoyer für die Intellektuellen« (1965), in: ders., *Plädoyer für die Intellektuellen. Interviews, Artikel, Reden 1950–1973* (Reinbek 1995), S. 122–130.

72 Dasselbe läßt sich über alle ähnlich gelagerten Hierarchien – wie: Vernunft/Leidenschaft, Geist/Körper, Elite/Masse usw. – sagen. Sie alle sind in ihrer einseitigen Bewertung auf vergleichbare Weise »dünn« und benötigen daher einer »Verdichtung«: Sie bedürfen neuer (freilich nicht überdrehter) Theorien, welche die rigiden Grenzziehungen verwischen, neue Begriffe einführen und die überkommenen Wertzuweisungen in Frage stellen können.

73 Randolph Bourne, »Below the Battle«, in: *The World of Randolph Bourne,* hrsg. von Lillian Schlissel (New York 1965), S. 164 f. – [*Anm. d. Red.:* Vgl. auch das Kapitel »Der Krieg und Randolph Bourne« in Walzers Buch *Zweifel und Einmischung,* a. a. O., S. 68–93.]

74 Jean-Jacques Rousseau, *Diskurs über die Ungleichheit,* franz./dt., übers. von Heinrich Meier (Paderborn 1984), S. 147.

75 »My Umpire Conscience«: John Milton, *Paradise Lost,* III. 195.

76 Vgl. dazu Paul Ricœur, *Soi-même comme un autre* (Paris 1990). Ricœur erörtert das Selbst als das Subjekt, dem die Handlung »zugerechnet« wird.

77 Lionel Trilling, *Sincerity and Authenticity* (Cambridge, Mass. 1972),
    S. 99 [Dt. *Das Ende der Aufrichtigkeit* (München 1980), S. 96]. Vgl.
    dazu die Erörterung von Mark Krupnicik, *Lionel Trilling ad the Fate
    of Cultural Criticism* (Evanston, Illinois, 1986), v.a. Kapitel 9.

78 Auch würden wir dies gar nicht absolut vermeiden wollen: Das un-
    angepaßte Selbst, dessen Selbstkritiker gewissermaßen von außer-
    halb der vertrauten sozialen Welt kommen, stürmt gegen die Gren-
    zen unseres kollektiven Selbstverständnisses an und erkundet
    manchmal das jenseits liegende Land.

II. Nation und Welt

 1 [*Anm. d. Red.:*] Im Englischen »*covering law*«*-version of universalism.*
    Eine Reihe der Wortspiele mit *cover* (Abdeckung, Schutz, Tarnung,
    usw.) im folgenden Text lassen sich im Deutschen nicht nachvollzie-
    hen. Zudem spielt Walzer mit seiner Wortwahl vom »alles abdecken-
    den Gesetz« auch ironisch auf die mit den Namen Karl R. Popper
    und Carl Hempel verbundene sog. »deduktiv-nomologische« Hy-
    pothese in der Wissenschaftsphilosophie an, wonach erfolgreiche
    wissenschaftliche Erklärungen aus empirischen Antezedens-Bedin-
    gungen und allgemeinen *covering laws* bestehen. Vgl. dazu Wolfgang
    Stegmüller, *Probleme und Resultate der Wissenschaftstheorie und Ana-
    lytischen Philosophie* (Berlin–Heidelberg–New York 1969), Bd. I,
    Kap. 1, S. 72–89.

 2 Paul D. Hanson, *The People Called. The Growth of Community in the
    Bible* (San Francisco 1986), S. 312–324.

 3 *Jesaja* 49.5; vgl. 42.5. [Hier wie im folgenden wird die Bibel i.d.R.
    nach der deutschsprachigen Einheitsübersetzung von 1980 zitiert,
    kleinere Abweichungen folgen der Wortwahl Walzers bzw. der von
    ihm benutzten »King James Version« der englischen Bibel.]

 4 *Jesaja* 2.3.

 5 *Daily Prayer Book: Ha Siddur, Ha Shalem,* übersetzt von Philip Birn-
    baum (New York 1977), S. 138. Vgl. die Erörterung dieser Zeile bei
    George Foot Moore, *Judaism in the First Centuries of the Christian
    Era. The Age of the Tannaim* (Cambridge, Mass. 1962), Bd. 1,
    S. 228–231, Bd. 2, S. 371–374.

 6 »A Song of the English«, in: *Rudyard Kipling's Verse. Inclusive Edi-*

tion 1885–1926 (New York 1927), S. 194 f. [Hier eine paraphrasierende Übersetzung: »Befolgt das Gesetz – gehorcht schleunigst allen Befehlen/säubert das Land von Übel, baut Straßen und/überbrückt den Strom./Sichert jedem das Seine/auf daß er erntet, wo er gesät./Durch den Frieden unserer Völker, tut den Menschen kund/wir dienen dem Herrn.«]

7 Judah Halevi, *The Kuzari. An Argument for the Faith of Israel,* übers. von Hartwig Hirschfeld (New York 1994), S. 226 f.; Samson Raphael Hirsch, *Horeb. A Philosophy of Jewish Laws and Observances,* übers. I. Grunfeld (London 1962), Bd. 1, S. 143 f.

8 *Amos* 9.7.

9 *Jesaja* 19. 20–25.

10 Siehe die Erörterung der Toleranz bei David B. Wong, *Moral Relativity* (Berkeley 1984), Kapitel 12.

11 *Jeremia* 18. 7–10.

12 *Micha* 4. 4–5.

13 Über die Unterschiede zwischen den Menschen, wenn auch nicht direkt über ihre Kreativität, heißt es bei den talmudischen Rabbis, sie sei ein besonderes Merkmal der göttlichen Schöpfung: »Wenn ein Mensch viele Münzen mit einem Stempel prägt, so gleichen sie alle einander; aber der Allerhöchste, König der Könige […] prägte jeden Menschen mit dem Stempel des ersten Menschen, und doch gleicht keiner dem anderen« (Babylonischer Talmud, Sanhedrin 37a).

14 Hier war mir David Hartmans Darstellung der moralischen Bedeutung der Schöpfungsgeschichte von großer Hilfe. Siehe D. Hartman, *A Living Covenant. The Innovative Spirit in Traditional Judaism* (New York 1985), v. a. S. 22–24, S. 265 f.

15 [*Anm. d. Red.:*] Im Englischen ein Wortspiel mit *covering law:* Ein Gesetz, das die Selbstbestimmung völlig »abdeckt«, erstickt sie auch. (Siehe Anm. 1).

16 *Deuteronomium* 30. 19.

17 Leo N. Tolstoi, *Anna Karenina,* Erster Teil, Kapitel 1.

18 Anders Nygren, *Eros und Agape. Gestaltwandlungen der christlichen Liebe* (Gütersloh 1930).

19 Edmund Burke, *Reflections on the Revolution in France* (London 1910), S. 75 [Dt.: *Betrachtungen über die französische Revolution,* übers. von Friedrich Gentz (Zürich 1987), S. 162.]

20 *Amos* 5. 24.

21 Stuart Hampshire, *Morality and Conflict* (Cambridge 1983), Kapitel 6.

22 Ebda., S. 134f.

23 Ebda., S. 139.

24 Ebda., S. 136.

25 H. L. A. Hart, *The Concept of Law* (Oxford 1961), S. 189–195.

26 Eine These, die der Auffassung Hampshires in etwa ähnelt, hat Aurel Kolnai in seinem Aufsatz »Erroneous Conscience« vorgeschlagen. Kolnai ist für die Vielfalt der moralischen Erfahrung äußerst empfänglich, bestreitet aber die Existenz »verschiedener Moralen«. Die Moral ist ihrem Wesen nach notwendig eine einzige, doch wird sie durch unsere »Verbindungen« *(affiliations)* modifiziert. Denn die moralische Erfahrung ist stets die Erfahrung eines bestimmten Volkes, das in einer bestimmten Zeit und an einem bestimmten Orte lebt und sich mit ganz bestimmten anderen Menschen verbunden fühlt. »So verkörpern die gesellschaftlichen Einheiten, denen wir natürlicherweise angehören oder denen wir uns freiwillig anschließen, auch gewisse moralische Eigenschaften, Leistungen und Akzente […]. Unsere Loyalität ihnen gegenüber entspricht einer allgemeinen moralischen Forderung [d. h. einem ›allumfassenden Gesetz‹] und bringt ihrerseits bestimmte abgeleitete moralische Verpflichtungen hervor: Aus unseren familiären, nationalen, religiösen, politischen usw. Verbindungen entspringt für jeden von uns eine Sondergruppe moralischer Neben-Gesetze.« Eine distinkte Gruppe ist sie nicht nur deshalb, weil diese Neben-Gesetze immer verschiedene Familien oder Nationen als ihren »jeweiligen Anwendungsbereich« haben, sondern auch, weil die Verbindungen, die sie ausdrükken, in jedem Einzelfall einen unterschiedlichen »Lebensrahmen« oder eine »Sphäre von Pflichten« mit ihren je eigenen »Eigenschaften, Leistungen und Akzenten« bilden. Die Moral wird also durch das Wirken von »nicht-moralischen Tatsachen« (wie Kolnai sie nennt) partikularisiert: unsere Vereinigungsneigungen, unsere gefühlsmäßigen Anhänglichkeiten usw. Aber die von diesen »Tatsachen« ausgelösten Differenzierungsprozesse scheinen doch der Erzeugung wenn nicht verschiedener Moralen, so doch verschiedener Moralauffassungen und moralischer Erfahrungen – also verschiedener Lebensformen – recht nahezukommen. Die »moralische Verpflichtung zur Ehrlichkeit« würde diese Prozesse zweifellos ohne größere Veränderung überstehen; aber es ist schwer vorstellbar, daß die Regeln der Verteilungsgerechtigkeit dabei nicht einschneidend differenziert würden. (*Ethics, Value and Reality. Selected Papers of Au-*

rel Kolnai, eingeleitet von Bernard Williams und David Wiggins [Indianapolis 1978], S. 21 f.)

27 Anthony Smith, *The Ethnic Origins of Nations* (New York 1988).

28 *Exodus* 2. 23. – [*Anm. d. Red.:* Zur Frage nach dem Charakter der ägyptischen Knechtschaft (Sklaverei, Tyrannei, Unterdrückung, Zwangsarbeit?) und Erniedrigung siehe auch Michael Walzers Diskussion im ersten Kapitel seines Buches *Exodus und Revolution* (Berlin 1988), v. a. S. 35–43.]

29 Siehe Ronald Dworkin, *Taking Rights Seriously* (Cambridge, Mass. 1977), S. 180–183. [Dt.: *Bürgerrechte ernstgenommen* (Frankfurt/M. 1984, S. 299–302.]

30 C. B. Woodham-Smith, *The Great Hunger. Ireland 1845–1849* (London 1962).

31 Diese These geht zurück auf eine Anregung von Adi Ophir. Vgl. auch Barrington Moores Ausführungen über »die Einheit des Elends und die Vielfalt des Glücks« in seinem Buch *Reflections on the Causes of Human Misery and upon Certain Proposals to Eliminate Them* (Boston 1972), Kapitel 1.

32 Siehe jedoch Anthony Smith, *The Ethnic Origins of Nations* (New York 1988), der unsere nationalen Gemeinschaften für sehr alt hält – allerdings nicht unsere nationalistischen Ideologien.

33 Edmund Wilson, *Patriotic Gore. Studies in the Literature of the American Civil War* (New York 1962), S. XI.

34 Niccolò Machiavelli, *Discorsi,* Buch I, Kapitel 5. [Dt.: Machiavelli, *Politische Schriften,* hrsg. von Herfried Münkler (Frankfurt/M. 1990), S. 140.]

35 »Sichert jedem das Seine/auf daß er erntet, wo er gesät.« *Rudyard Kipling's Verse,* ebda. [Siehe oben Anm. 6]

36 Benedict Anderson, *Imagined Communities. Reflections on the Origin and Spread of Nationalism* (London 1983), S. 16. [Dt.: *Die Erfindung der Nation* (Frankfurt/M.–New York 1988).]

37 [*Anm. d. Red.:*] Im englischen Text eine direkte Anspielung auf die U.S.-amerikanische Rhetorik im Kalten Krieg: *to make the whole world safe for democracy.*

38 Martin Buber, *Israel and the World. Essays in a Time of Crisis* (New York 1963), S. 221, S. 248. – [*Anm. d. Red.:* Vgl. auch das Kapitel »Martin Bubers Suche nach Zion« in Walzers Buch *Zweifel und Einmischung,* a. a. O., S. 94–114.]

39 [*Anm. d. Red.:*] Im englischen Text ergibt sich ein Wortspiel: »the

covering law is always a *cover* (Tarnung, Deckmantel) for expansion ...«; siehe oben Anm. 1.

40 Karl Marx, »Die britische Herrschaft in Indien«, in: *Marx-Engels Gesamtausgabe* (= Neue MEGA), I/12 (Berlin 1984), S. 173.

41 Siehe Mills Rechtfertigung seiner Rolle, die sich von Marxens Verteidigung gar nicht so sehr unterscheidet: J.S. Mill, *On Liberty* [dt.: *Über die Freiheit,* übers. von Bruno Lemke (Stuttgart 1974), S. 97 f.]

42 Tom Nairn, *The Break-up of Britain. Crisis and Neo-Nationalism* (London 1977), S. 331.

43 Siehe Clifford Geertz, »The Integrative Revolution. Primordial Sentiments and Civil Politics in New States«, in: Geertz, *The Interpretation of Cultures* (New York 1973), S. 255–310.

44 Siehe Francis Hutchins, *Spontaneous Revolution. The Quit India Movement* (Delhi 1971), Kapitel 3, 4 und 5.

45 Isaiah Berlin, *Vico and Herder. Two Studies in the History of Ideas* (New York 1977), S. 159.

46 Für eine umfassende Darstellung der marxistischen Argumentation siehe Walker Connor, *The National Question in Marxist-Leninist Theory and Strategy* (Princeton 1984).

47 John Locke, *Ein Brief über Toleranz,* Engl./Dt., übers. von Julius Ebbinghaus (Hamburg 1966), S. 96/97, S. 100/101.

48 Michael Walzer, »The Reform of the International System«, in: *Studies of War and Peace* (Oslo 1986), S. 227–240.

49 E. Hobsbawm, »Some Reflections on ›The Break-up of Britain‹«, in: *New Left Review* 105 (Sept.–Okt. 1977), S. 9. [Dt. in: Tom Nairn/ Eric Hobsbawm/Régis Debray/Michael Löwy, *Nationalismus und Marxismus,* Berlin 1978].

50 »Egoismus« weist dem eigenen Selbst einen höheren Platz als allen anderen zu, »Individualismus« ist frei von solchen negativen Konnotationen. In einer annähernd vergleichbaren Weise beinhalten »Rassismus«, »Sexismus« und »Chauvinismus« eine Rangordnung von Klassen, Geschlechtern und Staaten; aber »Nationalismus« läßt sich nicht in denselben Topf werfen: Er verträgt sich durchaus mit einer Theorie der Inkommensurabilität (wie der Martin Bubers) oder mit einem einfachen Agnostizismus in bezug auf Rangstufen oder Rangordnungen. Nationalisten ähneln insofern eher den Patrioten, insofern sie Bindungen, die den eigenen ähneln, auch bei anderen schätzen – und anders als Egoisten sind sie dazu fähig, ohne in den anderen Völkern notwendigerweise Konkurrenten oder

Gegner zu sehen. (Damit ist freilich nicht gesagt, daß es keine Nationalisten gibt, die sowohl eine kollektive Variante des Egoismus als
auch eine politische Version des Rassismus übernehmen.)

51 Und so vermischen sich die Metaphern der »Harmonie« und der
»Mission«: »Aus dem harmonischen Zusammenspiel der Mission
[eines jeden Volkes] wird die allgemeine Mission aller Völker entstehen« (*The Living Thoughts of Mazzini,* hrsg. von Ignazio Silone
[Westport, Conn. 1972], S. 55.).

52 Karl Marx, *Das Kapital. Kritik der politischen Ökonomie,* MEW, Bd.
25 (Berlin 1972), S. 397.

53 Berlin, *Vico and Herder,* a. a. O., S. 164.

54 Martin Buber, *Ein Land und zwei Völker. Zur jüdisch-arabischen Frage,* hrsg. von Paul R. Mendes-Flohr (Frankfurt/M. 1983), S. 126.

55 Vgl. Jean-Paul Sartres Vorwort zu Frantz Fanon, *Die Verdammten
dieser Erde* (Frankfurt/M. 1966).

56 Hobsbawm, »Some Reflections«, a. a. O., S. 10.

57 Horace Kallen, *Culture and Democracy in the United States* (New
York 1924). – [*Anm. d. Red.:* Siehe dazu ausführlich Michael Walzer,
Zivile Gesellschaft und amerikanische Demokratie, Teil III: »Von ameri-
kanischer Demokratie« (Berlin 1992).]

58 Für eine Verteidigung dieser »zivilen« Gemeinsamkeit siehe Geertz,
»The Intergrative Revolution«, a. a. O., bes. S. 309 ff.

PLURALISMUS, UNIVERSALISMUS, HERMENEUTIK

Nachwort von Otto Kallscheuer

1.

Natürlich muß man heute Michael Walzer der deutschen intellektuellen Öffentlichkeit nicht mehr vorstellen. Der amerikanische politische Theoretiker, der selber die linke Zeitschrift *Dissent* herausgibt[1], wurde in *Probleme des Klassenkampfes* (Heft 87/Juni 1992) ebenso wohlwollend interviewt wie im *Manager Journal* (Nr. 5/1993). Seine wichtigsten Bücher wurden mittlerweile übersetzt [auf sie wird im folgenden aus Platzgründen nur mit ihrem deutschen Titel verwiesen], ebenso einige Aufsätze.[2] Was wichtiger ist: Sie werden offenbar sogar gelesen, und zwar weit über die Grenzen der Akademie oder bestimmter politischer Kulturen hinaus.

Auf Michael Walzer, der sich selber zuweilen als sozialen Demokraten oder liberalen Sozialisten bezeichnet, haben sich ja in Deutschland keinesfalls nur Sozialdemokraten berufen, sondern auch so unterschiedliche Politiker wie Richard von Weizsäcker, Wolfgang Schäuble oder Dany Cohn-Bendit. Ob es um die im Nachvereinigungsdeutschland notorische Frage nach dem »Gemeinsinn« in der Demokratie geht, um die Hermeneutik nationaler Identität, getrennter Erinnerungen, die multikulturelle Gesellschaft, um die Rolle gemeinsamer Traditionen und Wertvorstellungen für das öffentliche Wohl und das private gute Leben der Bürger oder um die Pflichten sozialer Solidarität und um Orientierungen beim Umbau des Wohlfahrtsstaats: Michael Walzers Fragen und Thesen kommen hierzulande in zahlreichen sozial- und kulturpolitischen Auseinandersetzungen zur Sprache, und dies nicht nur auf

der Ebene der akademischen Philosophie, Politik- und Sozial-
wissenschaft, sondern auch in der politischen Publizistik, in
Journalismus und Essayistik.

Hier soll nun freilich kein neues philosophisch-politisches
Porträt versucht werden.[3] Statt dessen werden im folgenden
einige sachliche und bibliographische Informationen zum
kulturellen und politischen Kontext des in Princeton und
New York lebenden Sozialwissenschaftlers und politischen
Moralisten nachgetragen, die für das Verständnis der beiden
in diesem Buch veröffentlichten Vorlesungsreihen von Nutzen sein können: der 1993 an der Loyola-Universität in Chicago gehaltenen Frank M. Covey, Jr./Loyola-Lectures in Political Analysis »Thick and Thin« und der 1989 an der Oxford
University gehaltenen Tanner Lecture on Human Values
»Nation and Universe«. Frühere Teilveröffentlichungen (des
1. und 4. Kapitels der Loyola Lectures; der 1. Vorlesung der
Tanner-Lectures) wurden neu übersetzt bzw. neu revidiert.
Naturgemäß müssen die bibliographischen Anmerkungen daher etwas ausführlich ausfallen.

2.

In der deutschen kulturellen Öffentlichkeit stieß Walzers moralische Sensibilität für Fragen kollektiver – also auch: nationaler – Identität just zu demselben Zeitpunkt auf Interesse,
als in der politischen Philosophie die »kommunitaristische«
Bewegung aus den USA bekannt wurde.[4] Ob es nur diese
zeitliche Koinzidenz war, die im Ergebnis zuweilen zu einer
schiefen Wahrnehmung führte, sei dahingestellt. Jedenfalls
wurden Walzers politiktheoretische Arbeiten alsbald ausschließlich von der an deutschen Hochschulen primär philosophisch und weniger gesellschaftspolitisch geführten Kontroverse um den »Kommunitarismus« überschattet – während
gleichzeitig die sozialkritische und kulturpolitische Tradition
des amerikanischen Pragmatismus (etwa von Intellektuellen

wie John Dewey, Randolph Bourne oder Horace Kallen, auf die sich Walzer selber direkt bezieht) fast völlig vernachlässigt wurde.

Daß die Zuordnung Walzers zum Kommunitarismus auch ihre guten Gründe hat, soll hier natürlich nicht bezweifelt werden: Walzer teilt ganz offenkundig wichtige Gegenwartsdiagnosen der »Kommunitaristen« über den sozial-moralischen Zustand der amerikanischen Gesellschaft; aber ebenso offenkundig ist seine Abneigung gegen jede Festlegung auf eine philosophische Schule – mehr noch, wider jede nicht in kulturelle Alltagserfahrung rückübersetzbare *high theory* überhaupt. Und diese selber durchaus (meta-)philosophische Einstellung hat weitaus mehr mit der auch politischen Geschichte des amerikanischen Pragmatismus als demokratischer Philosophie gemein als mit dem (in deutschen Landen mit dem Etikett *communitarianism* i. d. R. assoziierten) Erbe Aristoteles' und Hegels. Jedenfalls soll hier auf diese Kommunitarismus-Kontroverse nicht weiter eingegangen werden – das ist bereits an anderer Stelle ausführlich geschehen.[5]

Im deutschsprachigen akademischen Raum ist Walzer, wie jeder *quotation-index* belegen könnte, in erstaunlich kurzer Zeit zum Klassiker geworden. Mittlerweile gehören seine Theorien und Bücher in allen sozialwissenschaftlichen Fachbereichen zur Standardliteratur; ihnen gewidmete Diplom-, Magister- oder Doktorarbeiten werden ebenso an jesuitischen Hochschulen verteidigt wie in der diskursethischen Hochburg der Neuen Frankfurter Schule.[6] Zwar wurden durch die moralphilosophische Engführung der Kommunitarismusdebatte einige überflüssige Nebenkriegsschauplätze an *philosophical correctness* mitproduziert: universalistische Hardliner werfen Walzer gerne eine (»nicht weit genug über Aristoteles hinausgehende«) Tendenz zur romantischen oder hegelischen Restauration »einer dichten und intensiven Gemeinschaft« bzw. einer »nachegalitären«, nationalstaatlich beschränkten

Gerechtigkeitsauffassung vor. (Genau dies sind die Standard-
vorwürfe wider den Kommunitarismus, von denen alle US-
amerikanischen Kommunitarismuskritiker Walzers Schriften
mit Bedacht ausnehmen.) Innerhalb der Frankfurter diskursethischen Schule gibt es inzwischen freilich weitaus differen-
ziertere Rekonstruktionen des Walzerschen »kommunitären
Liberalismus« oder »kontextualistischen Universalismus« – etwa von Albrecht Wellmer oder Rainer Forst.[7]

Daß in Deutschland die Rezeption der Arbeiten dieses
amerikanischen politischen Theoretikers – anders als etwa die
der Bücher von John Rawls – nicht im akademischen Raum
verbleibt, ist gewiß in hohem Maße Walzers theoretischem
und literarischem Stil geschuldet. Für seine großen Bücher
Gibt es einen gerechten Krieg? und *Sphären der Gerechtigkeit* gilt,
wie für viele seiner Artikel und Essays: In ihrer bewußt nar-
rativ gehaltenen, mit exemplarischen Verdeutlichungen ar-
beitenden und in topischen Wiederholungen »erzählenden«
Struktur unterscheiden sich Walzers Schriften deutlich vom
deduktiven Argumentationsmuster der allermeisten zeitgenössischen politischen oder Moralphilosophen. (Das gilt
wohlgemerkt auch für solche Autoren, die Walzers linke politische Sympathien teilen oder ihnen nahestehen – wie den deutschen Sozialdemokraten Habermas oder den amerikanischen
Liberalen John Rawls, der in den sechziger Jahren, der Zeit
ihres gemeinsamen Protestes gegen den Vietnamkrieg, übrigens Kollege Walzers an der Harvard University war.[8])

3.

Natürlich ist der Stil der Argumentation – bei Walzer ebenso
wie bei Rawls oder anderen – selber eine substantielle Frage.[9]
In diesem Band beschreibt Walzer »seine« Form des Universalismus als exemplarische, ständige Wiederholung, im Gegensatz zum hypothetisch-deduktiven Verfahren der Ableitung aus einem allumfassenden Gesetzeskanon. Die hierfür

in einer früheren Teilübersetzung von Walzers Tanner Lectures [in: Babylon, Heft 7] verwandten Termini »covering-law-Universalismus« und »reiterativer Universalismus« fielen unnötig »technisch« aus: Wir haben sie daher durch völlig unproblematische deutsche Begriffe ersetzt. Warum ist der Unterschied von Bedeutung? Walzer hält natürlich nicht eine universalistische (oder »Menschheits«-)Ethik als solche für fragwürdig, m. a. W. das Streben nach allgemeinmenschlicher Solidarität mit Verfolgten, Unterdrückten und Beleidigten, auch jenseits unserer eigenen kulturellen oder politischen Gemeinschaften und ihrer Solidarbeziehungen. Er hält vielmehr ihre vorherrschende metaphysische oder juridische Argumentationsform für unbrauchbar – und zwar gerade mit Blick auf die Ausweitung minimaler Standards von Menschenwürde über den Horizont »unserer« Binnenmoralen hinaus.

Die *deduktive* »Anwendung« einer feststehenden Morallehre auf Politik und Gesellschaft ist nicht allein die Argumentationsform einer klassisch metaphysischen Moral, wie z. B. der scholastischen Naturrechtslehre. Sie steht auch am Ende jenes »Pfads der Erfindung« in der Moralphilosophie, den Walzer im ersten Kapitel von *Kritik und Gemeinsinn* in den Begründungsmustern von Philosophen wie Thomas Nagel, John Rawls oder Jürgen Habermas identifiziert und kritisiert hat. Dies liegt in der Natur jeder konstruktivistischen Theorie der Gerechtigkeit selbst – welches Konstruktionsverfahren auch immer verwandt wurde: die vertragstheoretische Konstruktion eines Testmodells für »wohlgeordnete Gesellschaften« (Rawls) oder die Kommunikation unter »quasi-transzendentalen« Idealbedingungen (Habermas, Apel). Wenn nämlich die normative Kraft moralischer Gebote erst einmal auf die Geltung möglichst weniger Grundprinzipien *reduziert* worden ist, am besten gar nur auf ein einziges (wie den Kantischen Universalisierungsgrundsatz), dann besteht die weitere Aufgabe der politischen Theorie vornehmlich in der Anwendung dieses Prinzips auf die das soziale Zusammenleben steuernden Institutionen (bzw. in der Suche nach den das Moralprinzip u. U. einschränkenden oder modifizierenden Bedingungen seiner Konkretisierung).[10]

Während nun solche Konkretisierungs- und Anwendungsdiskurse nach den Vorstellungen der Habermasischen Diskursethik in mehr oder minder »realen« Öffentlichkeiten verhandelt werden sollen, ist das im »Urzustand« der Rawlsschen *Theorie der Gerechtigkeit* nachgestellte Modell für ein »Unparteilichkeits- und Neutralitätsarrangement« (Kersting) ganz eindeutig das Gerichtsverfahren. John Rawls' Theorie der »Gerechtigkeit als Fairness« versteht sich bekanntlich seit den achtziger Jahren als »politische, nicht metaphysische Konzeption«. Es ist somit nicht ein Kantischer Gerichtshof »der Vernunft«, der hier bemüht wird, sondern eine Art Oberstes Verfassungsgericht, so wie das der Vereinigten Staaten. Mit nur leichter Überspitzung der divergierenden Akzente von zwei in mancher Hinsicht parallel verlaufenden Pfaden könnte man somit den jüngsten kritischen Austausch zwischen Habermas und Rawls über den Stand ihrer Differenzen (1995) als Dialog zwischen einer stärker hegelianischen, in eine Gesamtsicht (»comprehensive view«) von Rationalität und Moral integrierten Auffassung von politischer Philosophie einerseits und einer eher pragmatisch-politischen Suche nach den institutionellen Grundstrukturen liberaler Demokratie andererseits ansehen. Man kann denselben Kontrast metaphorisch auch als transatlantische Konfrontation zwischen zwei unterschiedlichen Akzentuierungen der Institutionalisierung öffentlicher Freiheit lesen – und beiden gegenüber setzt Michael Walzer andere Akzente.[11]

4.

Suchte man nach einer institutionellen Verkörperung des Begründungsverfahrens der kommunikativen Ethik, so wäre es der wahrheitsorientierte Diskurs auf einem *Expertenhearing* – die Suche nach einer normativen Wahrheit oder Problemlösung, welche sich anschließend in der öffentlichen Beratung (»deliberation«), in Bürgerversammlungen, neuen sozialen Bewegungen, kommunalen u. a. Konsultationen, zu bewähren hat. Jürgen Habermas' eigene Stellungnahme in der öffentlichen Anhörung der Enquete-Kommission zur »Aufarbeitung von Geschichte und Folgen der SED-Diktatur in Deutschland« am 4. Mai 1994 im Berliner Reichstag stellt ein beeindruckendes Beispiel für diese Argumentationsform dar [sie erschien gekürzt in *Die Zeit* (Nr. 20); in Amerika natürlich in *Dissent* (H. 4/1994)].

Als politische Implementierung einer Konsensustheorie der Wahrheit entspricht die öffentliche Beratung von Bürgerforen und Expertenkommissionen einer kontinentaleuropäischen Demokratietradition, die sich am Ideal der Wahrheitsfähigkeit des Allgemeinwillens orientiert. Der »Volkssouveränität als Verfahren« als dem Nachfolgebegriff der Rousseauschen Volonté générale entspricht die sich in einer vielfältigen Öffentlichkeit artikulierende »dialektische Beziehung zwischen privater und politischer Autonomie« (Habermas, 1995) – gewissermaßen als säkularisiertes Äquivalent einer republikanischen »Bürgerreligion«.[12] Mit Habermas teilt Walzer gewiß das Interesse an einer pluralistischen Vielfalt von Vereinigungen und Diskussionsforen in der zivilen Gesellschaft (vgl. das zweite Kapitel von *Zivile Gesellschaft und amerikanische Demokratie*). Einer allzu philosophisch überhöhten Festlegung oder auch nur Deutung ihrer Kommunikationsmuster und Diskussionsspielregeln wird er hingegen mit (wohlwollender) Skepsis begegnen.

John Rawls hingegen geht von vornherein von der gerade

unter demokratischen Bedingungen vernünftigen Annahme aus, daß das *Faktum des Pluralismus* von religiösen, kulturellen, ethischen Weltanschauungen und Lebensstilen durch keine höhere Wahrheit aufgehoben oder integriert werden kann (und auch nicht sollte). So lehnt er heute auch die »epistemische« Universalisierung der politischen Unparteilichkeit zu einer philosophischen »Unpersönlichkeit«, die Integration seines politischen in einen umfassenden philosophischen Liberalismus, konsequent ab. Dieser philosophische »Agnostizismus« seiner politischen Theorie unterscheidet ihn von seinem Schüler Thomas Nagel und provozierte auch die Rawls-Kritik von Jürgen Habermas (1995) – beiden gegenüber wird auch Michael Walzer, mit John Rawls oder Richard Rorty, auf der ausschließlich »politischen und nicht philosophischen« Natur der liberalen Ordnung beharren wollen.[13]

Der liberale Konstitutionalismus, der in den USA einerseits auf die religiöse Vorgeschichte der *new nation*, andererseits auf die Ideen John Lockes oder Montesquieus zurückgeht, ist selbst bereits eine auf Konflikt, Kompromiß und Konvergenz beruhende Verfassungskultur: ein *overlapping consensus* verschiedener Freiheits-, Staats- und Föderationsideen. Ohne die Inkorporation der in der Bill of Rights kodifizierten Garantien der amerikanischen Verfassungsväter, bestimmte private, religiöse, zivile Rechte auch *gegenüber* demokratischen Mehrheitsentscheidungen selbst zu schützen, hätten Madison und die »Federalists« niemals die Mehrheit auf dem Verfassungskonvent in Philadelphia erhalten. In außergewöhnlichen politischen Situationen – mit dem Unabhängigkeits- und dem Bürgerkrieg, mit sozialen Bewegungen wie der Bürgerrechtsbewegung der sechziger Jahre – kommt es zu grundlegenden Verfassungsänderungen oder Ergänzungen (die in der bisherigen Geschichte der USA zunehmend inklusiver ausgefallen sind). In »normalen« Perioden jedoch sanktioniert der Oberste Gerichtshof die veränderte politische Kultur und wacht im übrigen über die Grundrechte. Rawls' idealtypisches *Verfassungsgericht der Fairness* legt darum weitaus mehr Wert auf die Ergebnisse einer politisch umgesetzten Gerechtigkeitsauffassung als auf die diesen Umsetzungsprozeß begleitenden oder ihn vorbereitenden Beratungen.

5.

Ein Expertenhearing zur Feststellung des normativ wahren Gerechtigkeitsprinzips erfordert einen anderen Argumentationsstil als ein (faires) Gerichtsverfahren. Soweit es darum geht, die richtigen gesellschaftlichen Grundstrukturen und Verfassungen zu finden, wird der Philosoph jedoch in beiden Fällen nach *unabweisbaren* Argumenten suchen – nach »Gründen, die [alle anderen Menschen] vernünftigerweise nicht abweisen können«, wie sich Thomas M. Scanlon in einem wichtigen Aufsatz im Kontext der Rawls-Diskussion ausgedrückt hat. *Jeder* sich an die Regeln vernünftigen Argumentierens haltende Mensch oder (zumindest) jedes sich um Unparteilichkeit bemühende Mitglied einer auf Fairness eingeschworenen Jury müßte somit – so geht die Hoffnung eines »epistemischen« Universalismus in der Moralphilosophie – unweigerlich zu *demselben* Ergebnis kommen, zu denselben Vorstellungen von Gerechtigkeit als der ersten Tugend sozialer Institutionen.[14]

Offenkundig geht Michael Walzers Form politisch-theoretischer Argumentation nicht davon aus, daß diese Hoffnung begründet ist. Ja, Walzer hält eine Perspektive, wonach alle Menschen als solidarische und vernünftige Wesen zu denselben Moralauffassungen und institutionellen Vorstellungen kommen müßten, nicht einmal für eine positive Hoffnung. Die »dünne« oder minimalistische Moral, von der das erste Kapitel dieses Buches handelt, konstituiert noch keine moralische Welt. Wie Walzer in *Kritik und Gemeinsinn* (S. 34 f.) ausführte, betrifft dieser universalistische moralische Code »Mindeststandards« an Menschlichkeit, die vor Grausamkeit und Tyrannei geschützt werden müssen: »Für sich genommen deuten diese universellen Verbote jedoch kaum die Umrisse einer voll entfalteten oder lebensfähigen Moral an. Sie liefern einen Rahmen für jedes mögliche (moralische) Leben, aber nur einen Rahmen, in dem alle wesentlichen Details erst noch ausgefüllt werden müssen, bevor irgend jemand auf die eine oder andere Weise darin leben könnte.«

Ohne deshalb zum »bekennenden« Kommunitaristen zu werden (wie Alasdair MacIntyre, Charles Taylor oder Michael Sandel), ist Walzer von der Triftigkeit eines von jeder kulturellen Tradition abstrahierenden, methodischen Ausgangspunkts für die (Re-)Konstruktion von lokalen und sozialen Gerechtigkeitsmaßstäben ebensowenig überzeugt wie von der Motivationskraft einer Moral, welche die Tugenden und Pflichten der Solidarität quasi-juridisch beurteilen will und soziale Lernprozesse nach dem Modell der Legitimation von Rechtsansprüchen rekonstruiert. Vernunft und juridische Systematik erlauben die Rationalisierung von Institutionen – aber sie konstituieren nicht die normative Motivation.

Diese wird weitaus eher in der exemplarischen Prophetie faßbar – der Prophet ist im letzten Kapitel von *Kritik und Gemeinsinn* der Prototyp des mit seinem Volke »verbundenen Gesellschaftskritikers«, der in einigen Intellektuellen von Walzers Porträtgalerie *Zweifel und Einmischung* Nachfolger findet. Die prophetische Klage und Kritik ist zwar häufig eine minoritäre, aber nie eine methodisch isolierte – denn ohne den Bezug auf ein größeres Kollektiv, auf eine erzählte und erzählende Gemeinschaft mit gemeinsamen Erinnerungen, Niederlagen und Hoffnungen wäre der Prophet »nicht ohne Augen, aber ohne Zunge: er könnte in der Tat die Unterdrükkung sehen, aber er könnte ihr keinen Namen geben oder über sie zu den Herzen der Menschen sprechen« (*Kritik und Gemeinsinn*, S. 105). Die Konstituierung von verstreuten und vereinzelten Unterdrückten und Beleidigten zum handlungsfähigen »Volk« aus verantwortlichen *moral agents* (durch den revolutionären Aufbruch des Mose, den Bundesvertrag, die immer wieder nacherzählten Erfahrungen und die mit jeder Erzählung neu erfahrene und interpretierte gemeinsame Geschichte) wird im Medium der Erzählung vergegenwärtigt: durch die Muster exemplarischer Wiederholung von moralisch bedeutsamen Topoi der Selbst-/Fremdwahrnehmung konstituieren sich *shared meanings*, gemeinsame Wahrnehmungsmuster und kollektive Identitäten. Der Spannungsbogen der moralischen Motivation sozialer Lern- und Kampfprozesse wird also nach Walzer nicht durch *deduktive* Ableitung von Handlungsmaximen aus allgemeinen moralischen Gesetzen erzeugt, sondern durch exemplarische Erzählungen, die in rhetorischen *Topoi* »als Kategorien des kollektiven und gesellschaftlichen Bewußtseins« verdichtet werden.[15]

Der Topos der kollektiven Erinnerung kann zur Fabel der revolutionären Erzählung werden, wenn er »paßt« – aber er paßt nur, wenn er vom Propheten, Prediger oder Wortführer glaubwürdig intoniert, ja verkörpert wird. Ein konkretes Beispiel bildete den Anstoß für Walzers Buch über den Auszug der Israeliten aus der ägyptischen Knechtschaft ins gelobte Land – die Predigt eines Baptistenpredigers in Montgomery, Alabama, »über das Buch *Exodus* und den politischen Kampf der Schwarzen in den Südstaaten«, die der junge Harvard-Politologe, der gerade seine Dissertation über die puritanische »Revolution der Heiligen« schrieb, bei seiner Reportagereise in die Südstaaten (im Auftrage der linken Zeitschrift *Dissent*) gehört hatte: »Dort auf der Kanzel, stellte der Prediger [...] den ›Auszug‹ aus Ägypten dar und erläuterte dessen moderne Entsprechungen. Er wand sich unter der Peitsche, trotzte dem Pharao, zauderte furchtsam am Roten Meer, stimmte am Fuße des Berges Sinai dem Bund und dem Gesetz zu.« Denselben Topos – so erinnerte sich Walzer – verwandte Oliver Cromwell in seiner Eröffnungsrede für das revolutionäre Parlament der Heiligen in der puritanischen Revolution: der biblische Exodus des Auserwählten Volkes sei »die einzige Parallele von Gottes Umgang mit uns, die ich kenne«.[16]

Auch der unmittelbar einsichtige »negative« und in Walzers Terminologie »minimalistische« moralische Protest gegen Tyrannei und Unterdrückung muß also in einer historischen oder mythischen Geschichte (nach-)erlebt und immer wieder (nach-)erzählt werden. Er muß zum Topos einer Erzählung werden, damit er für eine konkrete Gruppe oder mehrere, sich überschneidende, überlappende, kritisierende kollektive Identitäten einen befreienden Sinn erhalten kann.

Natürlich impliziert nichts von alldem die Schlußfolgerung, Walzer relativiere die moralischen Intuitionen des liberalen Universalismus von Kant bis Rawls: Im Gegenteil – als lebendige moralische Intuitionen verlangen sie ein »tragendes«, also plausibel machendes, soziales Netz an geteilten und/oder umkämpften Bedeutungen innerhalb der jeweiligen Kultur oder Gesellschaft. Aufgrund seiner eigenen mannigfachen Zugehörigkeiten – »Amerikaner, Jude, Ostküstenbewohner, Intellektueller und Professor« (man könnte hinzufügen: Bürgerrechtsaktivist, undogmatischer Linker, Zeitschriftenherausgeber, Talmudleser) – ist Walzer ein glaubwürdiger kultureller Pluralist. Er legt daher großen Wert auf »lokal« oder kulturell spezifische Erfahrungen, Traditionen und »Gesprächsnetze« (Charles Taylor), aus denen heraus sich erst die Bedeutung ergibt, die dieses oder jenes soziale Gut für Männer und Frauen aus ganz bestimmten Gruppen, Gemeinschaften oder Nationen erhalten kann.[17] Auch eine universalistisch ausgerichtete Sozialkritik kann nur im Horizont einer jeweils spezifischen moralischen Sprache verstanden werden. Michael Walzer ist in *Sphären der Gerechtigkeit* (1985) den unterschiedlichen kulturellen Bewertungskriterien und institutionellen Verteilungssphären von materiellen und symbolischen Güter nachgegangen.[18]

6.

Wenn Walzer also auf einem »reiterativen« oder »kontextualistischen« Universalismus der exemplarischen Wiederholung
und nacherzählenden Erinnerung beharrt und diesen vom
deduktiven Universalismus transzendentaler oder prozedura-
ler Gerechtigkeitsmoralen unterscheidet, impliziert dies eine
demokratietheoretische oder anthropologische These, eine
hermeneutische Methode – und eine politische Warnung:

a) Mit anthropologischer Skepsis gegenüber jedem rein in-
dividualistisch argumentierenden Liberalismus instistiert Walzer – wie schon John Dewey in *The Public and its Problems*
(1927) – auf der Erfahrungsbasis von politischer Handlungs-
fähigkeit. »Die Bürger eines demokratischen Staatswesens
sind nach dieser Auffassung keine selbstgenügsamen Kreatu-
ren. Sie müssen auch noch *woanders*, an kleineren, zugängli-
cheren, weniger Anforderungen stellenden und weniger ge-
fährlichen Orten Mitglied sein können. Denn nur an solchen
Orten können sie politische Kompetenz erwerben, Siege und
Niederlagen kennenlernen, Kompromisse machen lernen,
Freunde und Verbündete gewinnen und gegensätzliche Vorstellungen erkunden. Es ist äußerst riskant für eine demokratische Regierung, wenn der Staat sämtlichen verfügbaren
Raum besetzt und es keine alternativen Vereinigungen, keinen geschützten sozialen Raum mehr gibt, wo die Menschen
sich von der Politik erholen, ihre Wunden pflegen und sich
ausruhen können, um für künftige Begegnungen neue Kräfte
zu sammeln.«[19]

b) Daß das pragmatistische Wissen um die »lokale« Erfah-
rungsabhängigkeit politischen Handelns sich bei Walzer mit
einer hermeneutischen Wendung zum Wissen um die Kon-
textabhängigkeit moralischer Argumente und Symbole verbindet, ist von verschiedenen Lesern und Kritikern bemerkt
worden. Die rhetorisch-topische Argumentation von Walzers
Analyse des kollektiven Gedächtnisses unterstreicht diese

Wende noch. Philosophisch liegt hier ein Verweis auf Richard Rortys Verbindung von Neopragmatismus und Kontextualismus nahe, auch wenn ich eher den Eindruck habe, daß diese Familienähnlichkeit zwischen Walzers und Rortys Skepsis angesichts metaphysischer oder transzendentaler Argumentationen eher eine Sache des demokratischen Common sense ist und nicht auf spezifischen sprach- oder erkenntnisphilosophischen Auffassungen Walzers beruht. Wichtiger noch ist die jahrtausendealte Erfahrung der jüdischen Diaspora nach der zweiten Zerstörung des Tempels: Die kollektive Identität dieses Volkes ohne Staat konnte sich nur über Lektüre, Erzählung, Vergegenwärtigung, Kommentar und Streit tradieren und verändern. Die Kultur der jüdischen Gemeinden war, wie Walzers politischer Mentor Irving Howe – selber ein säkularer New Yorker Jude – schrieb, »eine Kultur der Rede: ihr Gott war ein sprechender Gott«.[20]

c) Die politische Warnung Walzers ist elementar: Politische und kulturelle Fortschritte von Demokratie und Gleichheit, die nicht aus kollektiven Lernprozessen erwachsen sind und den Common sense und die institutionelle Kultur nicht verändert haben, bleiben notgedrungen prekär. Dies ist, so Walzers jüngste Diagnose, die Situation der amerikanischen Linken angesichts des Aufschwungs einer populistischen Rechten, die weitaus eher die untere Mittelklasse und weite Segmente der weißen Arbeiterklasse ansprechen kann. Zahlreiche fortschrittliche Regelungen der letzten zwei Jahrzehnte in den USA waren zwar gesetzliche oder gerichtliche Siege im Sinne einer erweiterten Fairness-Gerechtigkeit und Chancengleichheit – Erfolge der Bürgerrechtsbewegung, »affirmative action« für Minderheiten, Legalisierung der Abtreibung, Veränderungen des öffentlich legitimen Lebensstils (Homosexuellen-Rechte) und der Verhaltenskultur (Verbot diskriminierender Rede) usw. Sie wurden jedoch gewissermaßen auf »Rawlsschem Wege« durchgesetzt: Die Fairness-Prinzipien und neuen Grundrechts- und Verfassungsdeutungen wurden zum Gegenstand von »legal action« und auf gerichtlichem Wege, advokatorisch, stellvertretend errungen: »Viele dieser Siege wurden vor Gerichtshöfen, in Schulen, in den Medien, im öffentlichen Dienst gewonnen – und nicht in den zentralen Arenen demokratischer Politik. Sie spiegeln die linke oder liberale Einstellung von Rechtsanwälten, Richtern, Bundesbürokraten, Professoren, Lehrern, Sozialarbeitern, Journalisten, Fernseh- und Drehbuchautoren – nicht die der breiten Bevölkerung. Diese liberalen ›Eliten‹ genossen gewiß innerhalb der breiten Bevölkerung Unterstützung; sie antworteten auf die Bedürfnisse verschiedenster organisierter Gruppen; aber sie wurden nicht durch den Druck einer Massenbewegung oder einer Mehrheitspartei zur Aktion gezwungen. […] Die sichtbaren Erfolge der liberalen Linken […] geben einen falschen Eindruck ihrer Stärke, denn sie wurden ohne die Unterstützung von massenhaften und mobilisierten sozialen Bewegungen gewonnen. Institutionell gesehen ist die amerikanische Linke daher so schwach wie seit langem nicht mehr […].«[21]

7.

In *Kritik und Gemeinsinn* unterscheidet Michael Walzer die Kriterien der »dichten«, internen Gesellschaftskritik des Propheten Amos (als Prototyp einer mit den Traditionen, Konflikten und Erinnerungen ihrer Gesellschaft »verbundenen« Kritik) vom universalistischen »Minimalcode«, den er in der Verurteilung der Gewalt und »Unbill« der Stadt Ninive im Buche Jona und in des Propheten Amos Verurteilung der Gewaltverbrechen der Nationen ausfindig macht (*Amos* 1.3–2.2): »Amos' Verurteilung der Nationen setzt keinen späten und hochentwickelten Universalismus voraus, sondern einen frühen und wohlvertrauten. Die Existenz einer Art internationalen Rechts, das die Behandlung von Feinden und Fremden

festlegt, scheint ebenfalls in der Geschichte Sodoms und Go-
morrhas vorausgesetzt zu werden, auf die sich Amos beiläufig
bezieht [...] und ein derartiger Minimalcode mag auch der
Geschichte der Sintflut unterliegen. Der Autor des Buchs *Jona*
fügt Jahrhunderte später in dieser Hinsicht nichts hinzu. Gott
wird gewaltsame ›Unbill‹ überall bestrafen, wo immer sie
verübt wird. Aber neben diesem Universalismus gibt es eine
partikularistische Botschaft, die jedenfalls von den Propheten
Israels nur den Kindern Israels verkündet wird.« (S. 93)

Walzers universalistische, »dünne« Solidarität hat also vor
allem negative Züge; sie fordert Schutz vor elementaren Ver-
folgungen und Verletzungen: vor Folter, leiblichem und seeli-
schem Terror, vor Vertreibung und Unterdrückung. Die Regeln dieser »minimalistischen« Solidarität, der Solidarität mit
(allen) Menschen als leidensfähigen und verletzlichen Wesen,
handeln vom elementaren »Nein« gegen Gewalt oder Grausamkeit überall – daheim oder in der Fremde. Aber sie geben
uns noch keine Kriterien an die Hand, wie wir unser Zusammenleben gestalten, institutionalisieren, verfassen sollen. Sie
sind notwendig für die UNO oder für NGOs, für freiwillige
Menschenrechts- und sonstige Hilfsorganisationen, motivie-
ren aber keine soziale Bewegung und verändern nicht die kollektive Identität kultureller Mehrheiten. Das Bild vom minimalistischen Moralcode ist das moralische Äquivalent zu den
Flüchtlingscamps, welche die in unserer Gegenwart wachsen-
de Zahl von *displaced persons*, Vertriebenen und Flüchtlingen
aufnehmen sollen – oder von Amnesty International, einer
Organisation, die Folter, Mord und brutale Verfolgung überall, ohne Rücksicht auf das politische Regime oder kulturelle
Traditionen anklagt. Diesem ebenso notwendigen wie prekä-
ren und unbewaffneten Universalismus wäre freilich auch
durch noch so »zwingende« Deduktionen kaum geholfen.

Judith Shklars berühmte Definition des Liberalen durch
die Maxime »Putting cruelty first« (ein liberaler Mensch sieht

Grausamkeit als das größte zu vermeidende Übel an) deutete an, daß diese Skeptikerin liberale Institutionen weder epistemisch (in normativen Wahrheiten) noch prozedural (in hypothetischen Begründungsprozeduren oder idealisierten Gerichtsverfahren) gründen wollte, sondern in der Erinnerung und Vergegenwärtigung einer Grunderfahrung dieses Jahrhunderts: der Angst vor Grausamkeit und Tyrannei. [22] Ohne deshalb einem vorrangig negativen »Liberalismus der Furcht« Judith Shklars *in toto* zuzustimmen, sieht Walzer die fraglos universalistischen Aspekte liberaler Politik und Moral vornehmlich in der Suche nach den Schutzwällen, welche uns vor absoluten Übeln schützen sollen. [23]

Die recht unterschiedlichen institutionellen Verkörperungen und kulturellen Idealbilder (zwischen)menschlicher Achtung, um deren prekäre und gefährdete Natur wir Menschen des 20. Jahrhunderts wissen müssen, mögen in der Verteidigung einiger gemeinsamer »dünner« und minimaler Grundrechte konvergieren. Die neue Rolle der Menschenrechte in der internationalen Politik und die noch wenig erfolgreichen Bemühungen um ihre (auch trans- und internationale) Institutionalisierung zeugen vom wachsenden Bewußtsein um die elementare Bedeutung solcher Minima. Auch wenn die Frage nach ihrer metaphysischen Begründung nicht (wie der amerikanische linksliberale Pragmatist Richard Rorty meint) sinnlos wäre, ist sie jedenfalls gegenüber der institutionellen Sicherung der Menschenrechte absolut zweitrangig (wie der europäische linksliberale Rechtsphilosoph Norberto Bobbio darlegt). [24]

8.

Um realistische und moralisch verantwortbare Wege, auf denen die Verpflichtungskraft der Menschenrechte im Kontext des Grundsatzes der Selbstbestimmung (und im möglichen Gegensatz zur nationalen Souveränität) politisch zu sichern wäre, geht es in Walzers Arbeiten zur Moral der internationalen Beziehungen – hier vor allem um die Grenzen, Regeln und Bedingungen von legitimen Sezessionen (im Gegensatz zur »ethnischen Säuberung« oder Unterdrückung) nationaler Unabhängigkeitsbewegungen. Walzers Anstöße – die übrigens deutliche Anknüpfungspunkte an die klassische christliche Lehre vom gerechten Krieg aufweisen, die heute ebenfalls in einer Kräftekonstellation reflektieren muß, welche zugleich vom Souveränitätsverlust der klassischen Nationalstaaten, von inneren ethnischen und nationalen Spaltungen geprägt wird – waren freilich im »Gemeinsinn«-willigen deutschen Diskurs weitaus weniger gefragt als die reiterativen Fortsetzungen der Kommunitarismusdebatte. Sein höchst aktuelles Buch *Gibt es einen gerechten Krieg?* wurde nicht einmal in einer Taschenbuchausgabe neu aufgelegt.

Nur zur Information: Walzer hat sich sowohl zur Frage der Intervention der westlichen Staaten in den Golfkonflikt sehr prononciert geäußert als auch für eine westliche militärische Präsenz im ehemaligen Jugoslawien plädiert – zur Verteidigung der bedrohten bosnischen Republik und allgemein zur Hegung der Volkskriege in zerbrechenden multinationalen Reichen oder Föderationen. Auch John Rawls hat zuletzt – noch wenig konkret und sehr unter idealisierenden Bedingungen argumentierend – das Thema des Völkerrechts versuchsweise aufgegriffen.[25] Und die von Walzer mitverantwortete Zeitschrift *Dissent* hat die Intervention der US-amerikanischen Truppen in Haiti zur Wiederherstellung der Demokratie als »erste progressive amerikanische Militärintervention seit dem Zweiten Weltkrieg, freilich auch die im Lande am wenigsten unterstützte« (George Packer) offen befürwortet. Auch John Rawls' (meines Wissens) bisher einziger nicht-akademischer Essay zur politischen Moral, eine Kritik am Atombombenabwurf zum 50. Jahrestag der Zerstörung Hiroshimas, erschien in dieser Zeitschrift![26]

ANMERKUNGEN

1 Seit dem Tode des bedeutenden amerikanischen Literaturkritikers und unabhängigen Sozialisten Irving Howe (1920–1993), bei dem Walzer selber in den fünfziger Jahren an der Brandeis University studiert hatte, ist Walzer zusammen mit Mitchell Cohen einer der beiden Herausgeber dieser Zeitschrift, für die er 1960 seine ersten Reportagen über die schwarze Bürgerrechtsbewegung in den Südstaaten schrieb [Vgl. I. Howe, *A Margin of Hope. An intellectual Autobiography*, San Diego – New York 1982 (S. 185 f., S. 234–239; S. 283 f.); siehe auch die Beiträge in *Dissent*, H. 4/1993: »Remembering Irving Howe«; und zuletzt Mitchell Cohen, »Socialism as Regulative Idea – Irving Howe's Politics«, *Dissent*, H. 2/1995, S. 254 ff.]. Siehe Walzers Essaysammlung *Obligations: Essays on Disobediance. War and Citizenship* (Cambridge, Mass. 1970); seinen Artikel »Dissent at Thirty«, in: *Dissent*; H. 1/1984; sowie sein Vorwort zur Anthologie *Legacy of Dissent. 40 Years of Writing in Dissent Magazine*, hrsg. von Nicolaus Mills, mit einer Einleitung Mitchell Cohens, New York 1994.

2 Neben der 1992 in der Reihe »Rationen« bei Rotbuch veröffentlichten Aufsatzsammlung *Zivile Gesellschaft und amerikanische Demokratie* erschienen in deutscher Übersetzung folgende Aufsätze Walzers (im folgenden in den Anmerkungen stets als M.W. abgekürzt): »Möglichkeiten der Linken – Wohin soll der Weg gehen?« [im engl. Original zuerst in: *Dissent*, H. 4/1992], in: *What's left? Prognosen zur Linken*, Rotbuch Taschenbuch Nr. 78, Berlin 1993; M. W., »Die kommunitaristische Kritik am Liberalismus« [i. O. in: *Political Theory*, H. 1/1990], in: A. Honneth (Hrsg.), *Kommunitarismus. Eine Debatte über die moralischen Grundlagen moderner Gesellschaften*, Frankfurt/M. – New York 1993; M. W., »Politik der Differenz. Staatsordnung und Toleranz in der multikulturellen Welt«, in: *Transit*, Heft 8/Herbst 1994; M. W., »Kommentar zu Taylor«, in: Charles Taylor, *Multikulturalismus und die Politik der Anerkennung* [i. O.: Princeton, N.J. 1992],

Frankfurt/M. 1992; siehe demnächst: M. W., »Politik und Religion in der jüdischen Tradition« in: Otto Kallscheuer (Hrsg.), *Das Europa der Religionen*, Frankfurt/M. 1996.

3 Siehe mein Nachwort »Ein amerikanischer Gesellschaftskritiker« in der Neuauflage (1993) von M. W., *Kritik und Gemeinsinn*, auf das auch für weitere bibliographische Hinweise verwiesen sei, sowie Nadia Urbinatis hervorragendes Porträt »Lealtà e dissenso: La democrazia pluralistica di Michael Walzer«, in: *Teoria politica*, Bd. IX, No. 3/1993.

4 Zu möglichen aktuellen Motiven der Kommunitarismusrezeption im Kontext der deutschen Wiedervereinigung vgl. die Beiträge [u. a. von W. Kersting] in P. Braitling/W. Reese-Schäfer (Hrsg.), *Universalismus, Nationalismus und die neue Einheit der Deutschen*, Frankfurt/M. 1991; s. zuletzt den Kommentar von Hans Joas, »Der Kommunitarismus – eine neue ›progressive Bewegung‹?«, in: *Forschungsjournal Neue Soziale Bewegungen*, H. 3/Sept. 1995, S. 29–39.

5 In den Sammelbänden von Christel Zahlmann (Hrsg.), *Kommunitarismus in der Diskussion* (Rotbuch Rationen: Berlin 1992, jetzt Rotbuch Taschenbuch) und Axel Honneth (Hrsg.), *Kommunitarismus* (Frankfurt/M. – New York 1993) und ihren zahlreichen Nachfolgern, diversen Kongreß- und Zeitschriften-Sonderbänden, zumeist mit kommentierten Literaturübersichten: u. a. *Transit*, Nr. 5/1993 (»Gute Gesellschaft«); *Deutsche Zeitschrift für Philosophie* (H. 6/1993: Symposium zu Walzers »Sphären der Gerechtigkeit«); *Forschungsjournal Neue Soziale Bewegungen*, H. 3/ 1995 (»Kommunitarismus und praktische Politik«).

6 Als Beispiele, die sich beliebig vermehren ließen, seien einerseits die an der Philosophischen Fakultät S. J., also bei den Münchner Jesuiten, abgelegte Magisterarbeit von Stephan Thewalt (»Die Norm der komplexen Gleichheit als Schutz vor der Tyrannei«, SS 1993) und andererseits die am Frankfurter Fachbereich Philosophie angenommene Dissertation von Rainer Forst zur »Liberalismus-Kommunitarismus-Kontroverse« (WS 1992/93) erwähnt, die inzwischen unter dem Titel *Kontexte der Gerechtigkeit* (1994) veröffentlicht wurde – der Titel dieser vorzüglichen Arbeit ist offenbar eine kritische Anspielung auf Walzers Hauptwerk. Siehe auch die Diskussionen auf dem Kommunitarismus-Kongreß der Neuen Frankfurter Schule, dokumentiert in dem Tagungsband *Gemeinschaft und Gerechtigkeit* (hrsg. von M. Brumlik/H. Brunkhorst, Frankfurt 1993).

7 Vgl. die Kritiken von Hauke Brunkhorst (zuletzt in seinem Buch *Demokratie und Differenz*, Frankfurt/M. 1994, S. 124 ff.) und Micha Brumlik (in: *Blätter für deutsche und internationale Politik*, H. 4/1992) – im Gegensatz zu Stephen Holmes (Einleitung zu: *The Anatomy of Antiliberalism*, Cambridge, Mass. 1993; dt.: Rotbuch Rationen 1995) oder Derek L. Phillips, *Looking Backwards. A Critical Appraisal of Communitarian Thought* (Princeton, N.J. 1993, S. 197, Anm. 8). Siehe hingegen A. Wellmer, »Bedingungen einer demokratischen Kultur« im o. a. Frankfurter Kongreßband *Gemeinschaft und Gerechtigkeit* und R. Forst, *Kontexte der Gerechtigkeit* (Kap. IV. 1).

8 Vgl. Thomas W. Pogges instruktive Monographie *John Rawls*, München 1994 [v. a. S. 26 ff.: Vietnamprotest in Harvard; und S. 131 f.: »property-owning democracy« und liberaler Sozialismus versus »Welfare-state«] sowie in Wolfgang Kerstings *John Rawls zur Einführung* (Hamburg 1993) alle notwendigen bibliographischen Informationen zu den diversen Stadien von Rawls' Theorie, die hier ebensowenig aufgelistet werden können wie die ethisch-politischen Arbeiten von Jürgen Habermas. Zum folgenden s. insbesondere die jüngste Auseinandersetzung zwischen Habermas [»Reconciliation through the Public Use of Reason: Remarks on John Rawls's Political Liberalism«] und Rawls [»Reply to Habermas«] in: *The Journal of Philosophy*, Vol. XCII, No. 3 (March 1995), S. 109–180, die sich auf die letzten Werke beider bezieht; Habermas' *Faktizität und Geltung* (1992) und Rawls' *Political Liberalism* (1993).

9 Vgl. M. W., »Philosophy and Democracy«, in: *Political Theory*, Bd. 12/H. 3 (1981); sowie M. W., »A Critique of Philosophical Conversation«, in: *The Philosophical Forum*, Vol. XXI, No. 1–2 (1989). – Gegen eine hypothetisch-deduktive [»covering law«] Auffassung von Moraltheorie [»morality resembles much more a system of reasoning or a network of intelligible connections between interconnected ideas«] und für eine kontextuelle Bestimmung politischer Theorie hat sich zuletzt auch der Oxforder liberale Rechtsphilosoph Joseph Raz ausgesprochen: *Ethics in the Public Domain*, Oxford, UK 1994 (S. 32; 8. 155 ff. und passim).

10 Vgl. etwa die in K. O. Apel/M. Kettner (Hrsg.), *Zur Anwendung der Diskursethik in Politik, Recht und Wissenschaft* (Frankfurt/M. 1992) versammelten Beiträge. Auch in der jüngsten Auseinandersetzung zwischen Habermas und Rawls spielt die von beiden Seiten unterschiedlich verstandene »Zweistufigkeit« von hypothetisch-deduk-

Nachwort

tiver Grundlegung und empirischer Anwendung der Gerechtigkeitsforderungen eine wichtige Rolle [s. *The Journal of Philosophy*, Vol. XCII, No. 3 (March 1995), insb. S. 127 f.; 150 ff.].

11 Siehe zum folgenden Rawls' *Political Liberalism* (1992) und seine Antwort auf Habermas (1995). Zur Metapher vom Gerichtshof vgl. auch die Rawls-Interpretationen Paul Ricœurs [*Le Juste*, Paris 1995, S. 15 und passim] und Th. Pogge [a. a. O., S. 140 ff.; S. 190 ff. Rawls' Verhältnis zu Kant]; zur Verfassungsinterpretation s. Bruce Ackermann, *We The People* (Bd. I: *Foundations*), Cambridge, Mass. 1991. Von Habermas vgl. den im Anhang von *Faktizität und Geltung* (1992) abgedruckten Aufsatz »Volkssouveränität als Verfahren« (1988), das III., VI. und VII. Kapitel dieses Buches; sowie seinen jüngsten »Familienstreit« mit Rawls (1995).

12 Vgl. das vorletzte Kapitel von Rousseaus *Gesellschaftsvertrag* (IV. 8) »De la religion civile«.

13 Rawls, »Justice as Fairness – Political, not Metaphysical«, in: *Philosophy and Public Affairs*, Bd. 14 (1985); R. Rorty, »Der Vorrang der Demokratie vor der Philosophie«, in: ders., *Solidarität und Objektivität*, Stuttgart 1988.

14 Thomas M. Scanlon, »Contractualism and Utilitarianism«, in: S. Williams/A. Sen (Hrsg.), *Utilitarianism and Beyond*, Cambridge, UK 1982. Um Fragen »epistemischer« Objektivität i. S. von Unpersönlichkeit in der Moral hat sich im Anschluß an Rawls insbesondere Thomas Nagel bemüht [etwa in seinem Aufsatz »Moral Conflict and Political Legitimacy«, *Philosophy and Public Affairs*, Bd. 16 (1987), H. 3; und in seinem Buch *Der Blick von nirgendwo*, Frankfurt/M. 1992; vgl. die Kritik von Joseph Raz, in: *Philosophy and Public Affairs*, Bd. 19 (1990), H. 1]; Walzer setzt sich mit Nagel u. a. im ersten Kapitel von *Kritik und Gemeinsinn* auseinander.

15 Gerd Ueding, *Klassische Rhetorik*, München 1995, S. 81. Ueding fährt fort: »Nicht minder wichtig für die Glaubwürdigkeit des Wissens ist die Person, die es vorträgt, ihre Vertrauenswürdigkeit *(ethos)*, [...] wie gut sich die Adressaten der Wissensbotschaft in dem Redner repräsentiert sehen, wie ernst er ihre Hoffnungen, Ängste und Sorgen nimmt, wie sehr er einer der ihren ist, der sie versteht und sie daher auch in die emotionale und intellektuelle Aufnahmebereitschaft zu versetzen weiß.« Mutatis mutandis kann dies auch als Beschreibung der Tugenden von Walzers »connected critic« gelten.

16 M. W., *Exodus und Revolution*, S. 13; die Dissertation erschien 1965

unter dem Titel *The Revolution of the Saints* bei Harvard University Press.

17 Vgl. Michael Walzer, »Multiculturalism and Individualism«, in: *Dissent*, H. 2/1994. Siehe zu diesem Themenkomplex auch andere in *Dissent* veröffentlichte Beiträge, etwa den Artikel des bedeutenden britischen politischen Philosophen Joseph Raz, »Multiculturalism – A Liberal Perspective« (in Heft 1/1994) sowie die in H. 1/1995 geführte Auseinandersetzung des Literaturkritikers David Bromwich mit dem (Multi-)»Kulturalismus – Euthanasie des Liberalismus« mit den Antworten Michael Walzers und Charles Taylors. Vgl. dazu auch die Artikel von u. a. George Kateb [»Notes on Pluralism«], A. Margalit/M. Halbertal [»Liberalism and the Right to Culture«] und Richard E. Flathman [»Liberalism – From Unicity to Plurality and on to Singularity«] in der Liberalismus-Themenausgabe der Zeitschrift *Social Research* (Vol. 61, No. 3/Fall 1994).

18 Heute vermißt er darin eine ausreichende Darstellung der (inneren) Exklusionen: M. W., »Exclusion, Injustice and the Democratic State«, *Dissent*, H. 1/1993.

19 M. W., »Introduction«, in: ders. (Hrsg.), *Towards a Global Civil Society*, Providence, R. I. 1995. Für sozialpolitische Schlußfolgerungen s. auch M. W., »Socializing the Welfare State«, in: Amy Gutmann (Hrsg.), *Democracy and the Welfare State*, Princeton, N. J. 1988. Zu Deweys Diagnose vgl. meine Bemerkungen im Nachwort von *Kritik und Gemeinsinn*, a. a. O.

20 Irving Howe, *World of Our Fathers*, New York – London 1976, S. 11 [zit. nach Nadia Urbinati, »Lealtà e dissenso«, a. a. O.].

21 M. W., »What's going on? Notes on the Right Turn«, *Dissent*, H. 1/1996 (S. 6 f., S. 9); vgl. auch den Themenschwerpunkt »Right Turn« in: *Dissent*, H. 1/1995.

22 Judith Shklar, »The Liberalism of Fear«, in: Nancy Rosenblum (Hrsg.), *Liberalism and the Moral Life*, Cambridge, Mass. 1989 (S. 21–38); dies., *Ordinary Vices*, Cambridge, Mass. 1984 [Kap. 1: »Putting cruelty first«]; vgl. dazu Richard Rorty, *Kontingenz, Ironie und Solidarität*, Frankfurt/M. 1992, passim. Siehe auch die im Sammelband *Liberalism without Illusions* (a. a. O.) versammelten Arbeiten, von denen sich u. a. die von John Dunn, Seyla Benhabib, Amy Gutmann und Stanley Hofmann mit Shklars skeptisch »negativem« Liberalismus befassen, der auch ihr Buch über Ungerechtigkeit (Rotbuch Rationen 1992) inspiriert hat.

23 Michael Walzer, »On Negative Politics«, in: Bernard Yack (Hrsg.), *Liberalism without Illusions. Essays on Liberal Theory and the Political Vision of Judith N. Shklar*, Chicago, Ill. 1996, S. 17–24. (Auch »Dita« Shklar war eine Freundin und Kollegin aus Walzers Zeit in Harvard.)

24 Richard Rorty, »Menschenrechte, Vernunft und Empfindsamkeit«, in: *Transit*, Nr. 7/1994; Norberto Bobbio, *L'età dei diritti*, Torino 1991 [v. a. das Eingangskapitel »Über das Fundament der Menschenrechte«, S. 5–16; und das in der 2. Aufl. (1992) hinzugefügte Schlußkapitel »Die Menschenrechte heute«, S. 253–270].

25 M. W., *Just and Unjust Wars*, New York 1977, v. a. Kapitel 6: »Interventions« [dt. *Gibt es einen gerechten Krieg?* Stuttgart 1983]; ders., »La sinistra conservatrice« (Interview mit G. Riotta), in: *MicroMega*, Nr. 2/1991, S. 33 ff.; ders., »Justice and Injustice in the Gulf War«, in: Jean Beth Elshtain u. a., *But Was It Just? Reflections on the Morality of the Persian Gulf War*, New York 1992, S. 1–22 (auch als Vorwort zur Paperbackausgabe von *Just and Unjust Wars*); ders., »The Politics of Rescue«, in: *Dissent*, H. 1/1995, S. 35–41. [Für Antworten und Stellungnahmen der Naturrechtslehre über den gerechten Krieg siehe insbesondere die Arbeiten von J. Bryan Hehir, etwa seine Artikel in *Journal of Religious Ethics*, Vol. 20, No. 2/1992; *Dissent*, H. 4/1994; und *Social Research*, Vol. 62, No. 1/1995. Vgl. auch John P. Langans »Notes on Moral Theology: Nationalism, Ethnic Conflict and Religion«, *Theological Studies*, March 1995]. John Rawls, »The Law of the Peoples«, in: St. Shute/Susan Hurley (Hrsg.), *On Human Rights – The Oxford Amnesty Lectures 1993*, New York 1993 [siehe die Kritik daran von Stanley Hoffmann, *NYRB*, Nov. 2, 1995].

26 Vgl. den Artikel von *Dissent*-Mitherausgeber Mitchell Cohen »The Problem of Intervention«, *Dissent*, H. 1/1993, S. 21 ff.; die Bemerkungen von Michael Doyle über die Schwierigkeiten von UN-»Peacekeeping«-Missionen in *Dissent*, H. 2/1994, S. 167 ff.; sowie das Symposium über den Themenschwerpunkt »US-Außenpolitik: Welche Weltordnung?« in *Dissent*, H. 4/1994 (S. 497–512); George Packer, »Why we are in Haiti«, H. 1/1995; Rawls' Artikel erschien im Symposium »Hiroshima – fünfzig Jahre danach«, *Dissent*, H. 3/1995 (die anderen Beiträger waren Jean Bethke Elshtain, Ronald Takaki und Michael Walzer).

MICHAEL WALZER

Veröffentlichungen
in deutscher Übersetzung

Gibt es einen gerechten Krieg? Stuttgart: Klett-Cotta Verlag 1983
(im Original: 1977)

Exodus und Revolution. Berlin: Rotbuch Rationen 1988 (im
Original: 1985) [jetzt: Fischer Taschenbuch (1995)]

Kritik und Gemeinsinn. Drei Wege der Gesellschaftskritik. Berlin:
Rotbuch Rationen 1990 (im Original: 1987) [jetzt: Fischer
Taschenbuch (1992), mit einem neuen Nachwort von Otto
Kallscheuer]

Zweifel und Einmischung. Gesellschaftskritik im 20. Jahrhundert.
Frankfurt/M.: Fischer Verlag 1991 (im Original: 1988)

*Sphären der Gerechtigkeit. Ein Plädoyer für Pluralismus und
Gleichheit.* Frankfurt/M. – New York: Campus Verlag 1992
(im Original: 1983)

Zivile Gesellschaft und amerikanische Demokratie, hrsg. und
mit einer Einleitung von Otto Kallscheuer, Berlin: Rotbuch
Rationen 1992

*Lokale Kritik – globale Standards. Zwei Formen moralischer Aus-
einandersetzung.* Mit einem Nachwort von Otto Kallscheuer,
Hamburg: Rotbuch Rationen 1996

Rationen

Herausgegeben
von Otto Kallscheuer
Lektorat
Peter Hammans

Nicht Leitlinien sind in
den Epochen des Um-
bruchs gefragt, sondern
produktive Neugier:
Rationen liefern Proviant
und Orientierungswissen
für unübersichtliche
Zeiten. Rationen bieten
Vernunft im Plural,
Aufklärung, deren Ergeb-
nis nicht schon vorab
feststeht. Rationen versor-
gen Zeitgenossen mit
Geistesgegenwart. Bisher
sind sechzehn Bände
erschienen.

Benjamin Barber
Starke Demokratie
Aus dem Amerikanischen
von Christiane Goldmann
und Christa Erbacher-von
Grumbkow
ISBN 3-88022-804-3

Ted Honderich
*Das Elend des
Konservativismus*
Aus dem Englischen von
Anne Vonderstein
ISBN 3-88022-807-8

Michael Ignatieff
Wovon lebt der Mensch
Aus dem Englischen von
Hans Jörg Friedrich
ISBN 3-88022-799-3

Anne Phillips
Geschlecht und Demokratie
Aus dem Englischen von
Christa Erbacher-von
Grumbkow
ISBN 3-88022-458-7

Stephen Holmes
*Die Anatomie des
Antiliberalismus*
Aus dem
Amerikanischen von
Anne Vonderstein
ISBN 3-88022-466-8

ROTBUCH *Rationen*